Hartmut Aufderstraße

Jutta Müller

Thomas Storz

Delfin

Zeichnungen von Frauke Fährmann

Lehrbuch + Arbeitsbuch

dreibändige Ausgabe

Teil 1

Lektionen 1–7

Lehrwerk

für

Deutsch als Fremdsprache

Hueber Verlag

BESTANDTEILE

Lehrbuch einbändige Ausgabe inkl. 2 eingelegten CDs mit Sprechübungen 256 Seiten ISBN 978–3–19–001601–3	**Lehrbuch** einbändige Ausgabe mit eingelegten CDs **Teil 1,** Lektionen 1–10 ISBN 978–3–19–091601–6 **Teil 2,** Lektionen 11–20 ISBN 978–3–19–101601–2	**Lehrbuch + Arbeitsbuch** einbändige Ausgabe mit eingelegten CDs und integriertem Arbeitsbuch **Teil 1,** Lektionen 1–7 ISBN 978–3–19–401601–9 **Teil 2,** Lektionen 8–14 ISBN 978–3–19–411601–6 **Teil 3,** Lektionen 15–20 ISBN 978–3–19–421601–3
Alle Ausgaben sind inhaltsgleich und haben die gleiche Seitenzählung.		
Hörverstehen Teil 1, Lektionen 1–10 **4 CDs** ISBN 978–3–19–041601–1		
Hörverstehen Teil 2, Lektionen 11–20 **4 CDs** ISBN 978–3–19–071601–2		
Arbeitsbuch ISBN 978–3–19–011601–0 **Arbeitsbuch,** Lösungen ISBN 978–3–19–191601–5	**Arbeitsbuch** zweibändige Ausgabe **Teil 1,** Lektionen 1–10 ISBN 978–3–19–111601–9 **Teil 2,** Lektionen 11–20 ISBN 978–3–19–121601–6	
Lehrerhandbuch ISBN 978–3–19–021601–7		
CD-ROM ISBN 978–3–19–051601–8		

| 8. | 7. | 6. | | Die letzten Ziffern |
| 2015 | 14 | 13 | 12 | 11 | bezeichnen Zahl und Jahr des Druckes. |

Alle Drucke dieser Auflage können, da unverändert,
nebeneinander benutzt werden.
1. Auflage
© 2003 Hueber Verlag, 85737 Ismaning, Deutschland
Umschlaggestaltung: Peer Koop, Hueber Verlag, Ismaning
Zeichnungen: Frauke Fährmann, Pöcking
Repro: Scan & Art, München
Satz: abc Media-Services, Buchloe
Druck und Bindung: Firmengruppe APPL, aprinta druck, Wemding
Printed in Germany
ISBN 978-3-19-401601-9

Liebe Deutschlernerin, lieber Deutschlerner,

warum eigentlich ‚Delfin'? Weil wir Ihnen wünschen, so schwungvoll und voller Energie in die Welt der deutschen Sprache einzutauchen wie ein Delfin ins Wasser! Delfine sind neugierig und lernen schnell, dabei zwanglos und mit Freude. Ebenso sollen Sie stets Spaß am Deutschlernen haben. Wir möchten, dass Sie auf leichtem und direktem Weg ans Ziel kommen. Und dass Sie sich beim Lernen wohl fühlen, denn so erzielen Sie den besten Erfolg.

Damit Sie sich von Anfang an leicht im Lehrwerk orientieren können, haben wir den Aufbau von ‚Delfin' klar strukturiert. Jede Lektion hat einen thematischen Schwerpunkt und besteht aus zehn Seiten, die in fünf Doppelseiten gegliedert sind:

Eintauchen Damit beginnt jede Lektion und macht Sie mit dem jeweiligen Thema und der Grammatik vertraut.

Lesen Hier finden Sie attraktive Lesetexte verschiedenster Textsorten. Dazu Übungen, die Ihnen beim Auffinden und Verstehen der wichtigen Inhalte helfen.

Hören In diesem Schritt begegnen Ihnen alltagsnahe Gesprächssituationen. Mit den begleitenden Übungen können Sie gezielt Ihr Hörverstehen trainieren.

→ CDs Hörverstehen Teil 1, Lektionen 1–10

Sprechen Anhand amüsanter Sprechübungen können Sie hier Ihre Aussprache schulen. Außerdem bieten Ihnen modellhafte Dialoge sprachliche Mittel, die Sie selbst in verschiedenen Situationen des Alltags anwenden können.

→ CDs mit den Sprechübungen im Buch

Schreiben Durch Vorlagen gestützt können Sie hier das Schreiben unterschiedlicher Texte üben. Ab Lektion 4 finden Sie zusätzlich jeweils ein kurzes Diktat, das den neu gelernten Wortschatz aufgreift.

→ CDs Hörverstehen Teil 1, Lektionen 1–10

Tauchen Sie mit ‚Delfin' gleich ein in die Welt Ihrer neuen Fremdsprache. Schon bald wird sie Ihnen nicht mehr fremd sein. Wir wünschen Ihnen viel Spaß und viel Erfolg beim Deutschlernen mit ‚Delfin'!

Dreibändige Ausgabe Die dreibändige Ausgabe ist inhaltsgleich mit der einbändigen und zweibändigen. Das gilt auch für die Seitenzahlen und Seitenverweise. Die **Grammatik-Übersicht** zeigt die in Teil 1 gelernten Grammatikphänomene an. Die **Wortliste** enthält den Wortschatz von Teil 1.

Integriertes Arbeitsbuch Die dreibändige Ausgabe enthält ein integriertes Arbeitsbuch. Die Lektionen des Arbeitsbuches sind inhaltsgleich mit denen der ein- und zweibändigen Ausgabe. Dies gilt auch für die Seitenzahlen und Seitenverweise.

Ihre Autoren und Ihr Hueber-Verlag

www.hueber.de/delfin/

Inhalt Arbeitsbuch

Delfin

Lehrbuch

dreibändige Ausgabe

Teil 1

Lektionen 1–7

1. Notieren Sie die Nummer.

der Reporter:	5	„Guten Tag, Frau Soprana. Herzlich willkommen."
die Sängerin:		„Danke für die Blumen."
der Tourist:		„Auf Wiedersehen. Gute Reise, Frau Nolte."
die Touristin:		„Auf Wiedersehen, Herr Noll."
das Mädchen:		„Hallo, ich heiße Claudia. Und du?"
der Junge:		„Ich heiße Claus. Tschüs, Claudia."
die Polizistin:		„Halt! Wie heißen Sie?"
die Verkäuferin:		„Oh! Verzeihung!"
das Baby:		„Mama."
die Zwillinge:		„Nein! Pfui!"

1 eins   2 zwei   3 drei   4 vier   5 fünf   6 sechs   7 sieben   8 acht   9 neun   10 zehn

2. Ordnen Sie.

der	die	das	die (Plural)
Reporter	*Sängerin*	*Baby*	*Zwillinge*

3. Ergänzen Sie.

 das *Telefon*

die Telefone

die Blume

die _____

der Saft

die _____

der _____

die Geldautomaten

 das _____

die Taxis

der Zwilling

die _____

 das _____

die Hotels

Singular	Plural
der Geldautomat	**die** Geldautomaten
die Blume	**die** Blumen
das Taxi	**die** Taxis

Ein Bahnhof:
Menschen kommen und gehen,
lachen und weinen.
Ein Zug kommt.
Touristen. Sie reisen. Sie winken.
Ein Mädchen. Es lacht.
Eine Frau. Ein Mann.
Er sagt: „Auf Wiedersehen".
Ein Kuss.
Aber sie weint.

Wer ist der Mann? Wie heißt die Frau?
Wo wohnt er? Wo wohnt sie?
Sie ist jung. Er ist jung.
Sie sind verliebt.
Der Mann winkt. Die Frau geht.
Menschen kommen und gehen,
lachen und weinen.
Ein Bahnhof ...

4. **Lesen Sie den Text. Was passt zusammen?**

a) Touristen *winken*_____ .

b) Ein Zug _____.

c) Ein Mädchen _____.

d) Ein Mann _____.

e) Eine Frau _____.

f) Der Mann _____.

g) Die Frau _____.

h) Der Mann und die Frau _____.

winkt
sagt: „Auf Wiedersehen"
weint
kommt
sind verliebt
lacht
~~winken~~
geht

ein Mann	der Mann	er winkt	(winken)
eine Frau	die Frau	sie geht	(gehen)
ein Mädchen	das Mädchen	es lacht	(lachen)
Touristen	die Touristen	sie kommen	(kommen)
		Er ist jung.	(sein)
		Sie ist jung.	
		Sie sind verliebt.	

Liebe Sara,

Du bist nicht da. Ich bin traurig.
Ich spiele Klavier. Ich arbeite. Ich schreibe. Ich warte.
Wann kommst Du?
Bist Du traurig? Bist Du glücklich?
Was machst Du?
Weinst Du? Lachst Du?
Arbeitest Du? Hörst Du Musik?
Wartest Du?
Du wohnst in Frankfurt. Ich lebe in Wien.
Ich bin allein. Du bist allein.
Aber das ist bald Vergangenheit.
Ich träume. Die Zukunft:
Du lebst in Frankfurt. Ich lebe in Frankfurt.
Oder: Ich wohne in Wien und Du wohnst auch in Wien.
Du und ich. Ich und Du.
Ich bin glücklich. Du bist glücklich.
Ich schicke Blumen.
Kommst Du bald?

Ich liebe Dich!
Jan

5. Richtig (r) oder falsch (f)?

a) **r** Jan ist traurig.

b) ☐ Sara schreibt.

c) ☐ Jan ist allein.

d) ☐ Jan liebt Sara.

e) ☐ Sara lebt in Frankfurt.

f) ☐ Jan wartet.

g) ☐ Jan spielt Klavier.

h) ☐ Sara schickt Blumen.

i) ☐ Jan wohnt in Frankfurt.

j) ☐ Sara wohnt in Wien.

k) ☐ Sara ist da.

l) ☐ Jan träumt.

kommen	ich komme	du kommst	Kommst du?	Wann kommst du?
arbeiten	ich arbeite	du arbeitest	Arbeitest du?	Wo arbeitest du?
warten	ich warte	du wartest	Wartest du?	
sein	ich **bin** glücklich	du **bist** glücklich	Bist du glücklich?	

6. Das ist kein …

a) Hören Sie die Gespräche *1, 2, 3* und *4*.

b) Foto und Gespräch. Was passt?

Gespräch Nr. ■   Gespräch Nr. ■   Gespräch Nr. ■   Gespräch Nr. ■

c) Welche Sätze hören Sie in Gespräch 1?
- **X** „Das ist kein Geldautomat."
- **X** „Der Geldautomat ist dort."
- **X** „Das ist ein Fahrkartenautomat."
- ■ „Ist der Fahrkartenautomat kaputt?"

d) Welche Sätze hören Sie in Gespräch 2?
- ■ „Das ist keine Sängerin."
- ■ „Das ist keine Verkäuferin."
- ■ „Bist du am Bahnhof?"
- ■ „Das ist eine Verkäuferin."

e) Welche Sätze hören Sie in Gespräch 3?
- ■ „Ist das ein Radio?"
- ■ „Nein, das ist kein Radio."
- ■ „Das ist kein Klavier."
- ■ „Meine Frau spielt Klavier."

f) Welche Sätze hören Sie in Gespräch 4?
- ■ „Herr Mohn, sind Sie in Hamburg?"
- ■ „Das sind keine Krankenwagen."
- ■ „Hier ist ein Unfall."
- ■ „Das sind Polizeiautos."

ein	Geldautomat	**kein**	Geldautomat
eine	Sängerin	**keine**	Sängerin
ein	Klavier	**kein**	Klavier
	Polizeiautos	**keine**	Polizeiautos

7. Am Bahnhof

a) Hören Sie das Gespräch.

b) Wer sagt die Sätze: Jörg (**J**) oder Veronika (**V**)?

- **J** „Wie geht's?"
- ■ „Wo sind deine Kinder?"
- ■ „Meine Kinder sind dort."
- ■ „Mein Sohn Ralf ist zehn."
- ■ „Wie alt ist deine Tochter?"
- ■ „Sag mal, was ist das denn?"
- ■ „Aha, das ist dein Kamel."
- ■ „Los, das Taxi wartet."

mein	Sohn	**dein**	Sohn
meine	Tochter	**deine**	Tochter
mein	Kind	**dein**	Kind
meine	Kinder	**deine**	Kinder

8. Mama, wo ist mein Ball?

a) Hören Sie das Gespräch.

b) Was ist richtig? ✗

☐ Vanessa ist traurig. Ihr Auto ist kaputt.
☐ Der Ball von Uwe ist kaputt. Uwe weint.
☐ Uwe ist glücklich. Sein Ball ist da.
☐ Vanessa ist traurig. Ihre Flasche ist kaputt.
☐ Das Baby weint. Seine Mutter ist nicht da.
☐ Die Mutter ist glücklich. Ihre Fahrkarten sind da.

er:		sie:		es:		sie (Plural):	
sein Ball		**ihr** Ball		**sein** Ball		**ihre** Bälle	
seine Flasche		**ihre** Flasche		**seine** Flasche		**ihre** Flaschen	
sein Auto		**ihr** Auto		**sein** Auto		**ihre** Autos	
seine Fahrkarten		**ihre** Fahrkarten		**seine** Fahrkarten		**ihre** Fahrkarten	

9. Ihre Nummer, bitte.

a) Hören Sie die Gespräche 1 und 2.

b) Was ist richtig? ✗

Gespräch 1

Der Tourist sagt:
☐ „Bitte Koffer Nummer 1 2 7."
✗ „Bitte Koffer Nummer 1 3 7."
☐ „Bitte Tasche Nummer 1 5 7."

Der Mann sagt:
☐ „Das ist nicht Ihr Koffer."
☐ „Das ist Ihre Tasche."
☐ „Das ist Ihr Koffer."

Gespräch 2

Nummer 5 2 3
☐ ist ein Koffer.
☐ ist eine Tasche.
☐ ist ein Radio.

Nummer 5 2 2 und 5 3 3
☐ sind Koffer.
☐ sind keine Koffer.
☐ sind nicht da.

Der Mann sagt:
☐ „Ihre Taschen sind nicht da."
☐ „So, Ihre Koffer sind da."
☐ „Ihre Tasche ist da."
☐ „Ihr Gepäck ist komplett."

Sie:	
Ihr Koffer	
Ihre Tasche	
Ihr Gepäck	
Ihre Taschen	

10. Das Alphabet.

Hören Sie die Buchstaben und sprechen Sie nach.

A a	B b	C c	D d	E e	F f	G g	H h	I i	J j
[a]	[be]	[ce]	[de]	[e]	[ef]	[ge]	[ha]	[i]	[jot]

K k	L l	M m	N n	O o	P p	Q q	R r	S s	T t
[ka]	[el]	[em]	[en]	[o]	[p]	[qu]	[er]	[es]	[t]

U u	V v	W w	X x	Y y	Z z	Ä ä	Ö ö	Ü ü	ß
[u]	[vau]	[we]	[ix]	[ypsilon]	[zet]	[a-Umlaut]	[o-Umlaut]	[u-Umlaut]	[eszet]

11. Wörter. Hören Sie, sprechen Sie nach und buchstabieren Sie.

a) Taxi   T – a – x – i

Taxi	ich	zwei
du	Vergangenheit	Polizei
da	zehn	wo
Jan	Bahnhof	ist
Mama	Krankenwagen	jung
Mann	eins	

b)

ä	Mädchen	ö	Jörg	ü	Grüße
	ergänzen		hört		küssen
	Gepäck		schön		fünf

c)

au	Auto	äu	träumen	eu	neun
	Frau		Verkäufer		neunzehn

ai	Kai	ei	zwei	ie	liebe
	Thailand		allein		Briefe

12. Die Zahlen von 0 bis 10.

Hören Sie die Zahlen und sprechen Sie nach.

null eins zwei drei vier fünf sechs sieben acht neun zehn

zehn neun acht sieben sechs fünf vier drei zwei eins null

13. Die Zahlen von 10 bis 100.

a) Hören Sie die Zahlen und sprechen Sie nach.

10 zehn	20 zwanzig	30 dreißig	40 vierzig
11 elf	21 einundzwanzig	31 einunddreißig	50 fünfzig
12 zwölf	22 zweiundzwanzig	32 zweiunddreißig	60 sechzig
13 dreizehn	23 dreiundzwanzig	33 …	70 siebzig
14 vierzehn	24 vierundzwanzig		80 achtzig
15 fünfzehn	25 fünfundzwanzig		90 neunzig
16 sechzehn	26 sechsundzwanzig		100 hundert
17 siebzehn	27 siebenundzwanzig		
18 achtzehn	28 achtundzwanzig		
19 neunzehn	29 neunundzwanzig		

b) Hören Sie die Zahlen und sprechen Sie nach.

0 10 20 30 40 50 60 70 80 90 100
90 80 70 60 50 40 30 20 10 0

c) Hören Sie die Zahlen und sprechen Sie nach.

13 – 30; 14 – 40; 15 – 50; 16 – 60; 17 – 80;
19 – 90

14. Wie alt sind die Personen?

a) Hören Sie und ergänzen Sie die Zahlen.

1. Ich bin __16__. Meine Großmutter ist ____.

2. Ich bin ____. Mein Hund ist ____ Jahre alt.

3. Ich bin ____. Mein Großvater ist ____.

4. Ich bin ____. Mein Vater ist ____.

5. Ich bin ____. Mein Lehrer ist ____.

b) Sprechen Sie die Sätze nach.

15. Was ist betont? Hören Sie die Gespräche und sprechen Sie die Sätze nach.

Gespräch a)

● <u>Noll</u>, guten <u>Tag</u>.
■ Hallo <u>Jörg</u>. Hier ist <u>Claudia</u>.
● Hallo <u>Claudia</u>. Wo <u>bist</u> du?
■ In <u>München</u>. Ich bin in <u>München</u>.
● Wann <u>kommst</u> du?
■ <u>Morgen</u>.

Frau Soprana, arbeiten **Sie?**
Frau Soprana, wo sind **Sie?**

Gespräch b)
Markieren Sie die Betonungen.

● Nolte, guten Tag.
■ <u>Guten</u> Tag, <u>Herr</u> Nolte.
   Hier ist Soprana.
● Guten Tag, Frau Soprana.
   Wo sind Sie?
■ In London. Ich bin in London.
● Arbeiten Sie?
■ Nein, ich arbeite nicht.

Hallo Ingrid,

hier ist Benno auf Europareise!
Heute ist Sonntag, und ich
bin in Wien. Wien ist wunderbar!
Das Wetter ist gut, die Leute
sind nett.
Morgen bin ich in Salzburg.

Viele Grüße
Benno

Ingrid Bergman

Steubenstraße 54

_____

D-14050 Berlin

16. **Schreiben Sie Postkarten. Sie können die folgenden Informationen verwenden:**

Tag	Ort	Postkarte an …	Stadt	Wetter	Leute
Sonntag	Wien	Ingrid	wunderbar	gut	nett
Montag	Salzburg	Uwe	toll	nicht so gut	freundlich
Dienstag	München	Maria	interessant	schlecht	sympathisch
Mittwoch	Zürich	Jens	wunderbar	scheußlich awful	prima
Donnerstag	Stuttgart	Eva	sympathisch	herrlich	angenehm
Freitag	Berlin	Walter	schön	fantastisch	toll
Samstag	Hamburg	Rebekka	herrlich	prima	freundlich

Hallo Uwe,

hier ... _____
_____
_____

Uwe ... _____

Hallo Maria,

hier ... _____
_____
_____

Maria... _____

1. **Was passt zur Familie links (*l*), was passt zur Familie rechts (*r*)?**

r Sie kommen aus Kopenhagen.

Sie telefoniert.

Sie heißen Schneider.

Ihr Hobby ist Surfen.

Sie kochen.

Sie sind aus München.

Sie haben Zwillinge.

Ihre Kinder spielen Computer.

Er ist Fotograf.

Ihr Hund und ihre Katze sind Freunde.

2. **Wie antwortet Herr Schneider? Wie antwortet Herr Jensen?**

Herr Schneider
fragt:

Herr Jensen
antwortet:

Herr Jensen
fragt:

Herr Schneider
antwortet:

a) „Woher kommen Sie?"

b) „Wie heißen Sie?"

c) „Was sind Sie von Beruf?"

d) „Was ist Ihr Hobby?"

e) „Wie alt sind Ihre Kinder?"

7

f) „Woher kommen Sie?"

g) „Wie heißen Sie?"

h) „Was sind Sie von Beruf?"

i) „Was ist Ihr Hobby?"

j) „Wie alt sind Ihre Kinder?"

1. Unser Sohn ist neun und unsere Tochter ist elf.
2. Unser Hobby ist Tennis.
3. Wir heißen Schneider.
4. Meine Frau ist Ärztin und ich bin Fotograf.
5. Unsere Zwillinge sind vier Jahre alt.

6. Wir surfen gern.
7. Wir kommen aus Kopenhagen.
8. Meine Frau ist Sportlehrerin und ich bin Mathematiklehrer.
9. Wir heißen Jensen.
10. Wir sind aus München.

kommen	**wir** komm**en**		der Sohn	uns**er** Sohn
spielen	**wir** spiel**en**		die Tochter	uns**ere** Tochter
haben	**wir** hab**en**		das Hobby	uns**er** Hobby
sein	**wir sind**		die Kinder	uns**ere** Kinder

3. **Lesen Sie das Gespräch.**

dialogue

● Hallo, habt ihr Probleme?
■ Na ja.
● Seid ihr schon lange hier?
■ Na ja, zwei Tage.
● Woher kommt ihr denn?
■ Aus Hamburg. Und ihr?
● Wir sind aus Rostock. Ist euer Zelt kaputt?
■ Nein, unser Zelt ist nass.

● Sind eure Schlafsäcke auch nass?
■ Ja natürlich. Und unsere Luftmatratze ist kaputt.
  Wir packen.
● Warum denn? – Unser Zelt ist trocken, unsere
  Luftmatratzen sind bequem, unsere Schlafsäcke
  sind sauber ...
■ Wie bitte? – Ihr spinnt wohl!

(handwritten annotations: Na (well) ja (yes), already, Are you already long new?, where do come from, I would like to know, wet, tent, sleeping bad, packing, of course, but why, dry, air mattres, clean, Warum (why), Say what? Come again?, comfortable, you must be crazy)

4. **Richtig (r) oder falsch (f)?**

a) **f** Die Jungen packen.
b) ☒ Ihre Luftmatratzen sind bequem.
c) ☒ Ihre Schlafsäcke sind sauber.
d) ☒ Ihr Zelt ist nass.

e) ☒ Die Mädchen haben Probleme.
f) ☒ Sie sind erst zwei Tage hier.
g) ☒ Ihr Zelt ist kaputt.
h) ☐ Ihre Schlafsäcke sind nass.

kommen	**wir** komm**en**	**ihr** kommt
packen	**wir** pack**en**	**ihr** packt
haben	**wir** haben	**ihr** habt
sein	**wir** sind	**ihr** seid

der Schlafsack	**unser** Schlafsack	**euer** Schlafsack
die Luftmatratze	**unsere** Luftmatratze	**eure** Luftmatratze
das Zelt	**unser** Zelt	**euer** Zelt
die Probleme	**unsere** Probleme	**eure** Probleme

Menschen

Rekorde, Rekorde

Wasser ist Wasser – denken Sie vielleicht.
Aber nicht für Werner Sundermann. Der Möbeltischler
aus Radebeul bei Dresden ist 37 Jahre alt, verheiratet
und hat drei Kinder. Er trinkt nicht gern Bier oder
Wein, aber **er kann blind 18 Sorten Mineralwasser
erkennen** – mit oder ohne Kohlensäure. Er meint:
„Vielleicht schaffe ich bald 25. Ich trainiere fleißig."
Na dann: Prost!

Nguyen Tien-Huu, 27, ist Kunststudent und ledig.
Er wohnt und studiert in Berlin. Wie verdient er Geld?
Er zeichnet Touristen. Das kann er sehr schnell.
Sein Rekord: Sechs Gesichter in zwei Minuten. Trotzdem
sind die Zeichnungen gut und die Touristen sind immer
zufrieden.

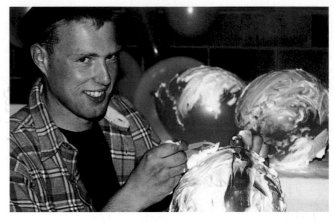

Max ist sein Vorname. Sein Familienname ist Claus.
26 Jahre ist er und ledig. Er wohnt in Wuppertal
und ist Friseur. Normalerweise schneidet er Haare und
rasiert Bärte. Pro Bart braucht er etwa fünf Minuten.
Aber er kann auch sehr gut und **sehr schnell
Luftballons rasieren**. Sein Rekord: 30 Luftballons in
drei Minuten. Und kein Ballon platzt.

Natascha Schmitt ist Krankenschwester von Beruf.
Sie ist 32 Jahre alt, geschieden, wohnt in Stade und
arbeitet in Hamburg. Natascha Schmitt liebt Autos.
Reifenpanne? – Kein Problem! **Sie kann in
27 Sekunden ein Rad wechseln**. Das ist Weltrekord!

5. Ergänzen Sie.

Familienname	Vorname	Alter	Beruf	Familienstand	Wohnort
Sundermann					
	Natascha				Stade
		27		ledig	
			Friseur		

6. Richtig (r) oder falsch (f)?

a) ▢ Nguyen Tien-Huu kann in zwei Minuten sechs Gesichter zeichnen.

▢ Seine Zeichnungen sind schlecht.

b) ▢ Natascha Schmitt kann in 17 Sekunden ein Rad wechseln.

▢ Sie arbeitet nicht in Stade.

c) ▢ Max Claus kann in drei Minuten dreißig Luftballons rasieren.

▢ Seine Ballons platzen.

d) ▢ Werner Sundermann trinkt gern Alkohol.

▢ Er kann blind 25 Sorten Mineralwasser erkennen.

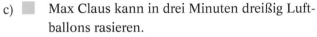

Er	**kann**			**zeichnen.**
Er	**kann**		sechs Gesichter	**zeichnen.**
Er	**kann**	in zwei Minuten	sechs Gesichter	**zeichnen.**

7. Was passt?

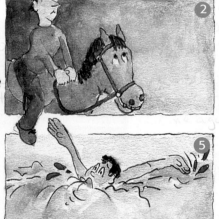

a) **6** Die Frauen können tief tauchen.

b) ▢ Der Mann kann nicht reiten.

c) ▢ Die Kinder können gut singen.

d) ▢ Das Mädchen kann gut rechnen.

e) ▢ Die Katze kann hoch springen.

f) ▢ Der Junge kann nicht schwimmen.

	können
ich	**kann**
du	**kannst**
er/sie/es	**kann**
wir	**können**
ihr	**könnt**
sie/Sie	**können**

8. Hören Sie die Zahlen von 100 bis 1000.

100 hundert	101 hunderteins	120 hundertzwanzig
200 zweihundert	202 zweihundertzwei	121 hunderteinundzwanzig
300 dreihundert	303 dreihundertdrei	122 hundertzweiundzwanzig
400 vierhundert	404 vierhundertvier	123 hundertdreiundzwanzig
500 fünfhundert	…	…
600 sechshundert	111 hundertelf	333 dreihundertdreiunddreißig
700 siebenhundert	212 zweihundertzwölf	555 fünfhundertfünfundfünfzig
800 achthundert	313 dreihundertdreizehn	777 siebenhundertsiebenundsiebzig
900 neunhundert	414 vierhundertvierzehn	888 achthundertachtundachtzig
1000 tausend	…	999 neunhundertneunundneunzig

9. Hören Sie die Zahlen. Notieren Sie die Reihenfolge.

a)   890   980   808   c)   713   317   717   e)   221   123   132

     [2]   [3]   [1]   [ ]   [ ]   [ ]   [ ]   [ ]   [ ]

b)   630   330   360   d)   405   504   450   f)   578   758   587

     [ ]   [ ]   [ ]   [ ]   [ ]   [ ]   [ ]   [ ]   [ ]

10. Wie viel wiegt das?

a) Hören Sie das Gespräch.

b) Ergänzen Sie. Wie viel Gramm sind es genau?

Die Zwiebeln wiegen   _748_ Gramm.   Die Tomaten wiegen   _____ Gramm.

Die Äpfel wiegen   _____ Gramm.   Die Karotten wiegen   _____ Gramm.

Die Kartoffeln wiegen   _____ Gramm.   Die Pilze wiegen   _____ Gramm.

11. Im Kaufhaus.

Diese Sätze sind falsch. Hören Sie das Gespräch und korrigieren Sie dann.

a) Der Junge lacht.

Der Junge _____

b) Seine Großeltern sind weg.

_____

c) Sein Nachname ist Jan-Peter.

_____

d) Er ist fünf Jahre alt.

_____

12. Radioquiz.
Notieren Sie die Lösungen.

Roswitha Beier 1   Rudolf Geißler 2
Jochen König 3   Klaus Beckmann 4

a) Wer hat Geburtstag? 2
b) Wer wohnt in Bremen?
c) Wer ist 17 Jahre alt?
d) Wer kommt aus Oldenburg?
e) Wer hat zwei Kinder?
f) Wer studiert?
g) Wer sagt die richtige Lösung?
h) Der Komponist heißt (X) …

    Haydn.
    Beethoven.
    Brahms.
    Mozart.

	haben
ich	habe
du	hast
er/sie/es	hat
wir	haben
ihr	habt
sie/Sie	haben

13. Pizza-Express.
Was ist richtig? X

a)   Lisa bestellt 8 Pizzas.
     Lisa bestellt 11 Pizzas.

b)   Ihre Eltern sind nicht da.
     Ihr Vater ist da, aber ihre Mutter nicht.

c)   Lisa wohnt in Bonn.
     Lisa wohnt in Bern.

d)   Ihre Adresse ist Beethovenstraße 9.
     Ihre Adresse ist Beethovenstraße 19.

e)   Ihre Freundin ist da.
     Ihre Freunde sind da.

f)   Ihr Freund heißt Bello.
     Ihr Hund heißt Bello.

g)   Pizza Nummer eins ist für Bello.
     Pizza Nummer drei ist für Bello.

h)   Lisa ist glücklich. Die Pizzas kommen.
     Lisa ist traurig. Die Pizzas kommen nicht.

14. Zischlaute …

a) Hören Sie die Wörter und sprechen Sie nach.

Katze	Pizza	Zug	zehn	zwei	Gesicht	Saft
Matratze	Pilze	Zahl	Zelt	Zwilling	rasieren	sehr
platzen	Polizei	Zukunft	zufrieden	Zwiebel	Lösung	sauber

sechs	Bus	Gruß	dreißig	Flasche	schön	Schlafsack
Sorte	Kuss	groß	fleißig	Tasche	schnell	schneiden
Sohn	Tschüs	nass	Wasser	Tischler	scheußlich	schaffen

b) Hören Sie die Sätze und sprechen Sie nach.

Zwei Matratzen platzen.
Lisa rasiert sieben Gesichter.
Das Wasser ist nass.
Schwester Natascha ist geschieden.
Das Zelt ist sehr sauber.
Sein Sohn schneidet zweihundertzwölf Zwiebeln.
Das sind siebenhundertsiebenundsiebzig Sorten Pilze.
Herr Sundermann schafft schnell zweiundzwanzig
   Flaschen.

15. Was ist betont? Hören Sie die Sätze, markieren Sie die Betonungen und sprechen Sie nach.

a)

Volker <u>studiert</u>.   –   Volker studiert in <u>Berlin.</u>
Er kann zeichnen.   –   Er kann Gesichter zeichnen.
Natascha arbeitet.   –   Natascha arbeitet in Hamburg.
Sie kann spielen.   –   Sie kann Klavier spielen.

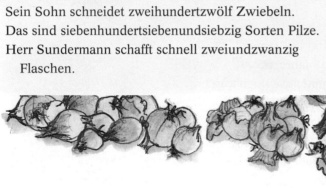

b)

Max schneidet normalerweise <u>Haare.</u>   –   <u>Normalerweise</u> schneidet Max <u>Haare.</u>
Werner erkennt vielleicht bald 25 Sorten Wasser.   –   Vielleicht erkennt Werner bald 25 Sorten Wasser.
Volker zeichnet in zwei Minuten sechs Gesichter.   –   In zwei Minuten zeichnet Volker sechs Gesichter.
Die Zeichnungen sind natürlich gut.   –   Natürlich sind die Zeichnungen gut.

Die Zeichnungen	sind	natürlich		gut.
Natürlich	sind	die Zeichnungen		gut.

16. Hören Sie die Gespräche und sprechen Sie nach.

Gespräch a)

● Hallo Volker!

■ Tag Heike! Wie geht's?

● Danke, gut. Übrigens – das ist Valeria. Sie kommt aus Italien.

■ Hallo Valeria!

◆ Hallo.

■ Studierst du hier?

◆ Nein, ich möchte hier arbeiten.

■ Ach so.

Gespräch b)

● Guten Abend, Frau Humbold.

■ Guten Abend, Herr Bloch.

● Das ist Herr Winter.

■ Freut mich. Guten Abend.

◆ Guten Abend.

● Herr Winter kommt aus Australien. Er möchte hier eine Reportage machen.

■ Ach, dann sind Sie Reporter?

◆ Nein, ich bin Fotograf.

Ich	**möchte**	hier **arbeiten.**
Er/sie	**möchte**	hier **arbeiten.**

17. Variieren Sie die Gespräche.

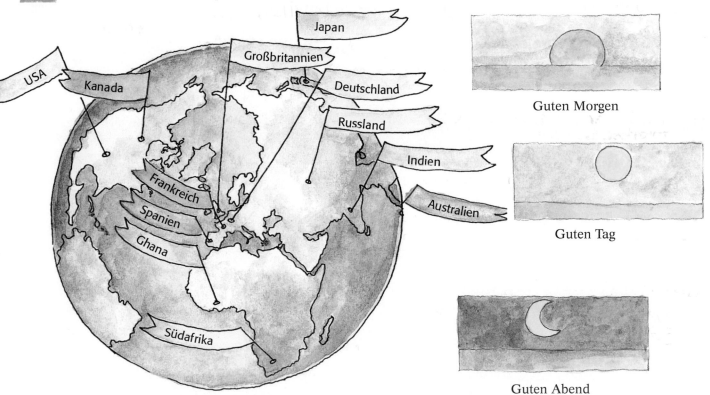

Guten Morgen

Guten Tag

Guten Abend

Sein Name ist Ferdinand Hackl. Er wohnt in Linz, Hirschgasse 14. Seine Telefonnummer ist 14 36 76, die Faxnummer ist 14 38 67. Er ist 47 Jahre alt, in Klagenfurt geboren und Installateur von Beruf. Er ist Österreicher. Seine Frau heißt Elisabeth. Elisabeth und Ferdinand Hackl haben drei Kinder: Maria, Johann und Resi.

ledig (single)

Jana Pifkova, 23, ist Tschechin. Sie ist Informatikerin von Beruf und wohnt in Prag. Ihre Adresse: Kankovskeho 27. Geboren ist sie in Bratislava. Jana Pifkova ist nicht verheiratet und hat keine Kinder. Ihre Telefonnummer ist 44 32 39 78; das ist auch ihre Faxnummer. Natürlich hat sie auch eine E-Mail-Adresse: Jana.Pifkova@cuni.cz.

Sie kommt aus Tunesien. Aber sie lebt in Deutschland, und ihre Staatsangehörigkeit ist deutsch. Aziza Hansen ist 1971 in Tunis geboren. Sie wohnt in Hannover und ist Sekretärin von Beruf. Ihr Mann ist Deutscher. Sie haben zwei Töchter, vier und zwei Jahre alt. Ihre Adresse: Daimlerstraße 17a. Telefon: 8 93 45 67.

Land	Einwohner	Einwohnerin	Staatsangehörigkeit
Österreich	Österreicher	Österreicherin	österreichisch
Tschechien	Tscheche	Tschechin	tschechisch
Tunesien	Tunesier	Tunesierin	tunesisch
Deutschland	Deutscher	Deutsche	deutsch

18. Füllen Sie die Formulare für die drei Personen aus.

Name: Hackl _____
Vorname: _____
Geschlecht: ☒ männlich
           ❑ weiblich
Familienstand: ❑ ledig
           ❑ verheiratet
           ❑ geschieden
Alter: _____
Kinder: _____
Beruf: _____
Staatsangehörigkeit: _____
Geburtsort: _____
Wohnort: _____
Straße / Nr.: _____
Land: _____
Telefon: _____
Fax: _____
E-Mail: _____

Name: _____
Vorname: _____
Geschlecht: ❑ männlich
           ❑ weiblich
Familienstand: ❑ ledig
           ❑ verheiratet
           ❑ geschieden
Alter: _____
Kinder: _____
Beruf: _____
Staatsangehörigkeit: _____
Geburtsort: _____
Wohnort: _____
Straße / Nr.: _____
Land: _____
Telefon: _____
Fax: _____
E-Mail: _____

Name: _____
Vorname: _____
Geschlecht: ❑ männlich
           ❑ weiblich
Familienstand: ❑ ledig
           ❑ verheiratet
           ❑ geschieden
Alter: _____
Kinder: _____
Beruf: _____
Staatsangehörigkeit: _____
Geburtsort: _____
Wohnort: _____
Straße / Nr.: _____
Land: _____
Telefon: _____
Fax: _____
E-Mail: _____

enterteiner
language
bis
sailing

Animateur/Animateurin

Alter: 18-26 Jahre
Sprachen: Englisch und Französisch oder Spanisch
Sport: Tennis, Surfen, Tauchen, Segeln

Bewerbung mit Foto und Angabe von Gewicht und Größe an:

Clubreisen GmbH
Frau Donner
Rheinstraße 127, D-50996 Köln

Telefon: 0221-39813011, Fax: +49-221-39813057
E-Mail: Clubreisen@delfin-online.de

19. **Schreiben Sie eine Bewerbung:**

application

alt (old)

Name:	Eva Fritsch
Alter:	21
Größe:	1,68
Gewicht:	52 kg
Beruf:	studiert Medizin
Sprachen:	Englisch und Französisch
Sport:	Tennis nicht, aber surfen, tauchen und schwimmen

Bodo Schuster

Schillerstr. 228
40237 Düsseldorf
Tel.: 02 11/68 98 68

An Clubreisen GmbH
Frau Donner
Rheinstraße 127

Düsseldorf, den 29.2.2001

D-50996 Köln

Bewerbung als Animateur

Sehr geehrte Frau Donner,

mein Name ist Bodo Schuster. Ich bin 24 Jahre alt,
1,80 Meter groß und wiege 78 Kilogramm.

tall   weight

not yet

Ich studiere Sport in Düsseldorf. Ich kann leider noch nicht
segeln, aber ich spiele gut Tennis und kann surfen. Mein
Englisch ist gut, und ich verstehe auch Spanisch.

sail

(also)

Mit freundlichen Grüßen

Bodo Schuster

sits together

1. Was passt zusammen?

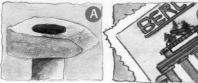

der Hammer

die Ansichtskarte

die Kerze

die Briefmarke

das Feuerzeug

fire stuff

der Nagel

das Messer

der Topf

das Telefon

der Film

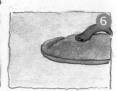

die Gabel

der Deckel

die Küchenuhr
kitchen clock

die Schuhe

der Fotoapparat

die Batterie

das Telefonbuch

die Strümpfe

A	B	C	D	E	F	G	H	I
3	1	2	5	6	8	7	9	4

Der Hammer und der Nagel passen zusammen.
Die Ansichtskarte und …
…

what do the people say?

2. Was sagen die Personen? Finden Sie weitere Beispiele.

- ● Der Topf ist da, aber der Deckel ist weg.
- ■ Moment, ich suche den Deckel.

- ● Die Ansichtskarte ist da, aber die … ist weg.
- ■ Moment, ich suche die …

- ● Das Telefonbuch ist da, aber das … ist weg.
- ■ Moment, ich suche das …

- ● Die Schuhe sind da, aber die … sind weg.
- ■ Moment, ich suche die …

- ● … ist da, aber … ist weg.
- ■ Moment, ich suche …
  …

Noun as subject   *Noun as direct object*   *der den ein einen only male nouns change for a direct object of a sentence*

Nominativ	Akkusativ
Der Deckel ist weg.	Ich suche <u>**den**</u> Deckel.
Die Briefmarke ist weg.	Ich suche **die** Briefmarke.
Das Telefon ist weg.	Ich suche **das** Telefon.
Die Strümpfe sind weg.	Ich suche **die** Strümpfe.

die Sonnenbrille
eine Sonnenbrille

der Regenschirm
ein Regenschirm

das Taschentuch
ein Taschentuch

die Gummistiefel *(Plural)*
Gummistiefel

der Mantel
ein Mantel

die Telefonkarte
eine Telefonkarte

das Pflaster
ein Pflaster

die Münzen *(Plural)*
Münzen

3. Ergänzen Sie.

Er hat keinen …
Er braucht einen …

Er hat kein …
Er braucht ein …

Er hat keine …
Er braucht eine …

Er hat keine …
Er braucht …

Er hat kein …
Er braucht ein …

Er hat keine …
Er braucht …

Er hat keine …
Er braucht eine …

Er hat keinen …
Er braucht einen …

Nominativ:		Akkusativ:	
ein Regenschirm	**kein** Regenschirm	**einen** Regenschirm	**keinen** Regenschirm
eine Telefonkarte	**keine** Telefonkarte	**eine** Telefonkarte	**keine** Telefonkarte
ein Pflaster	**kein** Pflaster	**ein** Pflaster	**kein** Pflaster
Münzen	**keine** Münzen	Münzen	**keine** Münzen

R
Reportage

Telefon, Fernseher, Auto hat jeder. Stimmt nicht. Manche Menschen haben zum Beispiel ein Krokodil, aber kein Telefon. Vier Personen, vier Lebensstile.

„Ein Krokodil und kein Telefon"

Karin Stern, 33, wohnt in Frankfurt. Sie ist Sozialarbeiterin und Hobby-Fotografin. „Ich brauche keinen Luxus, keinen Geschirrspüler und keinen Computer. Ich rauche nicht und ich trinke keinen Alkohol. Geld brauche ich nur für meine Kameras, mein Fotolabor und für Filme. Der Rest ist nicht so wichtig." Das stimmt: Ihr Bad ist eigentlich ein Fotolabor und ihr Schlafzimmer ein Fotoarchiv.

Jochen Pensler, 21, studiert in Leipzig Biologie. Sein Zimmer ist ein Zoo. Zurzeit hat er 6 Schlangen, 26 Spinnen, 14 Mäuse und 1 Krokodil. Aber er hat kein Telefon und kein Radio. Einen Fernseher hat er auch nicht. „Ich höre keine Musik und ich brauche keine Unterhaltung. Nur Bücher brauche ich unbedingt und meine Tiere. Tiere sind mein Hobby und sie kosten viel Zeit."

Bernd Klose, 42, lebt in Freiburg. Er ist Reporter. Deshalb ist er selten zu Hause. Seine Wohnung hat nur ein Zimmer. Es gibt eine Matratze und einen Schreibtisch. Möbel findet Bernd nicht wichtig. „Ich brauche drei Dinge: den Computer, das Motorrad und das Mobiltelefon."

Normalerweise hat jeder Mensch eine Wohnung oder ein Haus, aber Linda Damke nicht. Sie ist 27, Musikerin, und hat ein Segelboot. Das ist ihr Zuhause. „Andere Leute brauchen ein Haus oder eine Wohnung und einen Wagen, ich nicht. Mein Segelboot bedeutet Freiheit. Im Sommer bin ich in Deutschland oder in Frankreich, im Winter in Griechenland." Lindas Leben ist spannend, aber nicht sehr bequem. Die Kajüte hat wenig Platz. Es gibt ein Bett, einen Tisch, ein paar Kisten, einen Mini-Kühlschrank und einen Gaskocher. Mehr braucht sie nicht.

4. Was passt?

a) Jochen Pensler **2** ☐ ☐

b) Bernd Klose ☐ ☐ ☐

c) Karin Stern ☐ ☐ ☐

d) Linda Damke ☐ ☐ ☐

1. Sie ist Sozialarbeiterin von Beruf.
2. Er studiert Biologie.
3. Ihre Wohnung ist in Frankfurt.
4. Sein Bett ist eine Matratze.
5. Ihr Zuhause ist ein Segelboot.
6. Er braucht keine Unterhaltung.

7. Sie fotografiert gerne.
8. Sie ist 27 Jahre alt.
9. Sein Hobby sind Tiere.
10. Er hat eine Wohnung in Freiburg.
11. Er findet Möbel nicht wichtig.
12. Ein Haus und einen Wagen braucht sie nicht.

5. Was finden die Personen wichtig? Was finden sie nicht wichtig?

eine Wohnung ein Segelboot ~~Tiere~~ einen Computer Möbel ~~einen Geschirrspüler~~ Musik Kameras

a) Jochen Pensler findet _Tiere_____ wichtig, aber _____ findet er nicht wichtig.

b) Bernd Klose findet _____ wichtig, aber _____ findet er nicht wichtig.

c) Karin Stern findet _____ wichtig, aber _einen Geschirrspüler_ findet sie nicht wichtig.

d) Linda Damke findet _____ wichtig, aber _____ findet sie nicht wichtig.

Finden Sie weitere Beispiele:

Frau Stern findet ... wichtig, aber ... findet sie nicht wichtig.

ein Mobiltelefon einen Wagen ein Telefon
ein Haus ein Fotolabor ein Motorrad
ein Radio einen Fernseher Filme
Unterhaltung Freiheit Luxus Bücher

6. Formulieren Sie es anders.

a) Bernd Klose braucht drei Dinge. → _Drei Dinge braucht Bernd Klose._____

Er hat kein Auto. → _Ein Auto hat er nicht._____

b) Karin Stern braucht keinen
Geschirrspüler. → _Einen Geschirrspüler_____

Sie braucht einen Fotoapparat. → _____

c) Jochen Pensler hat keinen Fernseher. → _____

Er hat ein Krokodil. → _____

d) Linda Damke braucht kein Haus. → _____

Sie hat ein Segelboot. → _____

| Bernd Klose | braucht | **drei Dinge.** |
| **Drei Dinge** | braucht | **Bernd Klose.** |

| Er | hat | **kein Auto.** |
| **Ein Auto** | hat | er | **nicht.** |

7. Peter sucht ein Zimmer.

a) Lesen Sie die Texte A bis C.

A. Peter studiert Mathematik und Biologie. Er sucht ein
Zimmer. Seine Eltern sind nicht nett und er möchte
mehr Freiheit.
Wolfgang und Rudi haben zusammen ein Haus. Sie
haben ein Zimmer frei. Es kostet 130,– Euro.
Peter möchte das Zimmer nicht haben.

B. Peter studiert Physik und Biologie. Er sucht ein
Zimmer. Seine Eltern sind nett, aber er möchte mehr
Freiheit.
Wolfgang und Rudi haben zusammen ein Haus. Sie
haben eine Wohnung frei. Sie kostet 330,– Euro.
Peter möchte die Wohnung haben.

b) Hören Sie das Gespräch.

Welcher Text passt?   A ▉   B ▉   C ▉

C. Peter studiert Mathematik und Biologie. Er sucht ein
Zimmer. Seine Eltern sind nett, aber er möchte mehr
Freiheit.
Wolfgang und Rudi haben zusammen eine Wohnung.
Sie haben ein Zimmer frei. Es kostet 130,– Euro.
Peter möchte das Zimmer haben.

8. Was möchte Frau Fischer kaufen?

a) Hören Sie Gespräch 1. Was passt?

Wohnungsaufgabe

Verkaufe: Bett mit Matratze, Schreibtisch mit
Stuhl, Kühlschrank, Geschirrspüler, Herd,
Schreibmaschine, Klavier, Radio, Uhr, Besteck,
Koffer, Töpfe.
Mo. ab 18.00 Tel.: 069/785713 Rheinländer

Bett

~~Bett~~ mit Matratze zu verkaufen

Der _____ ist schon weg, aber
Familie Rheinländer hat den _____ noch.
Frau Fischer kann ihn kaufen.

Die _____ ist schon weg; Frau Fischer
kann sie nicht mehr kaufen.

Aber das _____ ist noch da. Frau Fischer
möchte es kaufen.

Stuhl

Koffer

Bett

Uhr

Kühlschrank

Schreibtisch

Matratze

b) Hören Sie Gespräch 2. Was passt?

alt, aber gut

50,– €

fast neu

nicht kaufen

150,– €

bequem

80,– €
kaufen

nicht kaufen

kaufen

20,– €

nicht komplett

a) Das Bett ist _____.

Es kostet _____.

Frau Fischer möchte es _____.

b) Die Schreibmaschine ist _____.

Sie kostet _____.

Frau Fischer möchte sie _____.

c) Der Kühlschrank ist _____.

Er kostet _____.

Frau Fischer möchte ihn _____.

d) Die Löffel, Messer und Gabeln sind _____.

Sie kosten _____.

Frau Fischer möchte sie _____.

c) Hören Sie Gespräch 3. Richtig (r) oder falsch (f)?

☐ Die Schreibmaschine ist schön.
☐ Sie funktioniert gut.
☐ Frau Fischer kauft sie.

☐ Der Stuhl ist sehr alt.
☐ Er ist bequem.
☐ Frau Fischer möchte ihn nicht.

☐ Die Töpfe sind kaputt.
☐ Sie haben keine Deckel.
☐ Frau Fischer kauft sie.

☐ Das Klavier ist neu.
☐ Frau Fischer möchte es kaufen.
☐ Es ist schon verkauft.

Der Stuhl ist noch da.	**Die** Uhr ist noch da.	**Das** Radio ist noch da.	**Die** Töpfe sind noch da.
Er ist alt.	**Sie** ist neu.	**Es** ist gut.	**Sie** sind kaputt.
Frau F. kauft **ihn**.	Frau F. kauft **sie**.	Frau F. kauft **es**.	Frau F. kauft **sie**.

9. Was suchen die Leute?

Hören Sie drei Gespräche.

Situation A:
Die Leute suchen …
☐ ein Messer.
☐ eine Kreditkarte.
☐ eine Telefonkarte.

Situation B:
Die Leute suchen …
☐ einen Regenschirm.
☐ einen Koffer.
☐ Gummistiefel.

Situation C:
Die Leute suchen …
☐ eine Uhr.
☐ ein Telefon.
☐ ein Feuerzeug.

10. Hören Sie die Wörter und sprechen Sie nach.

Kuss – Küsse	Gruß – Grüße	Buch – Bücher	Stuhl – Stühle	Strumpf – Strümpfe
Uhr – Uhren	Blume – Blumen	Junge – Jungen	Beruf – Berufe	Schuh – Schuhe

11. Hören Sie die Wörter und sprechen Sie nach. Ordnen Sie dann.

Stuhl	Pflaster	brauchst	Strumpf
studieren	findest	Stadt	Kiste
Straße	möchtest	Post	stimmt
Studium	Rest	kosten	bist

Stuhl	Pflaster	brauchst
...	...	...

12. Hören Sie die Sätze und sprechen Sie nach.

● Die Spinne kaufe ich.
■ Spinnst du?

● Suchst du die Stiefel?
■ Nein, ich suche die Strümpfe.

● Studierst du Sprachen?
■ Ja. Ich studiere Spanisch.

● Spielt sie Tennis?
■ Ja, das stimmt.

13. Hören Sie die Sätze und sprechen Sie nach.

Sie übt Physik.
Er übt für Olympia.
Die Physikbücher sind teuer.

Frau Fischer schreibt ein X und ein Y.
Die Leute hier sind sympathisch.
Viele Grüße und Küsse schickt Lydia.

14. Sprechen Sie nach und markieren Sie die Betonung.

Er hat ein Radio.
Einen Fernseher hat er nicht.

Sie hat ein Segelboot.
Eine Wohnung hat sie nicht.

Üben Sie selbst weiter:

Motorrad – Wagen
Computer – Schreibmaschine
Matratze – Bett

Er braucht ein Motorrad.
Möbel braucht er nicht.

Sie sucht einen Schreibtisch.
Einen Stuhl sucht sie nicht.

15. Welche Wörter sind betont? Sprechen Sie nach und markieren Sie.

Sie braucht keinen Computer. Aber einen Fotoapparat braucht sie.
Er braucht keinen Fernseher. Aber ein Radio braucht er.
Sie braucht keinen Geschirrspüler. Aber einen Kühlschrank braucht sie.

der Stuhl   der Koffer   die Sonnenbrille   der Teppich   der Spiegel   die Lampe   das Regal   das Radio
die Uhr   das Feuerzeug   das Bild   die Vase   der Regenschirm   die Töpfe   die Gummistiefel   der Tisch

16. Hören Sie das Gespräch und üben Sie.

● Wie findest du den Stuhl?
■ Meinst du den da?
● Ja.
■ Der ist schön.
● Kaufen wir den Stuhl?
■ Ja, den kaufen wir.

● Wie findest du …?
■ Meinst du … da?
● …

Der Stuhl Der			Den Stuhl Den	
Die Lampe Die	ist schön.		Die Lampe Die	kaufen wir.
Das Regal Das			Das Regal Das	
Die Töpfe Die	sind schön.		Die Töpfe Die	

17. Hören Sie das Gespräch und üben Sie.

● Schau mal, da ist ein Regenschirm.
  Ich brauche einen.
■ Hast du keinen Regenschirm?
● Nein, ich habe keinen.
■ Aber den finde ich nicht schön.
● Hier ist noch einer.

● Schau mal, da sind … Ich suche …
■ Hast du …?
● Nein, ich habe …
■ Aber … finde ich nicht schön.
● Hier sind noch welche.

Da ist	ein Regenschirm. einer. keiner.	Ich brauche	einen Regenschirm. einen. keinen.
	eine Lampe. eine. keine.		eine Lampe. eine. keine.
	ein Regal. eins. keins.		ein Regal. eins. keins.
Da sind	Töpfe. welche. keine.		Töpfe. welche. keine.

London
Brigitte
Kreditkarte
Monika

die Nordsee

die Ostsee

Helsinki
Inge
Autoschlüssel
Gregor

Paris
Hanna
Abendkleid
Helmut

Berlin
Rudi
Kontaktlinsen
Eva

Warschau
Udo
Wörterbuch
Otto

der Atlantik

Madrid
Sara und Jan
Schecks
Peter

Rom
Rolf
Brille
Anna

Athen
Bernard
Rasierapparat
Lydia

das Mittelmeer

der Autoschlüssel

die Kreditkarte

das Wörterbuch

die Schecks

der Rasierapparat

die Brille

das Abendkleid

die Kontaktlinsen

18. **Lesen Sie das Fax. Schreiben Sie dann weitere Texte.**
Sie können folgende Ausdrücke benutzen:

Hotel Exquisit
Via dei Pini
Tel.: (+390 06) 12 34 56 78
Fax: (+390 06) 87 65 43 21

Liebe Anna,

ich bin jetzt in Rom. Die Museen
sind sehr interessant und die
Restaurants sind gut. Aber es
gibt ein Problem: Meine Brille
ist weg. Zu Hause ist noch eine.
Kannst Du sie bitte schicken?

Viele Grüße aus Italien

Rolf

PS: Vielen Dank!

| Lieber | ..., | |
| Liebe | | |

| ich bin jetzt | in ... |
| jetzt bin ich | |

Die	Museen	sind	toll.
	Restaurants		wunderbar.
	Geschäfte		interessant.
	...	...	

Aber	es gibt ein Problem:
	ich habe ein Problem:
	ein Problem habe ich:

| Mein | ... | ist | weg. |
| Meine | | sind | kaputt. |

Zu Hause	ist	noch	einer.
	sind		eine.
			eins.
			welche.

Schickst Du ... bitte?
Kannst Du ... bitte schicken?

| Viele | Grüße aus ... |
| Herzliche | |

1. können – müssen – wollen …

Er kann gut springen.

Sie muss springen.

Er will jetzt springen.

Man darf hier nicht springen.

Er soll springen, aber er hat Angst.

Sie möchte springen,
aber es geht nicht.

2. Was passt?

a) ▢ Sie wollen nicht tanzen. Sie möchten Tee trinken.
b) ▢ Sie dürfen hier nicht tanzen. Sie müssen draußen bleiben.
c) ▢ Sie können Pause machen. Sie müssen jetzt nicht tanzen.
d) ▢ Sie sollen nicht mehr tanzen. Der Mann will seine Ruhe haben.

	können	müssen	dürfen	wollen	sollen	möchten
ich	kann	muss	darf	will	soll	möchte
du	kannst	musst	darfst	willst	sollst	möchtest
er/sie/es/man	kann	muss	darf	will	soll	möchte
wir	können	müssen	dürfen	wollen	sollen	möchten
ihr	könnt	müsst	dürft	wollt	sollt	möchtet
sie	können	müssen	dürfen	wollen	sollen	möchten

3. Wo passen die Sätze?

1	2	3
☐	☐	☒	Man kann hier schwimmen und tauchen.
☐	☐	☐	Hier darf man kein Mobiltelefon benutzen.
☐	☐	☐	Man kann hier mit Kreditkarte bezahlen.
☐	☐	☐	Hier darf man nicht fotografieren.
☐	☐	☐	Man muss hier eine Krawatte tragen.
☐	☐	☐	Man soll hier nicht laut sein.
☐	☐	☐	Hier muss man eine Bademütze tragen.
☐	☐	☐	Man darf hier Wasserball spielen.

Man	**darf**				spielen.
Man	**darf**			Wasserball	spielen.
Man	**darf**		nicht	Wasserball	spielen.
Man	**darf**	hier	nicht	Wasserball	spielen.
Hier	**darf**	man	nicht	Wasserball	spielen.

4. Was ist richtig? ☒

☐ Sie soll weinen.
☒ Sie muss weinen.
☐ Sie will weinen.
☐ Sie darf weinen.

☐ Sie dürfen ertrinken.
☐ Sie möchten ertrinken.
☐ Sie sollen ertrinken.
☐ Sie können ertrinken.

☐ Er soll nicht schießen.
☐ Er kann nicht schießen.
☐ Er möchte nicht schießen.
☐ Er will nicht schießen.

Ich möchte nichts mehr sollen müssen

Du sollst den Rasen nicht betreten
  und am Abend sollst du beten.
    Vitamine sollst du essen
      und Termine nicht vergessen.

Wir sollen nicht beim Spiel betrügen
  und wir sollen auch nie lügen.
    Wir sollen täglich Zähne putzen
      und die Kleidung nicht beschmutzen.

Kinder sollen leise sprechen,
  Spiegel darf man nicht zerbrechen.
    Sonntags trägt man einen Hut,
      Zigaretten sind nicht gut.

Ich möchte alle Sterne kennen,
  meinen Hund mal „Katze" nennen.
    Nie mehr will ich Strümpfe waschen,
      tausend Bonbons will ich naschen.

Ich will keine Steuern zahlen,
  alle Wände bunt bemalen.
    Ohne Schuhe will ich gehen,
      ich will nie mehr Tränen sehen.

      Ich möchte nichts mehr sollen müssen,
    ich möchte einen Tiger küssen.
  Ich möchte alles dürfen wollen,
alles können – nichts mehr sollen.

Greta Amelungen

5. Was tun die Leute?

a) **12** Er lügt.

b) ☐ Sie beschmutzt ihr Abendkleid.

c) ☐ Er geht ohne Schuhe.

d) ☐ Sie betet.

e) ☐ Er putzt seine Zähne.

f) ☐ Sie zahlt ihre Steuern.

g) ☐ Sie isst Vitamine.

h) ☐ Er vergisst Termine.

i) ☐ Sie spricht laut.

j) ☐ Er zerbricht einen Spiegel.

k) ☐ Sie trägt einen Hut.

l) ☐ Er wäscht seine Strümpfe.

6. Eine Kontaktanzeige

a) Lesen Sie die Anzeige.

Er sucht sie

Ich putze nie meine Schuhe und wasche nie mein Auto. Ich esse immer nur Hamburger und Pizza und trage nie eine Krawatte. Ich vergesse alle Geburtstage, spreche sehr laut und zerbreche dauernd meine Brillen. Ich sehe gern Horrorfilme, bemale gern Toilettenwände und betrete nie ein Museum. Aber ich rauche nicht, trinke nicht und kann Gitarre spielen. Und ich kann sehr lieb sein.   Chiffre: 57 ZA 105.

b) Was macht er immer / dauernd / nie …?

Er putzt nie seine Schuhe und wäscht nie sein Auto. Er …

	essen	vergessen	betreten	sprechen	zerbrechen	sehen	tragen	waschen
ich	esse	vergesse	betrete	spreche	zerbreche	sehe	trage	wasche
du	**isst**	ver**gisst**	bet**rittst**	sprichst	zerbrichst	siehst	trägst	wäschst
er/sie/es/man	**isst**	ver**gisst**	bet**ritt**	spricht	zerbricht	sieht	trägt	wäscht
wir	essen	vergessen	betreten	sprechen	zerbrechen	sehen	tragen	waschen
ihr	esst	vergesst	betretet	sprecht	zerbrecht	seht	tragt	wascht
sie/Sie	essen	vergessen	betreten	sprechen	zerbrechen	sehen	tragen	waschen

7. Probleme, Probleme ...

Welcher Text passt? Lesen Sie erst die Texte und hören Sie dann die Gespräche.

a)

▦ Gerda kann nicht schlafen. Peter liest ein Buch. Peter soll das Licht ausmachen. Gerda macht das Licht aus.

▦ Gerda schläft noch nicht, aber sie ist müde. Peter möchte ein Buch lesen. Gerda soll das Licht anmachen. Gerda macht das Licht an.

b)

▦ Herr M. soll den Fernseher ausschalten; seine Frau möchte in Ruhe essen. Aber Herr M. will einen Film sehen. Er schaltet den Fernseher nicht aus.

▦ Herr M. soll den Fernseher einschalten; seine Frau will einen Film sehen. Aber Herr M. möchte in Ruhe essen. Frau M. schaltet den Fernseher ein. Herr M. schaltet den Fernseher wieder aus.

c)

▦ Susanne macht das Fenster auf. Eric macht das Fenster zu. Der Lehrer kommt. Eric soll das Fenster wieder aufmachen.

▦ Susanne macht das Fenster zu. Eric macht das Fenster auf. Der Lehrer kommt. Eric soll das Fenster wieder zumachen.

	lesen	schlafen
ich	lese	schlafe
du	liest	schläfst
er/sie/es/man	liest	schläft
wir	lesen	schlafen
ihr	lest	schlaft
sie/Sie	lesen	schlafen

Er	soll	das Fenster	aufmachen.
Er	macht	das Fenster	auf.
Er	soll	das Fenster	zumachen.
Er	macht	das Fenster	zu.

8. Im Auto. Was ist richtig? X

a) ☐ Das Kind möchte langsam fahren.
b) ☐ Das Kind möchte ganz schnell fahren.
c) ☐ Die Frau darf nur 50 fahren.
d) ☐ Die Frau darf nur 80 fahren.
e) ☐ Der Porsche kann 200 fahren.
f) ☐ Der Porsche kann nur 100 fahren.
g) ☐ Die Frau fährt 130.
h) ☐ Die Frau fährt 200.

	fahren
ich	fahre
du	**fährst**
er/sie/es/man	**fährt**
wir	fahren
ihr	fahrt
sie/Sie	fahren

9. Emil im Bett. Was ist richtig? X

a) ☐ Emil soll aufwachen.
☐ Emil wacht nicht auf.

b) ☐ Emil steht auf.
☐ Emil soll aufstehen.

c) ☐ Emil muss nicht arbeiten.
☐ Emil darf nicht arbeiten.

d) ☐ Emil kann weiterschlafen.
☐ Emil muss weiterschlafen.

10. Babysitter. Ergänzen Sie den Text.

a) Der Bruder _____ nicht kommen.
Er _____.

b) Das Mädchen _____ nicht kommen.
Es _____.

c) Die Mutter _____ nicht kommen.
Sie _____

will schlafen   hat keine Lust
darf   will   hat keine Zeit
kann   will arbeiten
hat Besuch
soll schlafen   soll Klavier üben
muss Tennis spielen
muss arbeiten

11. Florian. Hören Sie das Gespräch. Was ist richtig? X

a) ☐ Frau Wolf fragt: „Warum sagt Florian nicht
‚Guten Tag'?"
Die Mutter sagt: „Er kann nicht sprechen."
b) ☐ Frau Wolf fragt: „Warum will Florian nicht
sprechen?"
Die Mutter sagt: „Ich weiß es nicht."
c) ☐ Die Mutter fragt: „Florian, warum sprichst
du nicht?"
Florian sagt: „Ich will nicht."

	wissen
ich	**weiß**
du	**weißt**
er/sie/es/man	**weiß**
wir	wissen
ihr	wisst
sie/Sie	wissen

12. Hören Sie und sprechen Sie nach. Markieren Sie die Betonung.

tauchen	Der Delfin taucht.
weitertauchen	Er taucht weiter.
auftauchen	Er taucht auf.
eintauchen	Er taucht ein.

schlafen	Die Katze schläft.
weiterschlafen	Sie schläft weiter.
aufwachen	Sie wacht auf.
aufstehen	Sie steht auf.

sprechen	Der Papagei spricht.
nachsprechen	Er spricht das Wort nach.
weitersprechen	Er spricht weiter.

13. Sprechen Sie nach. Achten Sie auf „ch".

Das ist Jochen. Er kann kochen.
Das ist Jochen. Er möchte kochen.
Er sucht das Buch. Er braucht ein Taschentuch.
Was braucht er noch? Er braucht einen Topf.
Jochen ist glücklich. Die Kartoffeln sind gerade richtig.
Jochen isst acht. Das Krokodil lacht.
Die Schlange wacht auf. Die Spinne auch.
Jochen, du brauchst Licht. Siehst du die Schlange nicht?

14. Sprechen Sie nach.

● Schläfst du nicht? ■ Nein, ich schlafe nicht.
● Liest du? ■ Nein, ich lese nicht.
● Isst du? ■ Nein, ich esse nicht.
● Sprichst du Spanisch? ■ Nein, ich spreche
  Italienisch.
● Naschst du? ■ Nein, ich nasche nicht.

● Schlaft ihr nicht? ▲ Nein, wir schlafen nicht.
● Lest ihr? ▲ Nein, wir lesen nicht.
● Esst ihr? ▲ Nein, wir essen nicht.
● Sprecht ihr zusammen? ▲ Ja, wir sprechen zusammen.
● Nascht ihr? ▲ Nein, wir naschen nicht.

15. **Hören Sie die Gespräche.**

Gespräch a)

● Wollen wir zusammen lernen? Hast du Lust?

■ Ja, gute Idee! Wann hast du Zeit?

● Morgen. Geht das?

■ Tut mir leid. Morgen kann ich nicht.

● Und übermorgen?

■ Ja, das geht. Übermorgen habe ich Zeit.

Gespräch b)

● Können wir mal wieder zusammen Tennis spielen?

■ Ja, warum nicht?

● Prima. Haben Sie am Sonntag Zeit?

■ Ja, am Sonntag kann ich.

● Sehr gut. Passt Ihnen 10 Uhr?

■ Ja, einverstanden.

● Also dann bis Sonntag.

■ Bis dann!

16. **Variieren Sie die Gespräche. Sie können die folgenden Ausdrücke verwenden:**

Wollen/Können wir mal wieder zusammen	lernen? reiten? surfen? Fahrrad fahren? Ski fahren? Tischtennis spielen? Federball spielen? Gitarre spielen? Schach spielen?	Ja, gern. Ja, gute Idee. Ja, gut. Ja, warum nicht?	Wann geht es denn? Wann hast du denn Zeit? Wann haben Sie denn Zeit? Wann kannst du denn? Wann können Sie denn?
Sonntag Montag ...	kann ich gut. Und du? kann ich gut. Und Sie?	Ja, da kann ich auch gut. Ja, Sonntag geht es gut.	Wann denn? Um wie viel Uhr?
Um 9 Uhr. Einverstanden?		Ja, gut. Okay.	
Ja, bis dann!		Also bis Sonntag!	

17. **Hören Sie zu und schreiben Sie.**

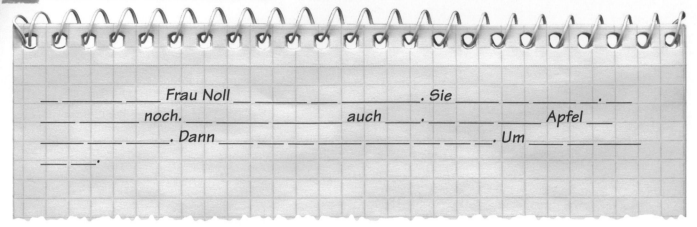

___ ___ ___ Frau Noll ___ ___ ___ ___ . Sie ___ ___ ___ .
___ ___ noch. ___ ___ ___ auch ___ . ___ ___ ___ Apfel ___
___ ___ ___ . Dann ___ ___ ___ ___ . Um ___ ___
___ ___ .

18. **Welcher Text passt zu welchem Bild?**

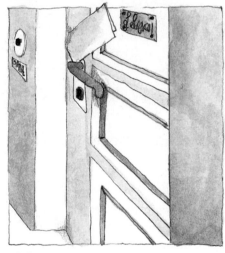

[1]

[2]

[3]

Hallo Jochen,

ich komme heute Abend
um 7 Uhr nach Hause.
Dann gehen wir essen. Okay?
Kannst Du bitte die Waschmaschine
ausschalten?

PS: Der Fernseher ist kaputt!
Der Kundendienst kommt morgen.

Kuss Sabine

Liebe Frau Hoffmann,

ich muss dringend nach Hamburg
fahren. Können Sie bitte meine
Frau anrufen?
Bitte nicht vergessen: Sie müssen
das Büro abschließen.

Bis morgen
B. Z.

Hallo Clara und Paula,

Ihr seid nicht da - schade!

Wollen wir mal wieder zusammen
schwimmen gehen?

Habt Ihr morgen Zeit?

Bis dann

Marc

(Meine Telefonnummer wisst Ihr ja.
Ich bin heute Abend zu Hause.)

Bild Nr. ▨

Bild Nr. ▨

Bild Nr. ▨

19. Schreiben Sie Notizzettel.

a) Eva schreibt eine Nachricht für Peter. Sie kommt um 20 Uhr nach Hause. Dann will sie einen Fernsehfilm sehen. Peter soll die Fenster zumachen.
PS Eva kann ihre Schlüssel nicht finden. Peter soll sie suchen.

> Lieber Peter,
>
> _____
>
> _____
>
> _____
>
> _____
>
> Gruß und Kuss
> Deine Eva
>
> PS _____

b) Vera schreibt einen Zettel für Anna und Uta. Sie sind nicht zu Hause. Vera möchte surfen gehen. Anna und Uta sollen mitkommcn. Vera hat am Wochenende Zeit. Ihre Telefonnummer ist 667321. Vera ist morgen zu Hause.

> Hallo Anna und Uta,
>
> _____
>
> _____
>
> _____
>
> _____
>
> Tschüs
> Vera

c) Frau Meyer (Chefin) schreibt eine Notiz für ihren Mitarbeiter. Sie muss nach London flicgcn. IIerr Brösel soll alle Termine absagen und die Anrufe notieren. Frau Meyer ist am Montag wieder zurück.

> Lieber Herr Brösel,
>
> _____
>
> _____
>
> _____
>
> _____
>
> Bis dann
> C M

1. Wo sitzt/liegt …?

1 Der Wurm sitzt auf dem Turm. der Turm

2 Die Mücke sitzt auf der Brücke. die Brücke

3 Die Maus sitzt auf dem Haus. das Haus

4 Die Tauben sitzen auf den Häusern. die Häuser

5 Der Fisch liegt unter dem Tisch. der Tisch

6 Die Flasche liegt unter _____ . die Tasche

7 Das Mofa liegt unter _____ . das Sofa

8 Die Katzen liegen unter _____ . die Matratzen

2. Wo steht …?

Ergänzen Sie und notieren Sie die Nummer.

12 Der Igel steht vor _____ Spiegel.

▢ Der Polizist steht hinter _____ Baum.

▢ Die Laterne steht neben _____ Bäckerei.

▢ Der Hund steht zwischen _____ Koffern.

Nominativ		wo? → Dativ
der Turm		auf **dem** Turm.
die Brücke		auf **der** Brücke.
das Haus	Die Tauben sitzen	auf **dem** Haus.
die Häuser		auf **den** Häusern.
die Autos		auf **den** Autos.

3. Wohin setzt das Kind den Topf? Notieren Sie die Nummer.

▢ Das Kind setzt den Topf auf den Kopf.
▢ Der Camper legt das Geld unter das Zelt.
▢ Der Buchhändler stellt die Bücher vor das Geschäft.

▢ Der Junge legt den Ball hinter den Stall.
▢ Der Kellner stellt den Kaffee neben den Tee.
▢ Die Maler stellen die Leiter zwischen die Häuser.

4. Wohin legt der Verkäufer den Fisch? Notieren Sie die Nummer und ergänzen Sie.

▢ Der Verkäufer legt den Fisch …
▢ Die Maus bringt den Käse …
▢ Die Kinder werfen die Bälle …
▢ Das Kind wirft die Mütze …
▢ Der Pfarrer stellt die Bank …
▢ Das Mädchen setzt die Puppe …
▢ Der Kellner legt das Messer …
▢ Die Mutter sctzt das Kind …
▢ Der Briefträger stellt das Fahrrad …
▢ Der Mann hängt das Bild …

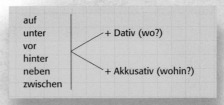

hinter das Haus   auf den Tisch
zwischen die Autos
auf die Bank   hinter das Schild
neben den Schrank   vor dic Pfütze
unter den Balkon   auf das Pferd   neben den Teller

auf	
unter	+ Dativ (wo?)
vor	
hinter	
neben	+ Akkusativ (wohin?)
zwischen	

Nominativ		wohin? → Akkusativ
der Tisch		auf **den** Tisch.
die Bank	Die Kinder setzen die Puppen	auf **die** Bank.
das Pferd		auf **das** Pferd.
die Autos		auf **die** Autos.

■Notarztwagen: Lebensretter im Dienst

Ein Bericht von Bruno Benz

Tod oder Leben – manchmal entscheiden Sekunden

Hafenkrankenhaus Hamburg. In der Notaufnahme klingelt das Telefon. Die Uhr über der Tür zeigt 8:24. Zehn Sekunden später reißen die Notärztin und zwei Sanitäter ihre Jacken vom Haken und rennen zum Notarztwagen. Der steht vor dem Eingang. Türen zu, Blaulicht und Sirene an und los. Die Ärztin sitzt vorne neben dem Fahrer und dem Krankenpfleger. Alle drei schauen konzentriert auf den Verkehr. Einige Autofahrer machen die Straße nicht frei. Der Fahrer schimpft.

8:35 Uhr. Hamburger Hafen. Der Rettungswagen muss vor einem Tor halten. Ein Mann in Uniform macht es auf und ruft: „Schnell, schnell! Da hinten bei dem Kran ist es!" Der Wagen fährt weiter und hält am Unfallort. Die Ärztin springt aus dem Auto, aber sie kann noch nichts tun. Ein Personenwagen, ein Golf, liegt unter einem Container. Zwei Feuerwehrmänner brechen die Tür auf. Der Fahrer blutet am Kopf, am Arm und an den Händen. Er zeigt keine Reaktion. Sekunden sind jetzt wichtig.

8:39 Uhr. Geschafft. Die Tür ist auf. Die Ärztin schiebt die Leute zur Seite und läuft zu dem Unfallopfer. Sie untersucht den Mann, er atmet schwach. Die Sanitäter heben ihn auf eine Trage. „Vorsicht, nicht auf die Brust drücken", sagt die Ärztin. Die beiden Männer schieben die Trage in den Notarztwagen. „Sauerstoff, schnell!" Der Krankenpfleger legt dem Opfer eine Atemmaske auf das Gesicht.

8:46 Uhr. Autobahn. Tempo 100. Das Rettungsteam fährt mit dem Unfallopfer zum Krankenhaus zurück. Der Mann auf der Trage hat Schmerzen und stöhnt. Schon fahren sie über die Elbe.

8:59 Uhr. Notaufnahme: Die Sanitäter warten bereits und heben das Unfallopfer aus dem Wagen. Die Ärztin steigt aus und sagt nur kurz: „Rippenbrüche und Schock."

Der Einsatz ist zu Ende. 35 Minuten. Wann kommt der nächste Anruf von der Zentrale? Das weiß niemand. Die Notärztin heißt Hildegard Becker. Sie ist 28 Jahre alt, verheiratet, Kinder hat sie nicht. Sie arbeitet im Hafenkrankenhaus. Der Rettungsdienst ist hart. „Ich liebe meinen Beruf", sagt sie, „aber der Job geht echt unter die Haut. Nicht immer geht es so gut wie heute. Manchmal kommen wir zu spät."

5. Was passt zusammen?

a) Nach dem Telefonanruf **4**
b) Sie fährt mit den beiden Sanitätern ▮
c) Blaulicht und Sirene sind an, ▮
d) Am Unfallort liegt ein Golf ▮
e) Die Ärztin muss warten, ▮
f) Der Sanitäter gibt dem Golffahrer Sauerstoff, ▮
g) Um 8.59 Uhr kommt der Notarztwagen ▮

1. denn die Feuerwehrmänner müssen erst die Tür aufbrechen.
2. unter einem Container.
3. im Krankenhaus an.
4. rennt Frau Dr. Becker zum Notarztwagen.
5. aber der Fahrer hat Probleme mit dem Verkehr.
6. zum Hamburger Hafen.
7. denn er atmet nur noch schwach.

> um 8.59 Uhr = um acht Uhr neunundfünfzig
> um 20.59 Uhr = um zwanzig Uhr neunundfünfzig

6. Welche Antwort passt?

a) Wo klingelt das Telefon? **3**
b) Wo steht der Notarztwagen? ▮
c) Wo sitzt die Ärztin? ▮
d) Wohin schauen die Ärztin und die Sanitäter? ▮
e) Wo liegt der Golf? ▮
f) Wohin heben die Sanitäter das Unfallopfer? ▮
g) Wohin legt der Pfleger die Atemmaske? ▮
h) Wohin fährt der Notarztwagen mit Tempo 100? ▮

1. Unter einem Container.
2. Neben dem Fahrer.
3. In der Notaufnahme.
4. Zum Krankenhaus.
5. Vor dem Eingang.
6. Auf den Verkehr.
7. Auf eine Trage.
8. Auf das Gesicht.

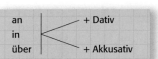

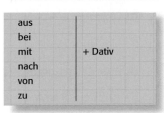

7. Ergänzen Sie die Sätze.

a) Die Sanitäter reißen ihre Jacken _____.
b) Der Unfallort ist _____.
c) Der Notarztwagen hält _____.
d) Am Unfallort springt die Ärztin _____.
e) Die Ärztin schiebt die Leute _____.
f) Frau Dr. Becker arbeitet _____.

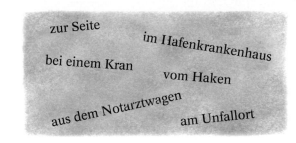

zur Seite
im Hafenkrankenhaus
bei einem Kran
vom Haken
aus dem Notarztwagen
am Unfallort

am	= an dem	beim	= bei dem
ans	= an das	vom	= von dem
im	= in dem	zum	= zu dem
ins	= in das	zur	= zu der

8. Wo ist meine Kreditkarte?

Hören Sie das Gespräch. Was ist richtig? ☒

a) ☐ Helga steht unter der Dusche.
☐ Helga sitzt in der Badewanne.

b) ☐ Die Handtasche steht im Regal.
☐ Die Handtasche liegt auf dem Küchentisch.

c) ☐ Die Jacke hängt im Schrank.
☐ Die Jacke liegt im Schlafzimmer auf dem Bett.

d) ☐ Herbert findet seine Kreditkarte auf
dem Schreibtisch.
☐ Herbert fährt zur Bank.

9. Die Gäste kommen bald.

Hören Sie das Gespräch.
Was macht Werner? Ergänzen Sie die Sätze.

a) Werner hängt das Bild _____.

b) Er legt die Leiter _____.

c) Er holt das Mineralwasser _____.

d) Er stellt die Stühle _____.

e) Er nimmt die Vase _____.

f) Er stellt die Blumen _____.

g) Er hängt den Mantel _____.

h) Er setzt den Papagei _____.

i) Er legt die Gitarre _____.

j) Er holt den Wein _____.

in den Schrank   aus dem Keller   auf den Balkon

in den Käfig   vom Balkon   an die Wand

ins Schlafzimmer   aus dem Regal

auf den Tisch   an den Tisch

	nehmen
ich	nehme
du	**nimmst**
er/sie/es/man	**nimmt**
wir	nehmen
ihr	nehmt
sie/Sie	nehmen

10. Eine Fahrt mit dem Taxi

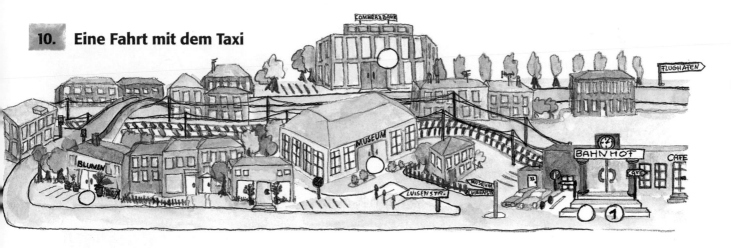

a) Hören Sie das Gespräch. Wohin fährt das Taxi? Ordnen Sie die Stationen mit den Nummern 1 bis 5.

b) Lesen Sie die Sätze. Hören Sie das Gespräch noch einmal und ordnen Sie die Sätze.

1 Die Frau steigt am Bahnhof in ein Taxi.
☐ Der Taxifahrer will nicht weiterfahren und die Frau rennt weg.
☐ Die Frau holt ihre Brille aus dem Bahnhofscafé.
☐ Das Taxi hält vor dem Blumenladen in der Luisenstraße.
2 Der Taxifahrer soll vom Bahnhof zum Flughafen fahren.
☐ Der Taxifahrer fährt vom Blumenladen zur Commerzbank.
☐ Die Frau will von der Bank zum Flughafen.
☐ Das Taxi fährt vom Museumsplatz zurück zum Bahnhof.
☐ Die Frau kann keine Blumen kaufen, denn sie hat zu wenig Geld.
☐ Das Taxi fährt zur Luisenstraße.

11. Was passiert hier?

a) Hören Sie die fünf Gespräche.

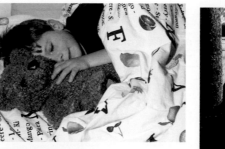

b) Welches Gespräch passt zu welchem Satz?

☐ Er fährt gegen den Baum.
☐ Er reitet durch den Wald.
☐ Er bekommt eine Wurst für seinen Hund.
☐ Er schläft nicht ohne seinen Teddy.
☐ Die Einbrecher gehen um das Haus.

durch	
für	
gegen	+ Akkusativ
ohne	
um	

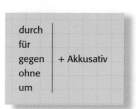

12. **Verben** …

a) Hören Sie zu und ergänzen Sie **e**, **eh**, **ell**, **i** oder **ie**.

1.   Lisa   s ____ tzt   mit einer Pizza im Kinderzimmer.
            Lisa   s ____ tzt   die Puppe vor den Fernseher.
   Im Kinderzimmer   l ____ gt   ein Gummistiefel von Lisa.
            Lisa   l ____ gt   das Kamel ins Regal.
   Der Fernseher   st ____ t   neben dem Schreibtisch.
            Lisa   st ____ t   schnell den Teller in den Schrank.

2.   Ein Mann   l ____ gt   den Regenschirm neben den Koffer.
      Ein Brief   l ____ gt   vor dem Spiegel.
      Ein Mann   st ____ t   im Regen.
            Er   s ____ tzt   seinen Hut auf den Kopf.
      Ein Kind   l ____ gt   im Bett und liest.
   Ein Mädchen   l ____ gt   das Telefonbuch auf den Teppich.
   Ein Kellner   st ____ t   einen Teller auf den Tisch.
   Eine Katze   s ____ tzt   vor dem Fenster.

b) Kontrollieren Sie und sprechen Sie nach.

13. **Präpositionen und Artikel** …

a) Ergänzen Sie **m** oder **n**.

1. Frau Mohn macht mit ihre___ Mann Michael eine Reise.
   Sie sucht i___ Koffer die Krawatte für ihre___ Mann.

2. Die Jungen möchten mit de___ Mädchen Musik machen.
   Die Mädchen möchten aber a___ Computer spielen.

3. Frau Nolte hängt Bilder a___ die Wand.
   Ein Bild hängt schon a___ Nagel.
   Sie legt noch einen Nagel neben de___ Hammer.
   Ihr Hund mit de___ Namen Max kommt ins Zimmer.
   Sie nimmt für ihn eine___ Hamburger aus de___ Kühlschrank.
   Auf der Straße gibt es eine___ Unfall.
   Zwei Wagen fahren gegen eine___ Baum.
   Frau Nolte geht mit Max auf de___ Balkon.
   Sie schreibt die Autonummern auf eine___ Notizzettel.

b) Hören Sie zu, kontrollieren Sie und sprechen Sie nach.

14. Wie komme ich zu …?

● Verzeihung, wie komme ich zum Bahnhof?

■ Ganz einfach: Da gehen Sie die Schillerstraße geradeaus, am Rathaus vorbei, bis zur Telefonzelle. Nach der Telefonzelle die erste Straße links. Noch ein Stück geradeaus. Dann sehen Sie rechts den Bahnhof.

● Vielen Dank.

■ Keine Ursache.

15. Variieren Sie das Gespräch. Sie können folgende Ausdrücke benutzen:

Wie komme ich	zum zur	…?	Gehen Sie hier		geradeaus rechts links	bis zum bis zur an … vorbei.	…
Gibt es hier	einen eine ein	…?	Nehmen Sie	die	erste zweite	Straße rechts. Straße links.	

1. der Bahnhof
2. der Taxistand
3. die Apotheke
4. die Post
5. das Schwimmbad

6. das Museum
7. der Goetheplatz
8. der Tennisplatz
9. die Arztpraxis
10. die Bushaltestelle

11. das Rathaus
12. das Computergeschäft
13. der Blumenweg
14. die Mohnstraße
15. die Kirche

16. die Telefonzelle
17. die Toilette

der **erste** Weg	der/die/das	vier**te** …
die zwei**te** Straße		fün**fte** …
das **dritte** Haus		zehn**te** …

16. **Hören Sie zu und schreiben Sie.**

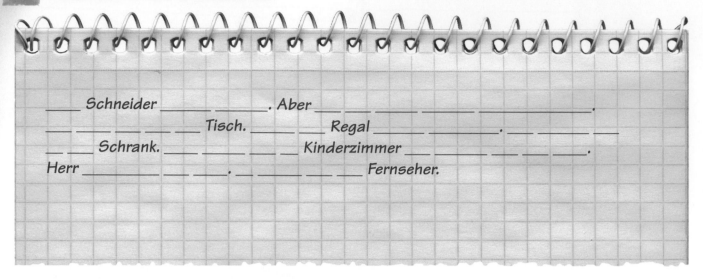

_____ _Schneider_ _____ . _Aber_ _____ .
__ _ ____ _ ____ _ _____ _Tisch._ _____ _Regal_ _____ ___ __ __ ___ ,__ __ ____ _
__ _Schrank._ _____ _____ _Kinderzimmer_ ____ _____ .
Herr _____ . __ _____ __ ____ _Fernseher._

17. **Eine Einladung**

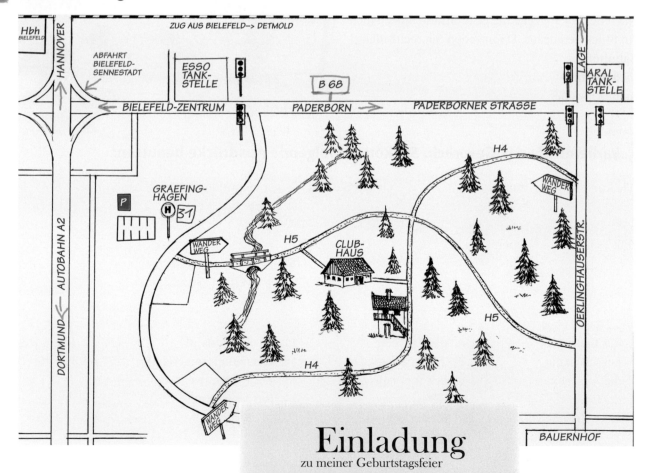

Liebe Rita, lieber Jörg,

ich möchte meinen Geburtstag diesmal im Wald feiern. Hoffentlich könnt Ihr kommen! Hier ist eine Wegbeschreibung zum Clubhaus:

Ihr nehmt die Autobahn-Abfahrt Bielefeld-Sennestadt und biegt links ab auf die Bundesstraße 68 in Richtung Paderborn.

Dann fahrt Ihr ungefähr einen Kilometer geradeaus.

An der Ampel biegt Ihr rechts ab und fahrt weiter bis zur Bushaltestelle.

Links hinter der Bushaltestelle ist ein Parkplatz. Da könnt Ihr Euer Auto abstellen; zum Clubhaus muss man zu Fuß gehen.

Ihr geht den Wanderweg H5 durch den Wald bis zu einer Brücke.

Hinter der Brücke biegt Ihr rechts ab und kommt in ein paar Minuten am Clubhaus an.

Viele Grüße
Euer Eberhard

Lieber Carlo,

ich möchte ...

Du fährst mit dem Zug bis Bielefeld-Hauptbahnhof.

Dann nimmst Du den Bus Linie 31 in Richtung Oerlinghausen.

An der Haltestelle „Gräfinghagen" steigst Du aus.

Dann ...

a) Schauen Sie auf die Karte: Aus welcher Richtung kommen Rita und Jörg?

▮ Dortmund   ▮ Hannover   ▮ Paderborn   ▮ Detmold

b) Schreiben Sie die Wegbeschreibung für Carlo zu Ende.

18. **Beschreiben Sie den Weg zum Clubhaus „Waldfreunde" für ...**

Name	kommt/kommen ...	aus Richtung ...
Hannes	mit dem Auto	Bielefeld-Zentrum
Wilma und Fred	mit dem Motorrad	Dortmund
Sylvia	mit dem Auto	Paderborn
Herr und Frau Gessmann	mit dem Zug	Detmold
Eva	mit dem Fahrrad	Lage

Sie können die folgenden Ausdrücke verwenden:

an	dem	Ampel	rechts	nehmen
vor	der	Abfahrt	links	fahren
hinter	dem	Bauernhof	geradeaus	weiterfahren
bis zu		Brücke	durch den Wald	gehen
		Haltestelle	über die Bundesstraße	weitergehen
		Kreuzung		abbiegen
		Kurve		umsteigen
		Schild		aussteigen
		Tankstelle		ankommen

1. Was machen die Personen? Was haben die Personen gemacht?

a) Er duscht.

b) Er hat geduscht.

c) _____

d) Er hat den Wagen ge-
waschen.

e) _____

f) _____

g) Sie streicht die Wand
an.

h) _____

i) _____

j) Sie hat aufgeräumt.

k) _____

l) _____

m) _____

n) _____

o) Er weint.

p) _____

q) _____

r) Er hat das Licht
ausgemacht.

s) _____

t) _____

Sie räumt auf.   Er hat Kakao getrunken.   Sie hat den Ball geworfen.
Sie wirft den Ball.
Er hat gelesen.   Er macht das Licht aus.   Sie hat die Wand angestrichen.
Sie hat geschossen.   Er liest.   Er trinkt Kakao.
Sie schießt.   Er wäscht den Wagen.   Er hat geweint.

Präsens	Perfekt
Er duscht.	Er **hat ge**duscht.
Er liest.	Er **hat ge**lesen.
Er streicht an.	Er **hat** an**gestrich**en.

2. Was passt?

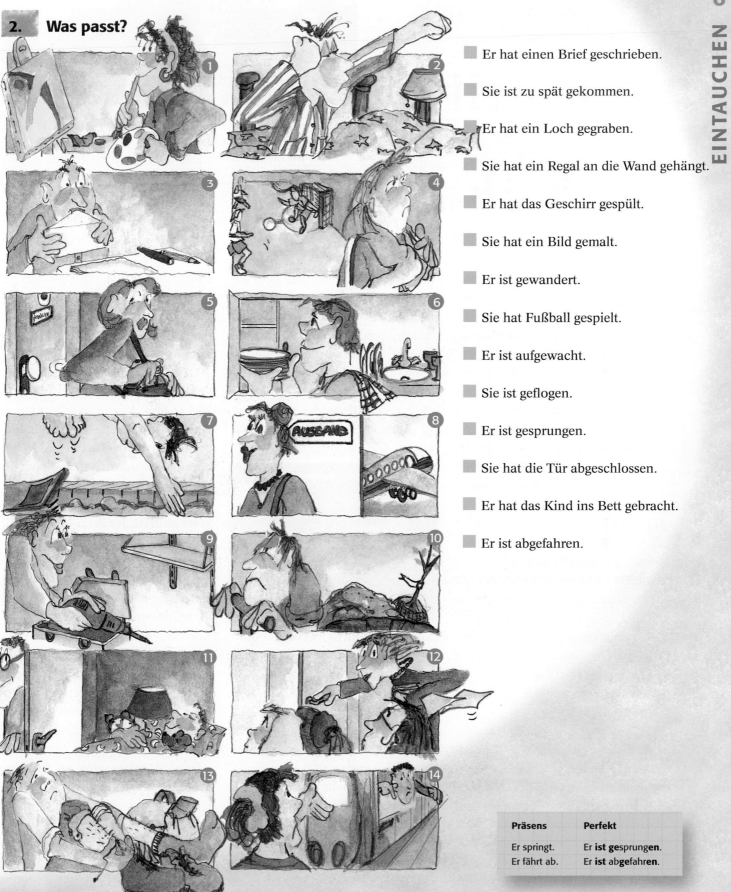

Er hat einen Brief geschrieben.

Sie ist zu spät gekommen.

Er hat ein Loch gegraben.

Sie hat ein Regal an die Wand gehängt.

Er hat das Geschirr gespült.

Sie hat ein Bild gemalt.

Er ist gewandert.

Sie hat Fußball gespielt.

Er ist aufgewacht.

Sie ist geflogen.

Er ist gesprungen.

Sie hat die Tür abgeschlossen.

Er hat das Kind ins Bett gebracht.

Er ist abgefahren.

Präsens	Perfekt
Er springt.	Er **ist ge**sprung**en**.
Er fährt ab.	Er **ist** ab**ge**fahr**en**.

■ Mein Alltag

Eine Serie von Gerda Melzer

Wer soll denn die Kühe melken?

Morgens lange schlafen, ein Wochenende mal nicht arbeiten, eine Reise machen: Das können Herr und Frau Renken nicht. Wer soll denn dann die Kühe melken?

Ich bin zu Gast auf dem Bauernhof, bei Familie Renken in der Nähe von Oldenburg. Es ist halb acht abends, wir sitzen um den Tisch – Feierabend. „Wie war denn der Arbeitstag?", frage ich. „Lang, wie gewöhnlich", antwortet Gerd Renken, der Bauer. Das Leben auf dem Bauernhof ist heute nicht mehr so hart wie vor dreißig Jahren. Doch immer noch beginnt der Tag früh für einen Landwirt. Er muss früh aufstehen, auch samstags und sonntags.

„Da schlafen die Kühe nicht extra bis acht", weiß Herr Renken. „Heute Morgen um Viertel nach vier, da sind meine Frau und ich aufgestanden. Wir haben eine Tasse Kaffee getrunken und sind dann in den Stall gegangen." Täglich müssen die Renkens 56 Kühe melken. Sie schaffen das jetzt in einer Stunde, mit der Melkmaschine. Früher hatten sie keine und die Arbeit war sehr anstrengend.

„Da haben wir noch mit der Hand gemolken", sagt Herr Renken. „Das hat Stunden gedauert, aber meine Eltern haben noch geholfen. Mein Vater ist aber vor vier Jahren gestorben und meine Mutter ist jetzt zu alt."

Herr und Frau Renken haben drei Kinder: Wibke (12) und Imke (15) gehen noch zur Schule. Enno, der Sohn, ist 22 und studiert Jura in Münster. So ist er selten zu Hause, die Eltern machen die Arbeit alleine.

„Um Viertel vor sieben", erzählt Frau Renken, „hab' ich heute die Mädchen geweckt, dann die Kühe auf die Weide gebracht. Um sieben Uhr morgens haben wir wie immer zusammen gefrühstückt. Die Mädchen sind dann um halb acht zur Bushaltestelle gegangen. Am Vormittag hab' ich die

Hühner und die Schweine gefüttert, die Wohnung geputzt und aufgeräumt. Und dann die Wäsche: Ich hab' die Waschmaschine gefüllt. Da hab' ich plötzlich „miau" gehört. Zum Glück war der Schalter noch auf „Aus". Ich hab' die Katze natürlich sofort aus der Maschine genommen."

Herr Renken macht nach dem Frühstück den Stall sauber und arbeitet dann draußen. „Nach der Stallarbeit repariere ich die Maschinen. Immer muss man da was in Ordnung bringen, und dann kommt die Arbeit auf dem Feld."

Um zwei sind die Mädchen aus der Schule zurück, die Renkens essen zu Mittag. Nach dem Mittagessen schläft Herr Renken normalerweise eine Stunde.

„Heute hab' ich nur eine halbe Stunde geschlafen. Wir hatten viel zu tun. Meine Frau hat am Nachmittag im Garten gearbeitet, und ich war draußen auf dem Feld. Um Vier haben wir Tee getrunken. Danach bin ich kurz im Hühnerstall gewesen. Aber von unseren zehn Hühnern war keins mehr da. Im Zaun war ein Loch. Wir haben sie sofort gesucht und, zum Glück, alle wieder gefunden. Zehn für uns, keins für den Fuchs! Um halb sechs habe ich dann mit den Mädchen die Kühe von der Weide geholt."

Abends melken die Renkens wieder und gegen sieben sind sie meistens fertig. Frau Renken macht das Abendbrot. „Für heute ist Feierabend", sagt ihr Mann und lächelt. „Oft mache ich abends aber noch Büroarbeit am Computer. Und meine Frau bügelt oder näht. Später sehen wir fern, aber dabei schlafe ich fast immer im Sessel ein." „Heute bestimmt nicht", meint Frau Renken. „Heute kommt Fußball." – „Erst mal sehen", sagt der Bauer. „Vielleicht spielt Bayern München gut – dann bleib' ich bestimmt wach bis zum Ende."

3. Richtig (r) oder falsch (f)?

a) **f** Sonntags stehen die Kühe nicht auf.

b) ▦ Landwirte müssen ihren Arbeitstag früh am Morgen anfangen.

c) ▦ Früher hatten die Renkens keine Melkmaschine.

d) ▦ Großvater und Großmutter Renken arbeiten noch mit.

e) ▦ Herr und Frau Renken haben einen Sohn und zwei Töchter.

f) ▦ Enno kommt täglich um zwei zum Mittagessen zu seinen Eltern.

g) ▦ Um halb acht hat Frau Renken die Mädchen zum Bus gebracht.

h) ▦ Nach dem Frühstück hat sie die Hühner gefüttert und die Katze gewaschen.

i) ▦ In der Waschmaschine war eine Katze.

j) ▦ Die Maschinen repariert Familie Renken zusammen.

k) ▦ Herr Renken hält gewöhnlich eine Stunde Mittagsschlaf.

l) ▦ Zehn Hühner sind weggelaufen und der Fuchs hat eins geholt.

m) ▦ Mit seinen Töchtern hat der Bauer die Kühe von der Weide geholt.

n) ▦ Bei der Büroarbeit schlafen die Renkens gewöhnlich ein.

o) ▦ Die Journalistin Gerda Melzer hat Familie Renken besucht.

> die Renkens = Familie Renken

4. Gerda Melzer hat ein Interview gemacht. Was haben die Renkens geantwortet?

a) Um wie viel Uhr sind Sie heute aufgestanden? **3**

b) Wie haben Sie früher gemolken? ▦

c) Haben Sie heute nach dem Mittagessen geschlafen? ▦

d) Haben Sie heute Morgen auch gewaschen? ▦

e) Was ist heute Nachmittag im Hühnerstall passiert? ▦

f) Was haben Sie heute Vormittag gemacht? ▦

g) Helfen Ihre Eltern noch im Kuhstall? ▦

h) Sie melken täglich. Wie lange dauert das? ▦

i) Ist Ihr Mann abends auch müde? ▦

j) Wie viele Stunden hat Ihr Arbeitstag? ▦

1. Mit der Hand, zusammen mit den Eltern.
2. Ja, und dabei habe ich die Katze in der Waschmaschine gefunden.
3. Frühmorgens, um Viertel nach vier.
4. Ein Loch war im Zaun, die Hühner sind weggelaufen.
5. Eine halbe Stunde habe ich Mittagsschlaf gemacht.
6. Ich habe Hausarbeit gemacht, Gerd war draußen.
7. Nein, heute melken wir mit der Melkmaschine.
8. Natürlich. Meistens schläft er vor dem Fernseher ein.
9. Normalerweise arbeiten wir 15 Stunden.
10. Eine Stunde morgens und eine abends.

Wann? / Um wie viel Uhr?

um 7.00 Uhr / 19.00 Uhr = Um sieben.
um 7.15 Uhr / 19.15 Uhr = Um Viertel nach sieben.
um 7.30 Uhr / 19.30 Uhr = Um halb acht.
um 7.45 Uhr / 19.45 Uhr = Um Viertel vor acht.

Wie lange?

Eine Stunde. / Zwei Stunden.

	sein		haben	
	Präteritum	Perfekt	Präteritum	Perfekt
ich	war	bin gewesen	hatte	habe gehabt
du	warst	bist gewesen	hattest	hast gehabt
er/sie/es/man	war	ist gewesen	hatte	hat gehabt
wir	waren	sind gewesen	hatten	haben gehabt
ihr	wart	seid gewesen	hattet	habt gehabt
sie	waren	sind gewesen	hatten	haben gehabt

5. Uhrzeiten.

Hören Sie die Gespräche und markieren Sie. ✗

Gespräch 1		Gespräch 5	
Wie spät ist es?	▨ Es ist 9.45 Uhr.	Wann fängt das	▨ Um 19.45 Uhr.
	▨ Es ist 10.04 Uhr.	Theater an?	▨ Um 20.15 Uhr.
	▨ Es ist 22.15 Uhr.		▨ Um 19.15 Uhr.

Gespräch 2		Gespräch 6	
Wie spät ist es?	▨ Es ist 12.35 Uhr.	Wie spät ist es?	▨ Es ist 15.07 Uhr.
	▨ Es ist 0.53 Uhr.		▨ Es ist 7.15 Uhr.
	▨ Es ist 13.35 Uhr.		▨ Es ist 17.05 Uhr.

Gespräch 3		Gespräch 7	
Wann kommt der Mann	▨ Um 8.30 Uhr.	Wann ist der Junge	▨ Um 2.40 Uhr.
heute Abend nach Hause?	▨ Um 20.30 Uhr.	ins Bett gegangen?	▨ Um 4.20 Uhr.
	▨ Um 19.30 Uhr.		▨ Um 2.15 Uhr.

Gespräch 4	
Um wie viel Uhr will der	▨ Um 5.45 Uhr.
Sohn aufstehen?	▨ Um 6.15 Uhr.
	▨ Um 4.16 Uhr.

Wie spät ist es?	– **Es ist** Viertel nach sieben.
Wann steht er auf?	– Er steht **um** Viertel nach sieben auf.

6. „Guten Morgen, Hasso!"

a) Lesen Sie die Texte.

A. „Heute Morgen hat um sechs Uhr der Wecker
geklingelt. Dann ist der Hund ins Schlafzimmer
gekommen und in unser Bett gesprungen. Er war
noch müde und ich auch. Mein Mann hatte Hunger. Er ist aufgestanden und in die Küche gegangen. Dort hat er Brötchen gesucht, aber es waren
keine da. Deshalb ist unsere Tochter zum Bäcker
gegangen und hat Brötchen gekauft. Dann haben
wir alle zusammen gefrühstückt."

B. „Heute Morgen um sieben Uhr ist der Hund ins Schlafzimmer gekommen und in unser Bett gesprungen. Unsere
Tochter war auch da. Sie hatte Hunger. Auf einmal war Hasso weg. Ich war noch müde und bin im Bett geblieben.
Mein Mann und unsere Tochter sind in die Küche gegangen und haben das Frühstück gemacht. Dann hat mein
Mann die Brötchen gesucht. Aber Hasso war vorher in der Küche und hat sie gefressen."

C. „Heute Morgen um sieben Uhr ist unsere Tochter ins Schlafzimmer gekommen. Sie hatte Hunger, aber mein
Mann und ich waren noch müde. Wir sind im Bett geblieben. Da hat unsere Tochter den Hund geweckt und ist
mit ihm in die Küche gegangen. Im Regal hat sie Brötchen gefunden. Dann hat sie mit Hasso gefrühstückt."

b) Hören Sie das Gespräch.

Welcher Text passt?   A ▨   B ▨   C ▨

7.   „Guten Morgen, Liebling!"

Was hat der Mann geträumt? X

a) Er war in einem Flugzeug und
   - [ ] hat geschlafen.
   - [ ] die Stewardess hat ein Glas Wasser gebracht.
   - [ ] hat mit der Stewardess gesprochen.

b) Dann ist er aufgestanden und
   - [ ] hat die Passagiere geweckt.
   - [ ] ist zur Toilette gegangen.
   - [ ] hat die Tür aufgemacht.

c) Danach ist er ausgestiegen und
   - [ ] nach Hause geflogen.
   - [ ] neben dem Flugzeug geflogen.
   - [ ] hat mit den Vögeln gesprochen.

d) Der Traum war
   - [ ] sehr schön.
   - [ ] unheimlich.
   - [ ] langweilig.

8.   „Guten Morgen, mein Sohn!"

Wer sagt was? Hören Sie den Text und notieren Sie: Vater (V) Mutter (M) Sohn (S) oder Tochter (T).

a) M „Bitte Britta, du kannst doch wenigstens dein Ei essen!"
b) ☐ „Das Salz steht vor dir auf dem Tisch."
c) ☐ „Wann ist Markus eigentlich gestern nach Hause gekommen?"
d) ☐ „Oh Gott, vielleicht ist er gar nicht da!"
e) ☐ „Aber du bist ja verletzt; du hast eine Wunde am Auge."
f) ☐ „Ich war gestern in der Disco."
g) ☐ „Wer ist Corinna?"
h) ☐ „Der Typ hat Corinna provoziert."
i) ☐ „Was soll das heißen?"
j) ☐ „Und dann hast du in der Disco den Tarzan gespielt?"

> Perfekt ohne „ge":
>
> pass**ieren**   Was ist **passiert?**
> provo**zieren**   Er hat sie **provoziert.**

9. **Ist der Vokal kurz oder lang? Hören Sie die Wörter, sprechen Sie nach und markieren Sie.**

	kurz	lang
gefahren		X
gehalten	X	
gemalt		
geschlafen		
gesagt		
gepackt		

	kurz	lang
gelesen		
gesehen		
gesessen		
gestellt		
gelegt		
geschrieben		

	kurz	lang
studiert		
gerissen		
geschnitten		
geholfen		
geholt		
geschoben		

	kurz	lang
geflogen		
gekommen		
gesucht		
gewusst		
gerufen		
geblutet		

10. **Betonungen**

a) Hören Sie zu, sprechen Sie nach und markieren Sie das betonte Wort.

● Hast du schon die Schuhe geputzt?
■ Ja, die habe ich schon geputzt.
■ Nein, die habe ich noch nicht geputzt.
■ Die habe ich Montag geputzt.
■ Die habe ich gestern schon geputzt.

b) Hören Sie zu und antworten Sie.

● Hast du schon die Wand angestrichen?   ■ Ja, die … schon …
● Hast du schon den Wagen gewaschen?   ■ Ja, den … schon …
● Hast du schon die Blumen geholt?   ■ Nein, die … noch nicht …
● Hast du schon das Geschirr gespült?   ■ Ja, das … Dienstag …
● Hast du schon den Brief geschrieben?   ■ Ja, den … gestern …

11. **Hören Sie die Sätze und sprechen Sie nach.**

a) ● Wo haben Sie gesessen?
   ■ Das habe ich vergessen.
   ● Was haben Sie gegessen?
   ■ Das habe ich auch vergessen.
   ● Wo sind Sie gewesen?
   ■ Ich habe im Bett gelegen
     und ein Buch gelesen.

b) Er ist aufgewacht.
   Er hat an sie gedacht.
   Sie hat den Kaffee gebracht
   und das Fenster aufgemacht.
   Er hat vom Urlaub geträumt
   und sie hat aufgeräumt.
   Sie hat etwas gefragt,
   doch er hat nichts gesagt.

c) Sie hat studiert.
   Erst hat sie markiert,
   dann hat sie notiert,
   danach korrigiert
   und zum Schluss telefoniert.
   Sonst ist nichts passiert.

d) Er hat seinen Koffer gewogen
   und ist nach Mallorca geflogen.
   Sie ist zu Hause geblieben
   und hat einen Brief geschrieben.
   Er ist nach Hause gekommen
   und hat sie in den Arm genommen.

e) Sie ist durch die Wiesen geritten
   und hat 100 Blumen geschnitten.
   Er ist zum Fluss gerannt.
   Sie hat ihn nicht erkannt.
   Er ist ins Wasser gesprungen,
   und sie hat gesungen.

12. Hören Sie die Gespräche.

Gespräch 1

● Hast du die Koffer schon ins Auto gebracht?

■ Ja, das habe ich vorhin schon gemacht.

● Schön! Dann können wir ja jetzt abfahren.

■ Halt! Nicht so schnell! Ich muss die Haustür noch abschließen.

● Das brauchst du nicht. Die Haustür habe ich schon abgeschlossen.

■ Prima, dann können wir wirklich abfahren.

Gespräch 2

● Kannst du bitte das Geschirr spülen?

■ Warum ich? Kannst du das nicht machen? Ich lese gerade.

● Wie bitte? Ich habe gerade die Betten gemacht, das Wohnzimmer aufgeräumt und die Katze gefüttert!

■ Und ich bin schon im Supermarkt gewesen, habe den Balkon sauber gemacht und die Wäsche gewaschen!

● Also dann spüle ich das Geschirr.

■ Warte mal, wir können das Geschirr ja auch zusammen spülen.

13. Variieren Sie die Gespräche. Sie können die folgenden Ausdrücke verwenden:

Hast du schon …?	Das habe ich	schon …
Bist du schon …?	Ich habe	noch nicht …
	Ich bin	gestern …
Kannst du bitte …?		heute Morgen …
Kannst du nicht …?		vorhin …
		gerade …

Ich muss noch …	Das brauchst du nicht.
Du musst noch …	Das brauchen wir nicht.
Wir müssen noch …	Das können wir ja auch ….

die Fahrräder in die Garage stellen
das Licht ausmachen
den Strom / das Gas abstellen
die Fenster zumachen
die Koffer packen
die Mäntel einpacken
das Auto sauber machen
die Wohnung putzen
zum Blumenladen gehen
die Kinder ins Bett bringen
das Mittagessen machen
Geld von der Bank holen
zur Post fahren

14. **Hören Sie zu und schreiben Sie.**

Markus _____. ___ spät ____ _____.
_____ lange _____. Dann ____ __ _____
_____. _____ Computer _____.
_____ Corinna _____.

15. **Ein Traum.**

Bringen Sie die Sätze in die richtige Reihenfolge.

☐ Da bin ich aufgewacht.
☐ Plötzlich war die Waschmaschine ein Zug.
☐ Ein Luftballon ist geplatzt.
1 Ich war allein auf einer Wiese und habe die Blumen fotografiert.
☐ Ein Gorilla ist gekommen und hat Luftballons verkauft.

☐ Sie hat gesprochen, aber ich habe nichts verstanden.
☐ Ich bin eingestiegen und der Zug ist abgefahren.
☐ Ich habe 100 Euro bezahlt und drei Luftballons bekommen.
☐ Dann habe ich eine Waschmaschine gefunden.

16. **Noch ein Traum. Schreiben Sie.**

Ich bin mit dem Fahrrad

durch

mit dem Fahrrad durch die Wüste fahren
ein Reifen: plötzlich platzen
das Fahrrad reparieren
das Fahrrad: wegfliegen

eine Telefonzelle sehen
ein Kamel: telefonieren
schimpfen, aber das Kamel: nicht aufhören
die Telefonzelle: auf einmal zerbrechen

1. Welche Sätze passen? Notieren Sie die Nummern.

a) Sie feiern Silberhochzeit. 2

b) Er hat den Führerschein gemacht. ■

c) Sie besuchen ein Volksfest. ■

d) Es ist Valentinstag. ■

e) Sie arbeitet seit 25 Jahren in der Firma. ■

f) Er hat das Examen bestanden. ■

g) Sie hat Geburtstag. ■

h) Sie haben geheiratet. ■

i) Er schmückt den Weihnachtsbaum. ■

1. Der Chef gratuliert der Sekretärin zum Jubiläum.
2. Die Kinder schenken den Eltern einen Fernseher.
3. Er schickt seinen Eltern ein Telegramm.
4. Die Tochter hilft ihrem Vater.
5. Er kauft seiner Freundin ein Herz.
6. Die Kinder müssen der Großmutter ein Lied vorspielen.
7. Er bringt seiner Frau einen Blumenstrauß mit.
8. Die Gäste folgen dem Brautpaar.
9. Der Vater gibt dem Sohn den Autoschlüssel.

Nominativ		Dativ
der Vater	Die Tochter hilft	**dem** Vater.
die Sekretärin	Der Chef gratuliert	**der** Sekretärin.
das Brautpaar	Die Gäste folgen	**dem** Brautpaar.
die Eltern	Die Kinder schenken	**den** Eltern einen Fernseher.

2. Notieren Sie die Nummern und ergänzen Sie die Pronomen.

3 Der Pfarrer hat einen Hut gewonnen. Aber der Hut gefällt ihm nicht. Er schenkt ihn dem Bürgermeister.

Die Bäuerin hat eine Bluse gewonnen. Aber die Bluse passt ihr nicht. Sie schenkt sie der Lehrerin.

Das Kind hat ein Eis bekommen. Aber das Eis schmeckt ihm nicht. Es gibt es dem Schwein.

Die Sänger haben Krawatten gewonnen. Aber die Krawatten gefallen ihnen nicht. Sie schenken sie den Clowns.

Der Bürgermeister hat ein Bild gewonnen. Aber es gefällt _____ nicht. Er schenkt _____ dem Pfarrer.

Die Polizistin hat einen Bikini gewonnen. Aber der Bikini passt _____ nicht. Sie schenkt _____ der Bäuerin.

Der Feuerwehrmann hat eine Tafel Schokolade gewonnen. Aber die Schokolade schmeckt _____ nicht.
Er schenkt _____ dem Kind.

Die Lehrerin hat eine Halskette bekommen. Aber sie gefällt _____ nicht. Sie gibt _____ der Polizistin.

Die Fotografin hat Handschuhe bekommen. Aber sie passen _____ nicht. Sie gibt _____ dem Briefträger.

Nominativ	Akkusativ	Dativ
er	ihn	ihm
sie	sie	ihr
es	es	ihm
sie	sie	ihnen

helfen, folgen, gefallen, gratulieren, passen, schmecken …
+ Dativ

geben, schenken, schicken, mitbringen, kaufen, vorspielen …
+ Dativ + Akkusativ

Bremen, den 17. Dezember

Liebe Farida,

vielen Dank für Deinen Brief. Du wartest jetzt schon seit drei Wochen auf eine Antwort von mir. Kannst Du mir verzeihen? Aber Du kennst mich ja … Und außerdem habe ich vor Weihnachten immer sehr wenig Zeit.

Du möchtest mehr über unser Weihnachtsfest erfahren, steht in Deinem Brief. Deshalb schreibe ich Dir jetzt davon. Ich liebe Weihnachten, denn es gibt für mich so viele schöne Erinnerungen. In meiner Kindheit haben schon viele Wochen vor dem Fest die Vorbereitungen begonnen. Ab November hat meine Mutter mit mir Plätzchen gebacken und Weihnachtsschmuck gebastelt. Ich habe dem Weihnachtsmann immer ganz lange Wunschzettel geschrieben.

Am 6. Dezember ist Nikolaustag. Da hatte ich als Kind immer ein bisschen Angst. Ein Onkel hat den Nikolaus gespielt. Er hatte einen Bart aus Watte und er hatte Mütze, Mantel und Stiefel an. Auf dem Rücken hatte er einen Sack und in der Hand eine Rute. Er hat mich und meinen Bruder sehr streng angeschaut und gesagt: „Ich habe euch etwas mitgebracht. Wart ihr denn auch brav?" Natürlich waren wir nicht immer brav, aber wir haben trotzdem „ja" gesagt. Dann hat er uns Süßigkeiten und Spielsachen aus seinem Sack geschenkt.

Die vier Sonntage vor Weihnachten sind der erste, zweite, dritte und vierte Advent. Am ersten Advent zündet man eine Kerze am Adventskranz an, am zweiten die zweite und so weiter. Bei uns hat früher der Adventskranz immer auf dem Küchentisch gestanden. Abends hat mein Vater die Kerzen angemacht; dann haben wir Weihnachtslieder gesungen und Plätzchen gegessen.

In der Nacht vor Weihnachten habe ich kaum geschlafen. Die Aufregung war zu groß. Am 24. Dezember, am Heiligabend, sind wir ganz früh zu den Großeltern auf den Bauernhof gefahren. Wir haben immer bei den Großeltern gefeiert. Da war dann die ganze Familie, mindestens 20 Personen.

Nach dem Mittagessen ist mein Großvater allein ins Wohnzimmer gegangen und hat den Weihnachtsbaum geschmückt. Wir Kinder haben zusammen gespielt und waren natürlich furchtbar aufgeregt. Später hat meine Oma uns eine Weihnachtsgeschichte vorgelesen. Endlich war es so weit und Opa hat uns ins Wohnzimmer gerufen. Das war ein wundervoller Moment: Alle Kerzen haben gebrannt, die Christbaumkugeln haben gefunkelt und unter dem Baum war die Krippe. Und da haben natürlich auch die Geschenke gelegen! Jedes Kind hat ein

Gedicht aufgesagt und dann haben wir die Päckchen aufgemacht. Einmal habe ich eine Puppe bekommen. Sie war wunderschön und hat „Mama" gesagt. Ich war so glücklich; ich weiß es noch wie heute. Spät in der Nacht sind dann alle in die Mitternachtsmesse gegangen.

Am nächsten Tag war immer das große Festessen: Gans mit Klößen und Rotkohl. Die Weihnachtsgans war mit Äpfeln und Nüssen gefüllt; das hat mir wunderbar geschmeckt.

Aber jetzt muss ich langsam Schluss machen. Ich habe Plätzchen im Backofen. Am 23. Dezember kommt meine Schwester mit ihrem Mann. Sie möchten bis Silvester bleiben. Wir haben gerne Gäste über Weihnachten, dann können wir zusammen feiern und es ist ein bisschen wie früher. Die Geschenke für die Kinder haben wir schon lange ausgesucht und gut versteckt.

Ich grüße Dich und Deine Familie ganz herzlich.

Deine Carola

3. Was schreibt Carola? Was passt zusammen?

a) Ich **7** ▢ ▢ ▢ ▢
b) Meine Mutter ▢
c) Mein Vater ▢
d) Meine Großmutter ▢
e) Mein Großvater ▢ ▢
f) Der Nikolaus ▢ ▢ ▢ ▢
g) Der Adventskranz ▢
h) Die Krippe ▢
i) Die Puppe ▢
j) Die Weihnachtsgans ▢ ▢

1. hat „Mama" gesagt.
2. hat allein den Weihnachtsbaum geschmückt.
3. hatte einen Bart aus Watte.
4. hat immer auf dem Küchentisch gestanden.
5. liebe Weihnachten.
6. hat mit mir ab November Plätzchen gebacken.
7. schreibe Dir jetzt von Weihnachten.
8. hat mich und meinen Bruder sehr streng angeschaut.
9. hat abends die Kerzen am Adventskranz angemacht.
10. hat uns ins Wohnzimmer gerufen.
11. habe vor Weihnachten immer sehr wenig Zeit.
12. war unter dem Weihnachtsbaum.
13. hat gesagt: „Ich habe euch etwas mitgebracht."
14. habe einmal eine Puppe bekommen.
15. hat uns etwas vorgelesen.
16. war mit Äpfeln und Nüssen gefüllt.
17. hat uns Süßigkeiten und Spielsachen aus seinem Sack geschenkt.
18. hat mir wunderbar geschmeckt.
19. habe dem Weihnachtsmann immer ganz lange Wunschzettel geschrieben.

Nominativ	Akkusativ	Dativ
ich	mich	mir
du	dich	dir
wir	uns	uns
ihr	euch	euch

4. Datumsangaben

Gespräch 1

Welches Datum ist „heute"?
- [ ] Der 17. August.
- [ ] Der 20. September.
- [ ] Der 27. August.

Gespräch 2

Welches Datum ist „morgen"?
- [ ] Der 16. April.
- [ ] Der 26. April.
- [ ] Der 6. April.

Gespräch 3

Wann hat Alexander Geburtstag?
- [ ] Am 11. Januar.
- [ ] Am 11. Februar.
- [ ] Am 4. Februar.

Gespräch 4

Wann ist die Zahnarztpraxis geschlossen?
- [ ] Vom 3. bis zum 15. Mai.
- [ ] Vom 13. bis zum 25. März.
- [ ] Vom 3. bis zum 15. März.

Gespräch 5

Wann hat Elke geheiratet?
- [ ] Am 21. Juni.
- [ ] Am 1. Juni.
- [ ] Am 1. Juli.

Gespräch 6

Seit wann ist Herr Busch in Rente?
- [ ] Seit dem 14. November.
- [ ] Seit dem 15. Oktober.
- [ ] Seit dem 25. Oktober.

Heute ist **der erste** Januar.	Er kommt **am ersten** Januar.
Morgen ist **der einundzwanzigste** August.	Er kommt **am einundzwanzigsten** August.

5. Auf dem Weihnachtsmarkt.

Richtig (**r**) oder falsch (**f**)?

Lesen Sie die Sätze und hören Sie dann die Interviews.

Interview 1

a) [ ] Der Weihnachtsmarkt ist ihr ein bisschen zu voll.

b) [ ] Sie hat einen Glühwein getrunken und eine Bratwurst gegessen.

c) [ ] Am 20. Dezember fliegt sie mit ihrem Mann nach Österreich.

d) [ ] Ein Weihnachtsbaum fehlt ihr nicht.

e) [ ] Sie feiert Weihnachten mit ihren Kindern.

Interview 2

a) [ ] Der Weihnachtsbaum muss groß sein; das ist ihr wichtig.

b) [ ] Sie schmückt den Weihnachtsbaum und ihr Mann hilft ihr ein bisschen.

c) [ ] Sie will es an Weihnachten schön ruhig und gemütlich haben.

d) [ ] Eine Weihnachtsgans ist ihr zu kompliziert.

e) [ ] Ihre Tochter fragt jeden Tag: „Mama, was bringt mir der Nikolaus?"

Interview 3

a) ⬜ Der Weihnachtsmarkt ist ihm zu kommerziell.
b) ⬜ Er liebt Kitsch.
c) ⬜ Die Krippen auf dem Weihnachtsmarkt sind ihm zu teuer.
d) ⬜ Er feiert bei den Eltern, denn Weihnachten ist ihnen sehr wichtig.
e) ⬜ Das Essen ist ihm immer zu wenig.

Interview 4

a) ⬜ Er findet die Atmosphäre auf dem Weihnachtsmarkt ganz schön.
b) ⬜ Weihnachten ist ihm ziemlich egal.
c) ⬜ Er und seine Freundin haben viel Platz für einen Weihnachtsbaum.
d) ⬜ Kochen macht ihnen Spaß.
e) ⬜ Er schenkt seiner Freundin ein Radio.

Er findet den Weihnachtsmarkt zu kommerziell.	Der Weihnachtsmarkt **ist ihm zu kommerziell.**
Sie findet den Weihnachtsmarkt zu voll.	Der Weihnachtsmarkt **ist ihr zu voll.**

6. Prost Neujahr!

Was ist richtig ? ✗

a) ⬜ Elke macht kurz vor zwölf den Fernseher an.
⬜ Elke macht kurz vor zwölf das Radio an.

b) ⬜ Um Mitternacht trinken alle Sekt.
⬜ Um Mitternacht trinken alle Wein oder Bier.

c) ⬜ Kurt sagt: „Viel Glück im neuen Jahr, Liebling!"
⬜ Kurt sagt: „Ein glückliches neues Jahr, mein Schatz!"

d) ⬜ Alle gehen auf die Straße und tanzen.
⬜ Alle gehen auf den Balkon und zünden Raketen an.

7. Hören Sie die Monatsnamen und sprechen Sie nach.

Januar   Februar   März   April   Mai   Juni   Juli   August   September   Oktober   November   Dezember

8. Hören Sie zu und sprechen Sie nach.

- ■ Welcher Tag ist heute?
- ● Heute ist der 7. Februar.
- ■ Wann gehen wir mal wieder in die Disco?
- ● Am 14. Februar.
- ■ Wann besucht uns Clara?
- ● Ostern, am 30. März.
- ■ Wann sind wir bei Rolf eingeladen?
- ● Am 1. April.
- ■ Wann hat deine Schwester Rita Geburtstag?
- ● Am 3. April.
- ■ Was für ein Tag ist das?
- ● Der 3. April ist ein Donnerstag.
- ■ Wann feiern deine Eltern Silberhochzeit?
- ● Am 13. Mai.
- ■ Liebling, wann wollen wir heiraten?
- ● Auch im Mai. Vielleicht bekommen wir am 23. einen Termin.

9. Wörter mit „r".

a) Hören Sie die Wörter und sprechen Sie nach.

war – waren	gestört – stören	Tor – Tore	Klavier – Klaviere
fahrt – fahren	passieren – passiert	Formulare – Formular	Tiere – Tier
hören – gehört	fotografieren – fotografiert	Japaner – Japanerin	ihr – ihre

b) Wo kann man das **r** deutlich hören? Unterstreichen Sie.

10. Hören Sie die Gespräche und sprechen Sie nach.

- ● Grüß dich, Bernd. Wie geht es dir?
- ■ Danke, Rolf. Und wie geht's dir?
- ● Auch gut. Hast du heute Zeit?
- ■ Heute nicht. Es tut mir leid. Ich ruf' dich an. So um vier?
- ● Ja, um vier. Da passt es mir.

Ich ruf' dich an. = Ich rufe dich an.

- ● Guten Tag, Herr Sundermann. Wann fängt denn Ihr Urlaub an?
- ■ Morgen schon, Herr Noll.
- ● Morgen schon? Das find' ich toll. Müssen Sie noch was besorgen?
- ■ Nein, ich hab' alles für morgen.
- ● Dann guten Flug, Herr Sundermann. Bald fängt auch unser Urlaub an.

● Darf ich Sie zu einem Kaffee einladen?
■ Das ist nett von Ihnen. Aber ich bin sehr in Eile.
● Oh! Das ist wirklich schade!
■ Ja. Aber ich muss noch so viel erledigen. Heute Abend bin ich zu einer Hochzeitsfeier eingeladen.
● Dann möchte ich Sie nicht aufhalten. Ich wünsche Ihnen einen schönen Abend.

11. Variieren Sie das Gespräch.

Darf ich	Sie dich euch	zu	einem Bier einer Pizza einer Bratwurst einem Eis	einladen?	Das ist sehr freundlich	von	Ihnen. dir.
					Aber	ich habe wir haben	es sehr eilig.

Dann will ich	Sie dich euch	nicht aufhalten.		heute	zu einer Party eingeladen sein
				heute Nachmittag	mit ... in die Disco gehen wollen
				heute Abend	eine Klausur schreiben
				in einer Stunde	für das Examen lernen müssen
Ich wünsche	Ihnen dir euch	viel Spaß.		morgen früh	nach Paris fliegen
		viel Glück.		morgen Nachmittag	in Urlaub fahren
		viel Erfolg.		am Wochenende	Besuch bekommen
		eine gute Reise.			
		eine gute Fahrt.			
		schöne Urlaubstage.			
		schöne Ferien.			
		ein schönes Wochenende.			

12. **Hören Sie zu und schreiben Sie.**

———— ———— ———— ———— geboren. ——— ——— ——— vor ——————— .

Deshalb ——————————————————————————— . Dann ——— ———

—————————————— . —————————— natürlich ———— ——— . Aber ———

——— ———— ———— —————— .

13. **Zu welchem Anlass schickt man die Karten?**

Die Karte mit dem Schlüssel und dem Mineralwasser schickt man zur Führerscheinprüfung.
Die Karte mit dem Doktorhut und … schickt man zum …
Die Karte mit …

| Torte | Kerzen | Bücher | Rosen | Zahl | | Geburtstag | Examen | Hochzeit |

Torte   Kerzen   Bücher   Rosen   Zahl
Paar   Gläser   Weihnachtsbaum   Eier   Farbe

Geburtstag   Examen   Hochzeit
Silberhochzeit   Weihnachten   Ostern

14. **Lesen Sie die Grußkarten und ergänzen Sie die Sätze.**

Lieber Bernd,

nachträglich herzlichen _____ zu
_____ dreißigsten _____. Ich habe
_____ nicht vergessen, aber ich war verreist. Hoffentlich bist
Du _____ nicht böse.
Ich wünsche _____ alles _____ und viel _____
im neuen Lebensjahr.

_____ Max

Liebe Britta, lieber Claus,

wir wünschen _____ fröhliche _____
und ein glückliches _____. Hoffentlich
könnt Ihr _____ bald einmal besuchen. Wir schicken
_____ Kindern ein Computerspiel auf CD-ROM mit
und wünschen _____ damit viel _____.

Herzliche Grüße

_____ Petra und _____ Hans-Georg

Liebes Brautpaar

vielen _____ für die Einladung zu Ihrer _____.
Leider können wir zu _____ Fest nicht kommen.
_____ Tochter wohnt in Sydney und bekommt bald ein
Baby. Deshalb fliegen wir für drei Wochen nach Australien.
Wir wünschen _____ viel _____ und alles _____
für das Leben zu zweit.

Mit herzlichen Grüßen

_____ Manfred und _____ Roswitha Müller

Glückwunsch	neues Jahr	Gute
Gute	Weihnachten	Hochzeit
Geburtstag	Spaß	Dank
Glück	uns	Glück
ihn	Euch	Ihnen
Deinem	Ihnen	Ihrem
Dir	Euren	Unsere
mir	Eure	Ihre
Dein	Euer	Ihr

Grammatik

Die systematische Grammatik-Übersicht dient dem Verständnis der wichtigen Kapitel der deutschen Grammatik. In Teil 1 (Lektion 1–7, dreibändige Ausgabe) sind nur jene Bereiche der Grammatik schwarz und lesbar gedruckt, die in diesen Lektionen gelernt werden. Die blass gedruckten Abschnitte werden in Teil 2 und Teil 3 behandelt. Weitere Einzelheiten der Grammatik sowie Sonderfälle sind im Zusammenhang jeder Lektion im Arbeitsbuch dargestellt.

Artikel und Nomen

§1 Artikel und Kasus bei Nomen

Definiter Artikel

	Nominativ	Akkusativ	Dativ	Genitiv
Maskulinum	**der** Mann	**den** Mann	**dem** Mann	des Mannes
Femininum	**die** Frau		**der** Frau	
Neutrum	**das** Kind		**dem** Kind	des Kindes
Plural	**die** Leute		**den** Leuten	der Leute

❉ *Bei Femininum, Neutrum, Plural: Akkusativ = Nominativ.*
Im Plural: Kein Unterschied zwischen Maskulinum – Femininum – Neutrum.

Indefiniter Artikel

	Nominativ	Akkusativ	Dativ	Genitiv
Maskulinum	**ein** Mann	**einen** Mann	ein**em** Mann	eines Mannes
Femininum	**eine** Frau		**einer** Frau	
Neutrum	**ein** Kind		ein**em** Kind	eines Kindes
Plural	Leute		Leute**n**	(von Leuten)

§2 Artikelwörter wie definiter Artikel

dieser, jeder (*Plural:* alle), mancher; *Frageartikel* welcher?

	Nominativ	Akkusativ	Dativ	Genitiv
Maskulinum	dies**er** jed**er** manch**er** welch**er** Mann	dies**en** jed**en** manch**en** welch**en** Mann	dies**em** jed**em** manch**em** welch**em** Mann	dies**es** jed**es** manch**es** welch**es** Mannes
Femininum	dies**e** jed**e** manch**e** welch**e** Frau		dies**er** jed**er** manch**er** welch**er** Frau	
Neutrum	dies**es** jed**es** manch**es** welch**es** Kind		dies**em** jed**em** manch**em** welch**em** Kind	dies**es** jed**es** manch**es** welch**es** Kindes
Plural	dies**e** all**e** manch**e** welch**e** Kinder		dies**en** all**en** manch**en** welch**en** Kindern	dies**er** all**er** manch**er** welch**er** Kinder

A 1

§3 Artikelwörter wie indefiniter Artikel

Negationsartikel *kein*

Das ist ein Telefon.

Das ist kein Telefon.

Possessivartikel *mein, dein* …

Ich habe ein Telefon

Das ist mein Telefon.

ich:	mein	wir:	unser
du:	dein	ihr:	euer
er:	sein	sie:	ihr
sie:	ihr	Sie:	Ihr
es:	sein		

	Nominativ		Akkusativ		Dativ		Genitiv	
Maskulinum	kein		keinen		keinem		keines	
	mein		meinen		meinem		meines	
	dein		deinen		deinem		deines	
	sein	Sohn	seinen	Sohn	seinem	Sohn	seines	Sohnes
	ihr		ihren		ihrem		ihres	
	unser		unseren		unserem		unseres	
	* euer		euren		eurem		eures	
	ihr/Ihr		ihren/Ihren		ihrem/Ihrem		ihres/Ihres	
Femininum	keine				keiner			
	meine				meiner			
	deine				deiner			
	seine	Tochter			seiner	Tochter		
	ihre				ihrer			
	unsere				unserer			
	eure				eurer			
	ihre/Ihre				ihrer/Ihrer			
Neutrum	kein				keinem		keines	
	mein				meinem		meines	
	dein				deinem		deines	
	sein	Kind			seinem	Kind	seines	Kindes
	ihr				ihrem		ihres	
	unser				unserem		unseres	
	* euer				eurem		eures	
	ihr/Ihr				ihrem/Ihrem		ihres/Ihres	
Plural	keine				keinen		keiner	
	meine				meinen		meiner	
	deine	Söhne			deinen	Söhnen	deiner	Söhne
	seine	Töchter			seinen	Töchtern	seiner	Töchter
	ihre	Kinder			ihren	Kindern	ihrer	Kinder
	unsere				unseren		unserer	
	eure				euren		eurer	
	ihre/Ihre				ihren/Ihren		ihrer/Ihrer	

* eu**er** Sohn, eu**er** Kind; *aber* eu**re** Söhne, eu**re** Kinder *usw.*

§4 Nomen: Gebrauch ohne Artikel

Plural des indefiniten Artikels:	Sie haben **Kinder**.
Beruf oder Funktion:	Er ist **Reporter**. Sie ist **Hobby-Fotografin**.
Nationalität:	Er ist **Franzose**.
Unbestimmte Menge:	**Geld** braucht sie nur für ihre Kameras.
Abstrakter Begriff:	Ihr Segelboot bedeutet **Freiheit**.

§5 Nomen: Formen im Plural

Singular	*Symbol für Plural*	*Plural Nom. / Akk.*	*Plural Dativ*	*So steht es in der Wortliste:* → S. 232
der Spiegel	-	die Spiegel	den Spiegel**n**	r Spiegel, -
die Tochter	··	die T**ö**chter	den T**ö**chter**n**	e Tochter, ··
der Brief	-e	die Brief**e**	den Brief**en**	r Brief, -e
der Stuhl	··e	die St**ü**hl**e**	den St**ü**hl**en**	r Stuhl, ··e
das Kind	-er	die Kind**er**	den Kind**ern**	s Kind, -er
der Mann	··er	die M**ä**nn**er**	den M**ä**nn**ern**	r Mann, ··er
der Junge	-n	die Jung**en**	den Jung**en**	r Junge, -n
die Frau	-en	die Frau**en**	den Frau**en**	e Frau, -en
das Auto	-s	die Auto**s**	den Auto**s**	s Auto, -s

☞ ***Besondere Formen:*** das Museum, die Muse**en**
die Fotografin, die Fotografin**nen**

§6 Nomen: Formen im Genitiv

		Nominativ	Genitiv
Genitiv bei Maskulinum und Neutrum Singular:	-s / -es	der Spiegel das Auto der Mann das Kind	des Spiegel**s** des Auto**s** des Mann**es** des Kind**es**
Bei Maskulinum Gruppe II: → § 8	-n / -en	der Junge der Fotograf	des Junge**n** des Fotograf**en**

✳ *Alle anderen Formen: keine Genitiv-Endung.*

§7 Eigennamen im Genitiv

Helmut**s** Frau	= die Frau von Helmut
Helga**s** Mann	= der Mann von Helga
Kennedy**s** Besuch	= der Besuch von Kennedy
(auch: der Besuch Kennedy**s**)	

Bei Namen auf -s schreibt man: Thomas' Reise, Doris' Hund.

A 3

Nomen: Maskulinum Gruppe II

Nominativ	Akkusativ	Dativ	Genitiv	Plural
der Junge	den Jungen	dem Jungen	des Jungen	die Jungen
der Bauer	den Bauern *	dem Bauern	des Bauern	die Bauern
der Polizist	den Polizisten *	dem Polizisten	des Polizisten	die Polizisten

✳ *Alle Formen außer Nominativ Singular: -n / -en*
* *Gesprochene Sprache:* den Bauer, den Polizist *usw.*
Ebenso:
Nomen wie Junge: Kollege, Kunde, Türke, Franzose, Zeuge *usw.*
Nomen wie Bauer: Herr, Nachbar *usw.*
Nomen wie Polizist: Journalist, Tourist, Komponist, Patient, Student, Präsident, Mensch, Pilot, Automat *usw.*

 Nomen aus Adjektiven

Diese Nomen können Maskulinum oder Femininum sein. Formen: wie Adjektive. →*§ 16*

Nominativ	Akkusativ	Dativ	Genitiv	Plural
der Bekannte	den Bekannten	dem Bekannten	des Bekannten	die Bekannten
ein Bekannter	einen Bekannten	einem Bekannten	eines Bekannten	Bekannte
die Bekannte	die Bekannte	der Bekannten	der Bekannten	die Bekannten
eine Bekannte	eine Bekannte	einer Bekannten	einer Bekannten	Bekannte

Ebenso: Angestellte, Erwachsene, Jugendliche, Arbeitslose, Deutsche, Verwandte, Angeklagte *usw.*

 Nomen aus Verben

Verb	Nomen	Beispiel
abnehmen	**das A**bnehmen	Das Abnehmen klappt am besten, wenn …
hungern	**das H**ungern	Durch Hungern kann man abnehmen.
turnen	**das T**urnen	Zum Turnen hat sie keine Lust.

Nomen = Infinitiv (groß geschrieben) mit oder ohne Artikel das, *mit oder ohne Präposition.*

 Zusammengesetzte Nomen

1. Teil	2. Teil	Zusammengesetztes Nomen	Ebenso Wörter wie:
das Taxi	**der** Fahrer	**der** Taxifahrer	Abendkleid, Fotolabor,
der Führerschein	**die** Prüfung	**die** Führscheinprüfung	Geldautomat, Handtasche,
die Polizei	**das** Auto	**das** Polizeiauto	Luftmatratze, Plastiktüte,
		Artikel = Artikel des 2. Teils	Salatteller, Telefonnummer

		Änderung im 1. Teil:	*Ebenso Wörter wie:*
das Schwein	der Braten	der Schwein**e**braten	Rind**er**braten, Wört**er**buch,
das Huhn	die Suppe	die Hühn**er**suppe	Blumenladen, Suppenteller,
die Zitrone	das Eis	das Zitron**en**eis	Urlaubsreise, Meer**es**boden,
die Zeitung	der Text	der Zeitung**s**text	Schulabschluss
die Schule	der Freund	der Schulfreund	

§12 Mengenangaben

	unbestimmte Menge: Nomen ohne Artikel		bestimmte Menge: Menge	Nomen ohne Artikel
Herr Loos kauft	Saft.	Herr Loos kauft	eine Flasche	Saft.
Er trinkt	Kaffee.	Er trinkt	eine Tasse	Kaffee.
Er isst	Kartoffeln.	Er isst	200 Gramm	Kartoffeln.
Er kocht	Nudeln.	Er kocht	1 kg	Nudeln.

§13 Ländernamen

	Ländernamen ohne Artikel		*Ländernamen mit Artikel*
Ich fahre **nach**	Deutschland Österreich Frankreich Großbritannien … Australien Europa …	Ich fahre **in**	**die** Bundesrepublik Deutschland **die** Schweiz **die** Türkei **den** Sudan **die** USA *(Plural)* **die** Niederlande *(Plural)* …
Ich komme **aus**	Deutschland Österreich Frankreich Großbritannien … Australien Europa …	Ich komme **aus**	**der** Bundesrepublik Deutschland **der** Schweiz **der** Türkei **dem** Sudan **den** USA *(Plural)* **den** Niederlanden *(Plural)* …

§14 Einwohnernamen

Maskulinum	*Femininum*
-er	**-erin**
Amerikaner	Amerikanerin
Australier	Australierin

Ebenso:

Afrikaner, Ägypter, Albaner, Amerikaner, Bolivianer, Brasilianer, Ecuadorianer, Engländer, Europäer, Ghanaer, Inder, Iraner, Isländer, Italiener, Japaner, Koreaner, Litauer, Luxemburger, Marokkaner, Mexikaner, Neuseeländer, Niederländer, Norweger, Österreicher, Philippiner, Schweizer, Syrer, Ukrainer, Venezolaner, Walliser …

Australier, Belgier, Bosnier, Indonesier, Kanadier, Mazedonier, Spanier, Tunesier …

Maskulinum	*Femininum*
-e	**-in**
Chinese	Chinesin
Franzose	Französin

Asiate, Baske, Brite, Bulgare, Chilene, Chinese, Däne, Este, Finne, Franzose, Grieche, Ire, Katalane, Kroate, Lette, Pole, Portug**ie**se, Rumäne, Russe, Schotte, Schwede, Senegalese, Serbe, Slowake, Slowene, Tscheche, Türke, Vietnamese …

Deklination wie → *§ 8*

Besondere Formen: Ungar / Ungarin   Israeli / Israelin   *ein* Deutsch**er** / *der* Deutsch**e** → *§ 9*

Siehe auch: → *Lektion 2, S. 25 u. S. 26*

A 5

Adjektive

§15 Adjektiv ohne Endung

Der Schrank ist	groß.		Ich finde den Schrank	groß.
Die Uhr ist	schön.		Ich finde die Uhr	schön.
Das Sofa ist	bequem.		Ich finde das Sofa	bequem.
Die Stühle sind	teuer.		Ich finde die Stühle	teuer.

§16 Artikel + Adjektiv + Nomen

a) Definiter Artikel

	Nominativ			Akkusativ			Dativ			Genitiv		
Mask.	der		Mann	den	kleinen	Mann	dem		Mann	des		Mannes
Fem.	die	kleine	Frau	die	kleine	Frau	der	kleinen	Frau	der	kleinen	Frau
Neutr.	das		Kind	das		Kind	dem		Kind	des		Kindes
Plural	die	kleinen	Kinder	die	kleinen	Kinder	den		Kindern	der		Kinder

b) Indefiniter Artikel

	Nominativ			Akkusativ			Dativ			Genitiv		
Mask.	ein	kleiner	Mann	einen	kleinen	Mann	einem		Mann	eines		Mannes
Fem.	eine	kleine	Frau	eine	kleine	Frau	einer	kleinen	Frau	einer	kleinen	Frau
Neutr.	ein	kleines	Kind	ein	kleines	Kind	einem		Kind	eines		Kindes
Plural	–	kleine	Kinder	–	kleine	Kinder	–		Kindern	–	kleiner	Kinder

§17 Artikelwort + Adjektiv + Nomen

Im Singular:	dieser, jeder, mancher, welcher *wie* → § 16.a	dieser kleine Mann
	kein, mein, dein *usw. wie* → § 16.b	kein kleiner Mann

Im Plural:	alle Artikelwörter	
	(diese, alle, manche, welche, keine, meine *usw.) wie* → § 16.a	diese kleinen Männer

§18 Adjektive mit besonderen Formen

Der Turm ist	hoch.		Das ist ein	hoher	Turm.
Die Nacht ist	dunkel.		Das ist eine	dunkle	Nacht.
Das Kleid ist	teuer.		Das ist ein	teures	Kleid
Der Apfel ist	sauer.		Das ist ein	saurer	Apfel.

§19 Steigerung

a) Regelmäßig

Positiv	Komparativ	Superlativ
klein	kleiner	am kleinsten
schön	schöner	am schönsten
leise	leiser	am leisesten
breit	breiter	am breitesten
weit	weiter	am weitesten
...	...	...

b) Mit Vokalwechsel

Positiv	Komparativ	Superlativ
alt	älter	am ältesten
arm	ärmer	am ärmsten
hart	härter	am härtesten
kalt	kälter	am kältesten
lang	länger	am längsten
scharf	schärfer	am schärfsten
schwach	schwächer	am schwächsten
stark	stärker	am stärksten
warm	wärmer	am wärmsten
groß	größer	am größten
hoch	höher	am höchsten
kurz	kürzer	am kürzesten

c) Unregelmäßig

Positiv	Komparativ	Superlativ
gut	besser	am besten
gern	lieber	am liebsten
viel	mehr	am meisten

d) Artikel + Komparativ / Superlativ + Nomen → *Lektion 14, S. 143*

§20 Vergleiche

Ohne Steigerung:

so + Adjektiv + wie		
Jan ist	so groß wie	Peter.
Das blaue Kleid ist	genauso schön wie	das rote.
Das grüne Kleid ist	nicht so teuer wie	das gelbe.

Mit Steigerung:

Adjektiv im Komparativ + als		
Peter ist	größer als	Heike.
Das rote Kleid ist	schöner als	das weiße.
Das gelbe Kleid	ist teurer als	das grüne.

Zahlen

§21 Kardinalzahlen

Zahlen von 1 bis 10: → *Lektion 1, S. 9,* 10 bis 100: → *Lektion 1, S. 14*, 100 bis 1000: → *Lektion 2, S. 22*.

§22 Ordinalzahlen und Datum

eins:	der **erste** Weg
zwei:	die zwei**te** Straße
drei:	das **dritte** Haus
vier:	die vier**te** Kreuzung
fünf:	die fünf**te** Ampel
sechs	der sechs**te** Weg
sieben	das **siebte** Schild
acht	das ach**te** Haus
...	...

zwanzig:	der zwanzig**ste** Brief
dreißig:	die dreißig**ste** Flasche
hundert:	das hundert**ste** Auto
tausend:	der tausend**ste** Stuhl
...	...

der **erste** Januar	am **ersten** Januar
der **zweite** Februar	am **zweiten** Februar
der **dritte** März	am **dritten** März
...	...

→ *Lektion 7, S. 72*

Pronomen

§23 Personalpronomen

			Nominativ	Akkusativ	Dativ
Singular	1. Person		ich	mich	mir
	2. Person		du	dich	dir
		Mask.	er	ihn	ihm
	3. Person	Fem.	sie		ihr
		Neutr.	es		ihm
Plural	1. Person		wir	uns	
	2. Person		ihr	euch	
	3. Person		sie		ihnen
	Höflichkeitsform		Sie		Ihnen

§24 Reflexivpronomen
→ Lektion 11, S. 108

		Akkusativ	Dativ
Singular	3. Person Mask., Fem., Neutr.	sich	
Plural	3. Person, Höflichkeitsform		

✳ Alle anderen Formen: wie Personalpronomen → § 23.

☞ Er wäscht **sich** ≠ Er wäscht **ihn**.

§25 Artikel als Pronomen

Alle Artikelwörter → § 1, § 2, § 3 können Pronomen sein.

● Wir brauchen noch Stühle. Hier sind **welche**. Wie findest du **den**?
■ Nicht schön, aber **dieser** hier ist interessant.
● Hier ist noch **einer**. **Der** ist auch nicht schlecht.

der Stuhl	der	dieser	jeder	einer	keiner	meiner	...
die Uhr	die	diese	jede	eine	keine	meine	...
das Bett	das	dieses	jedes	eins	keins	meins	...
die Möbel	die	diese	alle	welche	keine	meine	...

☞ Endungen: wie definiter Artikel; Sonderfall: Plural Dativ von **der** (Mask.) = **denen**
Plural von **einer, eine, eins** = **welche**
Im Singular: **welcher** steht für unbestimmte Mengen: Hier ist **Kaffee**. Möchtest du **welchen**?

§26 Generalisierende Indefinitpronomen

Nominativ	Akkusativ	Dativ		Nominativ	Akkusativ	Dativ
man	einen	einem		alles		allem
jemand	jemanden	jemandem		nichts		
niemand	niemanden	niemandem		etwas		
irgendwer	irgendwen	irgendwem		irgendetwas		

§ 27   Relativpronomen

		Nominativ	Akkusativ	Dativ	Genitiv
Maskulinum	Der Mann, …	der	den	dem	**dessen**
Femininum	Die Frau, …		die	der	**deren**
Neutrum	Das Kind, …		das	dem	**dessen**
Plural	Die Leute, …		die	**denen**	**deren**

Auch mit Präposition: Der Mann, **für den** … / Die Frau, **mit der** … *usw.*
→ § 59 Relativsatz

 § 28   Präpositionalpronomen (Pronominaladverbien)

Nur bei Sachen:

wo(r) + Präposition	da(r) + Präposition	Bei Personen:
wofür, wonach, wovon …	dafür, danach, davon …	Präposition + Personalpronomen
woran, worauf, worüber …	daran, darauf, darüber …	für ihn, nach ihr, von ihm …

Präpositionen

§ 29   Präpositionen und Kasus

an	durch	aus	ab	statt *	außerhalb
auf	für	bei	außer	trotz *	innerhalb
hinter	gegen	mit	bis zu	während *	
in	ohne	nach	gegenüber	wegen *	
neben	um	seit			
über		von			
unter		zu			
vor					
zwischen					

+ Akkusativ oder Dativ   **+ Akkusativ**   **+ Dativ**   *+ Genitiv*
   ("Wechselprä-
   positionen")   * gesprochene Sprache:
                                                            auch mit Dativ

Lokale Bedeutung → *Lektion 5, S. 48, 49;* temporale Bedeutung → *Lektion 11*

§ 30   Kurzformen

am	= an dem	im	= in dem	beim	= bei dem	zum	= zu dem
ans	= an das	ins	= in das	vom	= von dem	zur	= zu der

§31 Gebrauch der Wechselpräpositionen

Akkusativ:			Dativ:	
Er hängt das Bild	an **die** Wand.		Das Bild hängt	an **der** Wand.
Sie stellt die Blumen	auf **den** Tisch.		Die Blumen stehen	auf **dem** Tisch.
Er bringt das Kind	**ins** Bett.		Das Kind liegt	**im** Bett.

Richtung, Bewegung
Wohin? ⟶ ◉

Position, Ruhe
Wo? ◉

→ *§ 51.e, § 51.f Situativ- / Direktivergänzung; → § 51.k Präpositionalergänzung*

Verben: Konjugation

§32 Übersicht: Das Tempussystem

		schwach	stark	besondere Formen		
Infinitiv		machen	fahren	haben	sein	wollen
Präsens	er	macht	fährt	hat	ist	will
Präteritum	er	machte	fuhr	hatte	war	wollte
Perfekt	er	hat gemacht	ist gefahren	hat gehabt	ist gewesen	hat gewollt / hat … wollen
Plusquamperfekt	er	hatte gemacht	war gefahren	hatte gehabt	war gewesen	hatte gewollt / hatte … wollen
Futur	er	wird machen	wird fahren	wird haben	wird sein	wird wollen
Konjunktiv I	er	mache	fahre	habe	sei	wolle
Konjunktiv II	er	würde machen	führe	hätte	wäre	würde wollen
Passiv Präsens	er	wird gemacht	wird gefahren			
Passiv Präteritum	er	wurde gemacht	wurde gefahren	*Unregelmäßige Verben → § 43*		
Passiv Perfekt	er	ist gemacht worden	ist gefahren worden	*Modalverben → § 46*		

§33 Präsens

	schwach		stark		
Infinitiv	machen	arbeiten	fahren	geben	
Stamm	mach-	arbeit-	fahr- / fähr-	geb- / gib-	*Endungen*
ich	mache	arbeite	fahre	gebe	-e
du	machst	arbeitest	fährst	gibst	-st (-est)
er / sie / es	macht	arbeitet	fährt	gibt	-t (-et)
wir	machen	arbeiten	fahren	geben	-en *wie Infinitiv*
ihr	macht	arbeitet	fahrt	gebt	-t (-et)
sie / Sie	machen	arbeiten	fahren	geben	-en *wie Infinitiv*

Stamm auf
-t, -d, -m, -n

Übersicht
starke Verben → § 44

A 10

	schwach		stark		
Infinitiv	machen	arbeiten	fahren	geben	
Stamm	mach-te-	arbeit-ete-	fuhr-	gab-	Endungen
ich	machte	arbeitete	fuhr	gab	-
du	machtest	arbeitetest	fuhrst	gabst	-st
er / sie / es	machte	arbeitete	fuhr	gab	-
wir	machten	arbeiteten	fuhren	gaben	-n (-en)
ihr	machtet	arbeitetet	fuhrt	gabt	-t
sie / Sie	machten	arbeiteten	fuhren	gaben	-n (-en)

Stamm auf   *Übersicht*
-t, -d, -m, -n   *starke Verben → § 44*

§35 Perfekt

a) Konjugation

Infinitiv		haben / sein		Partizip II
machen:	Er	**hat**	eine Reise	**gemacht**.
fahren:	Er	**ist**	nach Österreich	**gefahren**.

Perfekt mit *sein*:

sein, bleiben, werden *und Verben der Zustandsveränderung oder Ortsveränderung:* einschlafen, erschrecken, gehen, fahren, kommen *usw. siehe Wortliste* → S. 102.

Infinitiv	machen	fahren
ich	habe gemacht	bin gefahren
du	hast gemacht	bist gefahren
er / sie / es	hat gemacht	ist gefahren
wir	haben gemacht	sind gefahren
ihr	habt gemacht	seid gefahren
sie / Sie	haben gemacht	sind gefahren

b) Formenbildung: Partizip II

schwache Verben

				ebenso:
		...	**t**	
	ge	...	**t**	
...	**ge**	...	**t**	
besuchen:	Er hat		besuch	**t**
verwenden:	Er hat		verwend	**et**
reparieren:	Er hat		reparier	**t**

schwache Verben mit untrennbarem Verbzusatz → § 48 und Verben auf -ieren

spielen:	Er hat	*ge*	spiel	**t**
arbeiten:	Er hat	ge	arbeit	**et**
kennen:	Er hat	*ge*	*kann*	**t**
wandern:	Er **ist**	ge	wander	**t**

die meisten schwachen Verben
schwache Verben mit Stamm auf -t, -d, -m, -n
Verben mit gemischten Formen → § 45

aufhören:	Er hat	auf	**ge**	hör	**t**
aufwachen:	Er **ist**	auf	**ge**	wach	**t**

schwache Verben mit trennbarem Verbzusatz
→ § 47

starke Verben

		...	**en**
	ge	...	**en**
...	**ge**	...	**en**

bekommen:	Er hat			bekomm	**en**	*starke Verben mit untrennbarem Verbzusatz* → *§ 48*
vergessen:	Er hat			vergess	**en**	
zerbrechen:	Er hat			zerbr**o**ch	**en**	
schlafen:	Er hat		**ge**	schlaf	**en**	*starke Verben* → *§ 44*
sehen:	Er hat		**ge**	seh	**en**	
essen:	Er hat		**ge**	**gess**	**en**	*starke Verben mit besonderen Formen* → *§ 44*
kommen:	Er **ist**		**ge**	komm	**en**	
anfangen:	Er hat	an	**ge**	fang	**en**	*starke Verben mit trennbarem Verbzusatz* → *§47*
einsteigen:	Er **ist**	ein	**ge**	stieg	**en**	

§36 Plusquamperfekt

machen:	Er	**hatte**	eine Reise	**gemacht.**
fahren:	Er	**war**	nach Österreich	**gefahren.**
		Präteritum		*Partizip II*
		haben / sein		

✳ *Wie Perfekt* → *§ 35, nur mit Präteritum von* **haben** *oder* **sein**.

§37 Futur

machen:	Er	**wird**	eine Reise	**machen.**
fahren:	Er	**wird**	nach Österreich	**fahren.**
		Präsens		*Infinitiv*
		werden		

ich	werde		
du	wirst		
er / sie / es	wird		
wir	werden	eine Reise	**machen.**
ihr	werdet		
sie / Sie	werden		

§38 Konjunktiv II

a) mit **würde** + Infinitiv

machen:	Er	**würde**	eine Reise	**machen.**
fahren:	Er	**würde**	nach Österreich	**fahren.**
		würde		*Infinitiv*

ich	würde		
du	würdest		
er / sie / es	würde		
wir	würden	eine Reise	**machen.**
ihr	würdet		
sie / Sie	würden		

✳ *Alle Verben, auch die unter b), können den Konjunktiv II mit* **würde** *bilden.*

b) häufig benutzte Verben mit eigenen Konjunktiv II - Formen

	sein	haben	können	müssen	dürfen	kommen *
ich	wäre	hätte	könnte	müsste	dürfte	käme
du	wärst	hättest	könntest	müsstest	dürftest	kämst
er / sie / es	wäre	hätte	könnte	müsste	dürfte	käme
wir	wären	hätten	könnten	müssten	dürften	kämen
ihr	wärt	hättet	könntet	müsstet	dürftet	kämt
sie / Sie	wären	hätten	könnten	müssten	dürften	kämen

* Starke Verben → § 44 können eine eigene Konjunktiv II – Form bilden; man benutzt sie aber selten.

 Konjunktiv II der Vergangenheit

machen: Er **hätte** eine Reise **gemacht**.   ✳ *Wie Perfekt → § 35, nur mit Konjunktiv II*
fahren: Er **wäre** nach Österreich **gefahren**.   *von haben oder sein → § 38.b*
     Konjunktiv II   *Partizip II*
     haben / sein

 Konjunktiv I

Präsens:	er	ist	macht	fährt	hat	muss
Konjunktiv I:	er	**sei**	**mache**	**fahre**	**habe**	**müsse**
	sie / Sie	**seien**				

✳ *Gebrauch:* **nur in schriftlichen Texten in indirekter Rede → Lektion 20**
     nur in der 3. Person Singular (bei sein auch: 3. Person Plural und andere),
     in allen anderen Formen: Konjunktiv II → § 38.

 Passiv

Präsens: Er **wird** vom Taxifahrer **abgeholt**.
Präteritum: Er **wurde** **abgeholt**.
     werden   *Partizip II*   *Konjugation werden → § 43*

mit Modalverb: Er **muss** **abgeholt werden**.
Perfekt: Er **ist** vom Taxifahrer **abgeholt worden**.

☞ *Aktion:* Die Fenster **werden geschlossen**.
  Ergebnis: Die Fenster **sind geschlossen**. (= Die Fenster sind **zu**.)

 Imperativ

	kommen	warten	nehmen	anfangen	sein	haben
Sie:	Komm**en** Sie	Wart**en** Sie	Nehm**en** Sie	Fang**en** Sie an	**Seien** Sie …	Hab**en** Sie …
du:	Komm	Wart**e**	**Nimm**	Fang an	**Sei** …	**Hab** …
ihr:	Komm**t**	Wart**et**	Nehm**t**	Fang**t** an	**Seid** …	Hab**t** …

§43 Unregelmäßige Verben

Präsens	sein	haben	werden	möchten
ich	bin	habe	werde	möchte
du	bist	hast	wirst	möchtest
er / sie / es	ist	hat	wird	möchte
wir	sind	haben	werden	möchten
ihr	seid	habt	werdet	möchtet
sie / Sie	sind	haben	werden	möchten

Präteritum				
ich	war	hatte	wurde	(ich wollte)
du	warst	hattest	wurdest	→ § 46
er / sie / es	war	hatte	wurde	
wir	waren	hatten	wurden	
ihr	wart	hattet	wurdet	
sie / Sie	waren	hatten	wurden	

Perfekt				
er / sie / es	ist gewesen	hat gehabt	ist geworden	
		bei Passiv:	ist ... worden	

§44 Übersicht: Starke Verben

Präsens: *2. und 3. Person Singular: evtl. anderer Vokal als Infinitiv.*
Präteritum: *anderer Vokal als Infinitiv.*
Partizip II: *evtl. anderer Vokal als Infinitiv, Endung auf -en.*

	kein Vokalwechsel im Präsens			Vokalwechsel im Präsens			
	kommen	fliegen	schreiben	schlafen	geben	helfen	laufen
Präsens							
ich	komme	fliege	schreibe	schlafe	gebe	helfe	laufe
du	kommst	fliegst	schreibst	schläfst	gibst	hilfst	läufst
er / sie / es	kommt	fliegt	schreibt	schläft	gibt	hilft	läuft
wir	kommen	fliegen	schreiben	schlafen	geben	helfen	laufen
ihr	kommt	fliegt	schreibt	schlaft	gebt	helft	lauft
sie / Sie	kommen	fliegen	schreiben	schlafen	geben	helfen	laufen
Präteritum							
ich	kam	flog	schrieb	schlief	gab	half	lief
du	kamst	flogst	schriebst	schliefst	gabst	halfst	liefst
er / sie / es	kam	flog	schrieb	schlief	gab	half	lief
wir	kamen	flogen	schrieben	schliefen	gaben	halfen	liefen
ihr	kamt	flogt	schriebt	schlieft	gabt	halft	lieft
sie / Sie	kamen	flogen	schrieben	schliefen	gaben	halfen	liefen
Konjunktiv II							
er / sie / es	käme	flöge	schriebe	schliefe	gäbe	–	liefe

Perfekt

er / sie / es	ist	ist	hat	hat	hat	hat	ist
	ge**komm**en	ge**flog**en	ge**schrieb**en	ge**schlaf**en	ge**geb**en	ge**holf**en	ge**lauf**en

✳ **Lernformen: So steht es in der Wortliste.**

Infinitiv	Präsens (3. P. Sg.)	Präteritum (3. P. Sg.)	Perfekt (3. P. Sg.)
kommen	kommt	kam	ist gekommen
fliegen	fliegt	flog	ist geflogen
schreiben	schreibt	schrieb	hat geschrieben

☞ **Besondere Formen bei einigen Verben:**   *ebenso:*

Infinitiv	Präsens	Präteritum	Perfekt	ebenso
stehen	steht	stand	hat **gestanden**	bestehen*, entstehen*, verstehen*, aufstehen
schneiden	schneidet	schnitt	hat **geschnitten**	abschneiden, zerschneiden*
treffen	trifft	traf	hat **getroffen**	
sitzen	sitzt	saß	hat **gesessen**	besitzen*
esse	**isst**	aß	hat **gegessen**	vergessen*
nehmen	**nimmt**	nahm	hat **genommen**	abnehmen, annehmen, mitnehmen, teilnehmen, unternehmen*, wegnehmen
schließen	schließt	schloss	hat **geschlossen**	abschließen, anschließen, beschließen*, entschließen*
ziehen	zieht	zog	hat **gezogen**	anziehen, ausziehen, einziehen, umziehen, vorziehen
tun	tut	tat	hat **getan**	wehtun

* Perfekt ohne ge-

§45 Gemischte Verben

Infinitiv	Präsens	Präteritum	Perfekt	ebenso
kennen	kennt	kannte	hat **gekannt**	erkennen*
nennen	nennt	nannte	hat **genannt**	
brennen	brennt	brannte	hat **gebrannt**	abbrennen, verbrennen*
rennen	rennt	rannte	ist **gerannt**	wegrennen
denken	denkt	dachte	hat **gedacht**	nachdenken
bringen	bringt	brachte	hat **gebracht**	anbringen, mitbringen, unterbringen, verbringen*

* Perfekt ohne ge-

Präsens: regelmäßig; Präteritum, Perfekt: Stammveränderung + schwache Endungen.

§46 Modalverben und „wissen"

Präsens	sollen	wollen	können	dürfen	müssen	mögen	wissen
ich	soll	will	kann	darf	muss	mag	**weiß**
du	sollst	willst	kannst	darfst	musst	magst	**weißt**
er / sie / es	soll	will	kann	darf	muss	mag	**weiß**
wir	sollen	wollen	können	dürfen	müssen	mögen	wissen
ihr	sollt	wollt	könnt	dürft	müsst	mögt	wisst
sie / Sie	sollen	wollen	können	dürfen	müssen	mögen	wissen
Präteritum							
ich	sollte	wollte	konnte	durfte	musste	mochte	wusste
du	solltest	wolltest	konntest	durftest	musstest	mochtest	wusstest
er / sie / es	sollte	wollte	konnte	durfte	musste	mochte	wusste
wir	sollten	wollten	konnten	durften	mussten	mochten	wussten
ihr	solltet	wolltet	konntet	durftet	musstet	mochtet	wusstet
sie / Sie	sollten	wollten	konnten	durften	mussten	mochten	wussten
Perfekt							
*er / sie / es	hat gesollt	hat gewollt	hat gekonnt	hat gedurft	hat gemusst	hat gemocht	hat gewusst
	hat sollen	hat wollen	hat können	hat dürfen	hat müssen	hat mögen	

* mit Infinitiv statt Partizip II: → Lektion 15, S. 151

§47 Verben mit trennbarem Verbzusatz

Verbzusatz zusammen mit dem Verb:

Er will seinen Freund **ab**holen.
Er hat seinen Freund **ab**geholt.
Er wird von seinem Freund **ab**geholt.
Er keine Zeit, seinen Freund **ab**zuholen.
Sie möchte, dass er seinen Freund **ab**holt.

Verbzusatz getrennt vom Verb:

Er	holt	seinen Freund	**ab**.
Er	holte	seinen Freund	**ab**.
	Holt	er seinen Freund	**ab**?
	Hol	bitte deinen Freund	**ab**.

trennbarer Verbzusatz (betont)

✳ *So steht es in der Wortliste → S. 232.*

☛ *Partizip:*   *abgeholt*
Infinitiv mit zu: *abzuholen*

ab·holen	ein·kaufen	nach·denken	vor·schlagen
an·fangen	fern·sehen	statt·finden	weh·tun
auf·hören	fest·halten	teil·nehmen	zu·machen
aus·machen	mit·kommen	um·ziehen	

§48 Verben mit untrennbarem Verbzusatz

Typische untrennbare Verbzusätze: **be-, emp-, ent-, er-, ge-, ver-, zer-**

Infinitiv	Präsens 3. P. Sg.	Perfekt 3. P. Sg.	ebenso:
beschäftigen	beschäftigt	hat beschäftigt	bedeuten, beginnen, behalten, bekommen …
empfehlen	empfiehlt	hat empfohlen	empfangen
entdecken	entdeckt	hat entdeckt	enthalten, entscheiden, entschuldigen …
erkennen	erkennt	hat erkannt	erfahren, erfinden, erhalten, erholen, erinnern …
gelingen	gelingt	ist gelungen	gebrauchen, gefallen, gehören, geschehen …
verändern	verändert	hat verändert	verbessern, verbinden, verdienen, vergessen …
zerbrechen	zerbricht	hat zerbrochen	zerreißen, zerschneiden, zerstören …

Betonung auf Verbstamm   *Partizip II ohne ge-*

☞ *nicht verwechseln:*

Infinitiv	Perfekt	Infinitiv	Perfekt
gefallen	hat *gefallen*	gehören	hat *gehört*
fallen	ist *gefallen*	hören	hat *gehört*

 §49 Partizip I und II

Infinitiv:	spielen	singen	stehen	sein
Partizip I = Infinitiv + **d**	spielen**d**	singen**d**	stehen**d**	seien**d**
Partizip II → § 35.b	**ge**spiel**t**	**ge**sung**en**	**gestanden**	**gewesen**

Partizipien als Adjektive → § 16

Partizip I   Der **schlafende** Hund liegt unter dem Tisch.   (Der Hund liegt unter dem Tisch und schläft.)
Partizip II   Der Hund frisst den **verbrannten** Braten.   (Der Braten ist verbrannt. Der Hund frisst ihn.)

Verben und Ergänzungen

 §50 Verben ohne Ergänzung

Was tun?	Was tut er?	Er **schläft**.

Ebenso: aufstehen, baden, blühen, brennen, erschrecken, frieren, funktionieren, husten, lachen, …

Ausdrücke mit **es***:* es geht, es klappt, es regnet, es schneit …

§51 Verben mit Ergänzungen

a) Verb + Nominativergänzung

Wer?	sein	Wer ist das?	Das ist **Rolf Schneider**.
Was?	sein	Was ist er?	Er ist **Student**.
	werden	Was wird er?	Er wird **Lehrer**.
Wie?	heißen	Wie heißt sie?	Sie heißt **Karin**.
	sein	Wie ist sie?	Sie ist **nett**.

b) Verb + Akkusativergänzung

Was?	suchen	Was sucht sie?	Sie sucht **einen Stuhl**.
Wen?		Wen sucht sie?	Sie sucht **den Verkäufer**.

Ebenso: abholen, ansehen, anziehen, bauen, bekommen, bemerken, besuchen, bringen, einladen, entdecken, erkennen, essen …

c) Verb + Dativergänzung

Wem?	gehören	Wem gehört das Buch?	Das Buch gehört **mir**.

Ebenso: begegnen, einfallen, fehlen, folgen, gefallen, gelingen, helfen, nützen, passen, schmecken, stehen *(Kleidung)*, wehtun, zuhören, zuschauen.

d) Verb + Dativergänzung + Akkusativergänzung

Wem? Was?	geben	Wem gibt er was?	Er gibt **dem Kind einen Luftballon**.

Ebenso: anbieten, besorgen, bringen, empfehlen, erzählen, mitbringen, mitteilen, schenken, schicken, stehlen, vorschlagen, zeigen …

e) Verb + Situativergänzung

Wo?	wohnen	Wo wohnt sie?	Sie wohnt **in der Schweiz**.

Ebenso: bleiben, hängen, liegen, sein, sitzen, stehen …

f) Verb + Direktivergänzung

Wohin?	gehen	Wohin geht er?	Er geht **auf den Balkon**.

Ebenso: fahren, kommen, laufen, reisen, rennen, springen, steigen …

g) Verb + Herkunftsergänzung

Woher?	kommen	Woher kommt er?	Er kommt **aus dem Badezimmer**.

Ebenso: laufen, rennen, springen, steigen …

h) Verb + Akkusativergänzung + Direktivergänzung

Was? Wohin?	stellen

Wohin stellt sie was?

Sie stellt **den Stuhl an den Tisch**.
Ebenso: bringen, hängen, heben, legen, schieben, setzen, werfen …

i) Verb + Akkusativergänzung + Herkunftsergänzung

Was? Woher?	nehmen

Woher nimmt er das Glas?

Er nimmt **das Glas aus dem Schrank**.

Ebenso: heben, holen, reißen …

j) Verb + Verbativergänzung

Was tun?	gehen

Was machen sie heute?

Sie gehen heute **tanzen**.

Wen? Was tun?	lassen

Was lässt sie ihn tun?

Sie lässt **ihn die Suppe koch**en.
Ebenso: fühlen, hören, sehen …

k) Verb + Präpositionalergänzung

An wen?		An wen denkt er?	Er denkt **an seine Freundin**.
Woran?	denken	Woran denkt sie?	Sie denkt **an das neue Kleid**.
Auf wen?		Auf wen wartet er?	Er wartet **auf seine Freundin**.
Worauf?	warten	Worauf wartet sie?	Sie wartet **auf den Bus**.
Nach wem?		Nach wem fragt er?	Er fragt **nach dem Chef**.
Wonach?	fragen	Wonach fragt sie?	Sie fragt **nach dem Weg**.

Ebenso:

bestehen	aus	
anmelden, sich entschuldigen, sich erkundigen, helfen	bei	
anfangen, aufhören, beginnen, sich beschäftigen, schimpfen, spielen, sprechen, telefonieren, sich unterhalten, sich verabreden, vergleichen, verwechseln	mit	
sich erkundigen, fragen, riechen, schauen, schmecken, suchen	nach	**+ Dativ**
abhängen, berichten, erzählen, reden, träumen, sich verabschieden, verlangen	von	
dienen, einladen, sich entschließen, führen, gehören, gratulieren, passen, verwenden	zu	
liegen, teilnehmen	an	
schützen, warnen, Angst haben	vor	

demonstrieren, sich entscheiden, sich entschuldigen, halten, sich interessieren, kämpfen, sein, sorgen, sparen, streiken	für	
demonstrieren, sich entscheiden, kämpfen, sein, streiken	gegen	
sich bemühen, sich bewerben, sich kümmern, weinen	um	
sich verlieben	in	**+ Akkusativ**
denken, sich erinnern, sich gewöhnen, glauben, schicken, schreiben	an	
achten, antworten, sich freuen, hoffen, hören, sich vorbereiten, warten	auf	
sich ärgern, sich aufregen, sich beschweren, diskutieren, sich freuen, klagen, lächeln, lachen, reden, schimpfen, sich unterhalten, sich wundern	über	

§52 Die Verbklammer

Verbklammer

Vorfeld	Verb (1)	Mittelfeld			Verb (2)
Herr Noll	kommt.				
Herr Noll	kommt			aus Wien.	
Herr Noll	soll		heute	aus Wien	kommen.
Herr Noll	ist		heute	aus Wien	gekommen.
	Kommt	Herr Noll		aus Wien?	
	Ist	Herr Noll	heute	aus Wien	gekommen?
Woher	soll	Herr Noll	heute		kommen?
Aus Wien	soll	Herr Noll	heute		kommen.
Wann	ist	Herr Noll		aus Wien	gekommen?
Heute	ist	Herr Noll		aus Wien	gekommen.
Wann	kommt	Frau Nolte			an?
Frau Nolte	kommt		um 17 Uhr		an.
Wir	müssen	sie	um 17 Uhr	vom Bahnhof	abholen.
Kommen		Sie	bitte		mit!
..., dass		Frau Nolte	heute		ankommt.
..., weil		Frau Nolte	um 17 Uhr		angekommen ist.

§53 Das Vorfeld

Vorfeld	Verb (1)	Mittelfeld			Verb (2)
		Subjekt	Angabe	Ergänzung	
	Kann	Volker	in 2 Minuten	6 Gesichter	zeichnen?
Volker	kann		in 2 Minuten	6 Gesichter	zeichnen.
In zwei Minuten	kann	Volker		6 Gesichter	zeichnen.
Sechs Gesichter	kann	Volker	in 2 Minuten		zeichnen.
Wenn Volker will,	kann	er	in 2 Minuten	6 Gesichter	zeichnen.

Vorfeld: leer, Subjekt, Angabe, Ergänzung oder Nebensatz.

§54 Verb (2)

Vorfeld	Verb (1)	Mittelfeld			Verb (2)
		Subjekt	Angabe	Ergänzung	
Der Verkäufer	schließt			die Tür.	
Er	schließt		abends	die Tür	ab.
Abends	muss	er		die Tür	abschließen.
Abends	wird	die Tür	von ihm		abgeschlossen.
Er	hat		heute Abend	die Tür	abgeschlossen.
..., dass		Frau Nolte	heute		ankommt.
..., weil		Frau Nolte	um 17 Uhr		ankommen soll.
..., ob		sie	um 17 Uhr		angekommen ist.

Verb (2) : leer, trennbarer Verbzusatz, Infinitiv, Partizip, oder Verb im Nebensatz.

§55 Das Mittelfeld

a) Ergänzung: Nomen

Vorfeld	Verb (1)	Mittelfeld			Verb (2)
		Subjekt	Angabe	Ergänzung	
	Hat	er	schon	die Tür	abgeschlossen?
Er	muss		noch	die Tür	abschließen.

b) Ergänzung: Nomen oder Pronomen

Vorfeld	Verb (1)	Mittelfeld			Verb (2)
		Subjekt	Ergänzung	Angabe	
	Hat	er	die Tür	schon	abgeschlossen?
	Hat	er	sie	schon	abgeschlossen?
Er	muss		die Tür	noch	abschließen.
Er	muss		sie	noch	abschließen.

c) 2 Ergänzungen

Vorfeld	Verb (1)	Mittelfeld				Verb (2)
		Subjekt	Ergänzung(en)		Angabe	Ergänzung	
Er	bringt		seiner Frau		heute	Blumen	mit.
Er	bringt		sie	ihr	heute		mit.
Heute	bringt	er	sie	ihr			mit.
Er	bringt		ihr	die Blumen	heute		mit.
Heute	bringt	er	ihr	die	bestimmt		mit.

		1.	2.	3.
☞ Ergänzungen:		Akkusativ:	Dativ:	Akkusativ:
		Personal-pronomen	Nomen oder Personal-pronomen	Nomen oder Definitpronomen

A 21

§56 **Satzverbindung: Zwei Hauptsätze**

a) mit Junktoren und, aber, oder, denn, sondern

Junktor	Vorfeld	Verb (1)	Mittelfeld			Verb (2)
			Subjekt	Angabe	Ergänzung	
	Bernd	ist			Reporter.	
	Er	kann		nur selten	zu Hause	sein.
	Bernd	ist			Reporter	
und	er	kann		nur selten	zu Hause	sein.

Subjekt: keine Positionsänderung

b) mit Adverbien im Vorfeld: deshalb, darum, danach, trotzdem, also …

	Bernd	ist			Reporter.	
	Er	kann		**deshalb**	zu Hause	sein.
				nur selten		
	Bernd	ist			Reporter,	
	deshalb	kann	er	nur selten	zu Hause	sein.

Subjekt: Positionsänderung

 §57 **Satzgefüge: Hauptsatz und Nebensatz**

a) Hauptsatz + Nebensatz

Junktor	Vorfeld	Verb (1)	Mittelfeld			Verb (2)
			Subjekt	Angabe	Ergänzung	
	Bernd	kann		nur selten	zu Hause	sein.
	Er	ist			Reporter.	
	Bernd	kann		nur selten	zu Hause	sein.
weil			er		Reporter	**ist.**

Im Nebensatz: Verb an Position Verb (2).

b) Nebensatz + Hauptsatz

Weil Bernd Reporter ist,	kann	er	nur selten	zu Hause	sein.	
Wenn Maria kommt,	bringt	sie	hoffentlich	eine	mit.	
				Nachricht		

☞ *Nebensatz = Vorfeld des Hauptsatzes; Subjekt im Hauptsatz: Positionsänderung.*

Nebensatz-Junktoren:

als	Als Maria kam, war Curt froh.
wenn	Wenn Maria kommt, hat sie eine Nachricht. / Wenn Maria käme, hätte sie eine Nachricht. → *§ 38*
während	Curt isst Kuchen, während er auf Maria wartet. / Curt ist nervös, während Maria ruhig ist.
bis	Curt wartet, bis Maria kommt.
bevor	Bevor Maria kam, hatte Curt zwei Stück Kuchen gegessen.
nachdem	Nachdem Maria sich gesetzt hatte, bestellte sie ein Eis.
sobald	Sobald Maria kommt, bestellt sie sicher einen Tee.
seit	Seit Curt im Café saß, wartete er auf Maria.
weil	Curt saß im Café, weil er auf Maria wartete.
da	Da Maria nicht kam, bestellte Curt noch ein Stück Kuchen.
obwohl	Curt isst Kuchen, obwohl er keinen Hunger hat.
damit	Curt ruft die Kellnerin, damit sie ihm noch ein Stück Kuchen bringt.
so dass	Maria sagt nichts, so dass Kurt noch nervöser wird.
so ..., dass	Kurt ist so nervös, dass sein Puls 150 schlägt.
dass	Kurt hofft, dass Maria bald kommt.
ob	Kurt weiß nicht, ob Maria bald kommt. → *§ 58*

§58 Indirekte Frage

a) mit Fragewort

	Vorfeld	Verb (1)	Mittelfeld			Verb (2)
			Subjekt	**Angabe**	**Ergänzung**	
	Wann	beginnt	das Fußballspiel	endlich?		
	Die Frau	fragt,				
	wann		das Fußballspiel	endlich		**beginnt.**

b) ohne Fragewort

Junktor	Vorfeld	Verb (1)	Mittelfeld			Verb (2)
			Subjekt	**Angabe**	**Ergänzung**	
		Beginnt	das Fußballspiel	pünktlich?		
	Die Frau	fragt,				
ob			das Fußballspiel	pünktlich		**beginnt.**

§59 Relativsatz

	Vorfeld	Verb (1)	Mittelfeld			Verb (2)
			Subjekt	**Angabe**	**Ergänzung**	
	Das	ist	ein Delfin,			
	der				im Zoo	**lebt.**
	den		man	jeden Tag	im Zoo	**sehen kann.**

Relativsatz = Nebensatz: Verb an Position Verb (2).
Relativpronomen → § 27

| *2 Hauptsätze:* | Der Delfin lebt im Zoo. Er ist nicht glücklich. |

| *Integrierter Relativsatz:* | Der Delfin, der im Zoo lebt, ist nicht glücklich. |
| *→ Lektion 13, S. 131* | |

Relativsatz

Hauptsatz

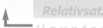 **Infinitivsatz**

a) Infinitiv mit zu

	Vorfeld	Verb (1)	Mittelfeld			Verb (2)
			Subjekt	Angabe	Ergänzung	
	Heute	möchte	sie	nicht	Tango	tanzen.
	Sie	hat		heute	keine Lust, Tango	**zu tanzen.**

b) Infinitiv mit um … zu, ohne … zu

Junktor	Vorfeld	Verb (1)	Mittelfeld			Verb (2)
			Subjekt	Angabe	Ergänzung	
	Heute	möchte	er	gern	Musik	machen.
um	Er	benutzt			den Topf, Musik	**zu machen.**
ohne	Er	geht			aus dem Haus, die Tür	**zuzumachen.**

Infinitiv bei Verben mit trennbarem Verbzusatz: → § 47

Alphabetische Wortliste

Die alphabetische Wortliste enthält alle Wörter dieses Buches mit Angabe der Seiten, auf denen sie zuerst oder in unterschiedlicher Bedeutung vorkommen. **Fett gedruckte** Wörter sind Bestandteil des „Zertifikat Deutsch". Bei Nomen stehen das Artikelzeichen (r = der, e = die, s = das) und das Zeichen für die Pluralform. Nomen ohne Angabe der Pluralform verwendet man nicht oder nur selten im Plural. Nomen mit der Angabe „pl" verwendet man nicht oder nur selten im Singular. Bei starken und unregelmäßigen Verben stehen neben dem Infinitiv auch die Präsens-, Präteritum- und Perfektformen. Im Arbeitsbuch findet man zu jeder Lektion eine detaillierte Auflistung des Lernwortschatzes.

ab   32, 56, 70
ab·biegen, biegt ab, bog ab, ist abgebogen   57
r Abend, -e   40, 75
s Abendbrot   60
s Abendkleid, -er   36
abends   60, 61, 70
aber   10, 11, 20
ab·fahren, fährt ab, fuhr ab, ist abgefahren   59, 65, 66
e Abfahrt, -en   57
ab·sagen   47
ab·schließen, schließt ab, schloss ab, hat abgeschlossen   46, 59, 65
ab·stellen   57, 65
ach   25
ach so   25
achten   44
e Adresse, -n   23, 26
r Advent   70
r Adventskranz, ̈e   70
aha   12
r Akkusativ, -e   28, 29, 49
alle   40, 41, 47
allein   11, 14, 66
alleine   60
alles   40, 74, 77
alles Gute   77
r Alltag   60
s Alphabet, -e   14
als   27, 70
also   45, 65
alt   10, 12, 15
s Alter   21, 26, 27
am → an   12, 40, 45
e Ampel, -n   57
an   27, 50
an (Ingrid)   17
an sein, ist an, war an, ist an gewesen   51
an … vorbei   55
andere   30
anders   31
an·fangen, fängt an, fing an, hat angefangen   74, 61, 62
e Angabe, -n   27
angenehm   17
e Angst, ̈e   38, 70
an·haben, hat an, hatte an, hat angehabt   70
r Animateur, -e   27

e Animateurin, -nen   27
an·kommen, kommt an, kam an, ist angekommen   51, 57
r Anlass, Anlässe   76
an·machen   42, 70, 71
r Anruf, -e   47, 50
an·rufen, ruft an, rief an, hat angerufen   46, 74
ans → an   51
an·schauen   70, 71
e Ansichtskarte, -n   28
an·streichen, streicht an, strich an, hat angestrichen   58, 64
anstrengend   60
e Antwort, -en   51, 70
antworten   18, 60, 61
e Anzeige, -n   41
an·zünden   70
r Apfel, ̈   22, 71
e Apotheke, -n   55
r April   72
e Arbeit, -en   60
arbeiten   11, 15, 20
r Arbeitstag, -e   60
r Arm, -e   50, 64
r Artikel, -   54
e Ärztin, -nen,   18, 50, 51
e Arztpraxis, -praxen   55
e Atemmaske, -n   50
r Atlantik   36
atmen   50
e Atmosphäre, -n   73
auch   11, 19, 20
auch nicht   30
auf   17, 44, 48
auf einmal   62, 67
auf sein   50
auf Wiedersehen   8, 9
auf·brechen, bricht auf, brach auf, hat / ist aufgebrochen   50
aufgeregt   70
auf·halten, hält auf, hielt auf, hat aufgehalten   75
auf·hören   67
auf·machen   42, 50, 63
auf·räumen   58, 60, 64
e Aufregung, -en   70
auf·sagen   71
auf·stehen, steht auf, stand auf, ist aufgestanden   43, 44, 60
auf·tauchen, ist aufgetaucht   44

auf·wachen, ist aufgewacht   43, 44, 59

s Auge, -n   63

r August   56, 72, 74

aus   18, 19, 20

s Aus   60

r Ausdruck, ¨e   37, 45, 55

aus·füllen   26

aus·machen   42, 58, 65

aus·schalten   42, 46

außerdem   70

aus·steigen, steigt aus, stieg aus, ist ausgestiegen   50, 57, 63

aus·suchen   71

Australien   25

s Auto, -s   13, 14, 20

e Autobahn, -en   50

r Autofahrer, -   50

e Autonummer, -n   54

r Autoschlüssel, -   36, 68

s Baby, -s   13, 77, 9

r Babysitter, -   43

backen, backt (bäckt), backte, hat gebacken   70, 71

r Bäcker, -   62

e Bäckerei, -en   48

r Backofen, ¨   71

s Bad, ¨er   30

e Bademütze, -n   39

e Badewanne, -n   52

r Bahnhof, ¨e   10, 12, 14

s Bahnhofscafé, -s   53

bald   11, 20, 24

r Balkon, -s/-e   49, 52, 54

r Ball, ¨e   13, 49, 58

r Ballon, -s   20

e Bank, ¨e   49

e Bank, -en   52, 53, 65

r Bart, ¨e   20, 70, 71

basteln   70

e Batterie, -n   28

r Bauer, -n   60, 61

e Bäuerin, -nen   69

r Bauernhof, ¨e   57, 60

r Baum, ¨e   48, 53, 54

Bayern   60

bedeuten   30

beginnen, beginnt, begann, hat begonnen   60, 70

bei   20, 50, 51

beide   50, 51

beim → bei   40, 51

s Beispiel, -e   28, 30, 31

bekommen, bekommt, bekam, hat bekommen   66, 69, 53

bemalen   40

benutzen   37, 39, 55

bequem   19, 30, 33

bereits   50

r Bericht, -e   50

r Beruf, -e   18, 20, 21

beschmutzen   40

beschreiben, beschreibt, beschrieb, hat beschrieben   57

besorgen   74

beste   76

s Besteck, -e   32

bestehen, besteht, bestand, hat bestanden   68

bestellen   23

bestimmt   60

bestimmt nicht   60

r Besuch, -e   43, 75

besuchen   61, 68, 74

beten   40

betont   15, 24, 34

e Betonung, -en   15, 24, 34

betreten, betritt, betrat, hat betreten   40, 41

betrügen, betrügt, betrog, hat betrogen   40

s Bett, -en   30, 31, 32

e Bewerbung, -en   27

bezahlen   39, 66

s Bier, -e   20, 73, 75

r Bikini, -s   69

s Bild, -er   35, 46, 54

e Biologie   30, 31

bis   14, 22

bis dann   45

bis zu   55, 57, 60

bisschen   70, 71, 72

bitte   13, 37, 46

s Blaulicht, -er   50

bleiben, bleibt, blieb, ist geblieben   38, 60, 62

blind   20

e Blume, -n   8, 9, 11

r Blumenladen, ¨   53

r Blumenstrauß, ¨e   68

e Bluse, -n   69

bluten   50, 64

s Bonbon, -s   40

böse   77

e Bratwurst, ¨e   72, 75

brauchen   20, 29, 30

s Brautpaar, -e   68

brav   70

brennen, brennt, brannte, hat gebrannt   70

r Brief, -e   11, 14, 54

e Briefmarke, -n   28

r Briefträger, -   49, 69

e Brille, -n   36, 37, 41

bringen, bringt, brachte, hat gebracht   59, 60, 49

s Brötchen, -   62

e Brücke, -n   48, 57

r Bruder, ¨   43, 70, 71

e Brust, ¨e   50

s Buch, ¨er   30, 31, 34

r Buchhändler, -   49

r Buchstabe, -n   14

buchstabieren   14

bügeln   60

e Bundesstraße, -n   57

bunt   40

r Bürgermeister, -   69

s Büro, -s   46

e Büroarbeit, -en   60

r Bus, -se   24, 57, 8

e Bushaltestelle, -n   55, 57

r Camper, -   49

e CD-ROM, -s   77

r Chef, -s   68

e Chefin, -nen   47

e Chiffre, -n   41

e Christbaumkugel, n   70

r Clown, -s   69

s Clubhaus, ¨er   56

r Computer, -   18, 30, 31

s Computergeschäft, -e   55

s Computerspiel, -e   77

r Container, -   50

da   11

da   13, 14

da sein   62

dabei   60, 61

damit   77

danach   60, 63, 64

r Dank   37, 55, 70

danke   8, 9, 25

dann   20, 23, 25

das   9, 10, 11

r Dativ, -e 48, 49, 51
s Datum, Daten 72
e Datumsangabe, -n 72
dauern 60, 61
dauernd 41
davon 70
r Deckel, - 28
dein 12, 47, 63
r Delfin, -e 27, 44
dem 48, 50, 51
den 10, 27, 28
denken, denkt, dachte, hat gedacht
20, 64
denn 12, 19, 45
der 9, 10, 12
deshalb 30, 62, 70
deutlich 74
deutsch 26
s Deutsch 26
r/e Deutsche, -n
  (ein Deutscher) 26
Deutschland 25, 26, 30
r Dezember 70, 71, 72
dich 11, 71, 74
die 8, 9, 10
r Dienst, -e 50
r Dienstag, -e 17
diesmal 57
s Ding, -e 30, 31
dir 63, 70, 71
e Disco, -s 63, 74, 75
doch 60, 63
r Doktorhut, ¨e 76
r Donnerstag, -e 17, 74
dort 12, 57, 62
Dr. → Doktor 51
draußen 38, 60, 61
dringend 46
dritte 55, 70
drücken 50
du 8, 9, 11
durch 53, 57, 64
dürfen, darf, durfte, hat gedurft / hat
  dürfen 38, 39, 40
e Dusche, -n 52
duschen 58
echt 50
egal 73
s Ei, -er 63, 76
eigentlich 30, 63
e Eile 75

eilig 75
ein 10, 11, 12
ein·schalten 42
r Einbrecher, - 53
einer 35, 37, 54
einfach 55
r Eingang, ¨e 50, 51
eingeladen 74, 75
einige 50
ein·laden, lädt ein, lud ein, hat eingela-
  den 75
einmal 71, 77
ein·packen 65
eins 14, 35, 9
r Einsatz, ¨e 50
ein·schalten 42
ein·schlafen, schläft ein, schlief ein, ist
  eingeschlafen 60, 61
ein·steigen, steigt ein, stieg ein, ist ein-
  gestiegen 66
ein·tauchen, ist eingetaucht 44
einverstanden 45
r Einwohner, - 26
e Einwohnerin, -nen 26
s Eis 69
Eltern (pl) 23, 32, 60
e E-Mail, -s 26, 27
s Ende, -n 60
endlich 70
englisch 27
entscheiden, entscheidet, entschied,
  hat entschieden 50
er 10, 13, 18
erfahren, erfährt, erfuhr, hat erfahren
  70
r Erfolg, -e 75
ergänzen 9, 14, 15
e Erinnerung, -en 70
erkennen, erkennt, erkannte,
  hat erkannt 20, 21, 24
erledigen 75
erst 19, 42, 51
erste 55, 70, 72
ertrinken, ertrinkt, ertrank, ist ertrunken
  39
erzählen 60
es 10, 13, 21
essen, isst, aß, hat gegessen 40, 41, 42
s Essen, - 73
essen gehen 46

etwa 20
etwas 64, 70, 71
euch 70, 71, 75
euer 19, 57
r Euro, -s 32, 66
Europa 17
s Examen, - 68, 75
extra 60
fahren, fährt, fuhr, ist gefahren 43, 45,
  46
r Fahrer, - 50, 51
e Fahrkarte, -n 13
r Fahrkartenautomat, -en 12
s Fahrrad, ¨er 45, 49, 57
e Fahrt, -en 53, 75
falsch 11, 19, 21
e Familie, -n 18, 32, 60
r Familienname, -n 20
r Familienstand 21
fantastisch 17
e Farbe, -n 76
fast 33, 60
s Fax, -e 26, 27, 37
e Faxnummer, -n 26
r Februar 72, 74
r Federball, ¨e 45
fehlen 72
r Feierabend, -e 60
feiern 57, 68, 70
s Feld, -er 60
s Fenster, - 42, 47, 54
Ferien (pl) 75
fern·sehen, sieht fern, sah fern, hat fern-
  gesehen 60
r Fernseher, - 30, 31, 34
r Fernsehfilm, -e 47
fertig 60
s Fest, -e 70, 77
s Festessen, - 71
r Feuerwehrmann, ¨er (Feuerwehrleute)
  50, 51
s Feuerzeug, -e 28
r Film, -e 28, 30, 31
finden, findet, fand, hat gefunden (das
  finde ich wichtig) 30, 31
finden, findet, fand, hat gefunden, 28
e Firma, Firmen 68
r Fisch, -e 48, 49
e Flasche, -n 13, 24, 48
fleißig 20, 24

fliegen, fliegt, flog, hat / ist geflogen 47, 59, 63

r Flug, ¨e 74

r Flughafen, ¨ 53

s Flugzeug, -e 63

r Fluss, ¨e 64

folgen, ist gefolgt 68, 69

folgend 17, 37, 45

s Formular, -e 26

formulieren 31

s Foto, -s 12, 27

r Fotoapparat, -e 28, 31

s Fotoarchiv, -e 30

r Fotograf, -en 18

fotografieren 31, 39, 66

e Fotografin, -nen 30, 69

s Fotolabor, -s/-e 30

fragen 18, 43, 60

Frankreich 25

französisch 27

e Frau, -en 8, 9, 10

frei 32

e Freiheit, -en 30, 31, 32

frei·machen 50

r Freitag, -e 17

fressen, frisst, fraß, hat gefressen 62

freuen (sich) 25

r Freund, -e 18, 23

e Freundin, -nen 23, 68, 73

freundlich 17, 75

r Frisör, -e 20

fröhlich 76, 77

früh 60, 61, 70

früher 60, 61, 70

frühmorgens 61

s Frühstück 60, 61

frühstücken 60, 62

r Fuchs, ¨e 60

führen 55

r Führerschein, -e 68

e Führerscheinprüfung, -en 76

füllen 60

funkeln 70

funktionieren 33

für 8, 9, 20

furchtbar 70

r Fuß, ¨e 57

r Fußball, ¨e 59, 60

füttern 60, 61, 65

e Gabel, -n 28, 33

e Gans, ¨e 71

ganz 43, 55, 70

gar nicht 14, 63

e Garage, -n 65

r Garten, ¨ 60

s Gas, -e 65

r Gaskocher, - 30

r Gast, ¨e 52, 60, 68

geben, gibt, gab, hat gegeben 30, 37, 51

geboren 26

r Geburtsort, -e 26

r Geburtstag, -e 23, 41, 57

e Geburtstagsfeier, -n 56

s Gedicht, -e 71

geehrt 27

gefallen, gefällt, gefiel, hat gefallen 69

gefüllt 71

gegen 53, 54, 60

gehen, geht, ging, ist gegangen 10, 38, 40

s Geld 20, 30, 49

r Geldautomat, -en 8, 9

gemütlich 72

genau 22

s Gepäck 13, 14

gerade 44, 65

geradeaus 55

gern 18, 20, 21

gerne 31, 71

s Geschäft, -e 37, 49

s Geschenk, -e 70, 71

geschieden 20, 24

s Geschirr 59, 64, 65

r Geschirrspüler, - 30, 31, 32

s Geschlecht, -er 26

geschlossen 72

s Gesicht, -er 20, 21, 24

s Gespräch, -e 12, 13, 15

gestern 63, 64, 65

s Gewicht, -e 27

gewinnen, gewinnt, gewann, hat gewonnen 69

gewöhnlich 60

Ghana 25

e Gitarre, -n 41, 45

s Glas, ¨er 63, 76

s Glück 60, 73, 75

glücklich 11, 13, 23

r Glückwunsch, ¨e 76, 77

r Glühwein, -e 72

e GmbH, -s 27

r Goetheplatz, ¨e 55

r Golf 50

r Golffahrer, - 51

r Gorilla, -s 66

graben, gräbt, grub, hat gegraben 59

s Gramm 22

gratulieren 68, 69

Griechenland 30

groß 24, 27

Großbritannien 25

e Größe, -n 27

Großeltern (pl) 23, 70

e Großmutter, ¨ 15, 61, 68

r Großvater, ¨ 15, 61, 70

r Gruß, ¨e 14, 17, 24, 34, 47

grüß dich 74

grüßen 71

e Grußkarte, -n 77

r Gummistiefel, - 29, 33, 35

gut 17, 8, 9

guten Abend 25

guten Morgen 25, 62, 63

guten Tag 8, 15, 25

s Haar, -e 20, 24

haben, hat, hatte, hat gehabt 18, 19, 20

r Hafen, ¨ 50, 51

s Hafenkrankenhaus, ¨er 50

r Haken, - 50, 51

halb 60, 61

halb acht 60

hallo 8, 9, 15

e Halskette, -n 69

halt 8, 9, 65

halten, hält, hielt, hat gehalten 50, 61

e Haltestelle, -n 57

r Hamburger 41, 50, 51

r Hammer, ¨ 28

e Hand, ¨e 50, 60, 61

r Handschuh, -e 69

e Handtasche, -n 52

hängen, hängt, hängte, hat gehängt 52, 54

hängen, hängt, hing, hat gehangen 52, 54

hart 50

r Hauptbahnhof, ¨e 57

s Haus, ¨er 30, 31, 32

e Hausarbeit, -en 61

e Haustür, -en 65

e Haut 50

heben, hebt, hob, hat gehoben 50, 51
r Heiligabend, -e 70
heiraten 68, 72, 74
heißen, heißt, hieß, hat geheißen 8, 63
helfen, hilft, half, hat geholfen 60, 61, 64
r Herd, -e 32
r Herr, -en 8, 9, 12
herrlich 17
s Herz, -en 68
herzlich 8, 9, 37
herzliche Grüße 77
herzlichen Glückwunsch 76
heute 17, 50, 60
heute Abend 46, 62
heute Morgen 60, 61, 62
heute Nachmittag 61
heute Vormittag 61
hier 12, 15, 17
hinten 50
hinter 48, 49, 57
s Hobby, -s 18, 30, 31
hoch 21
e Hochzeit, -en 76, 77
e Hochzeitsfeier, -n 75
hoffentlich 57, 77
holen 52, 53, 60
hören 11, 12, 13
r Horrorfilm, -e 41
s Hotel, -s 8, 9, 37
s Huhn, ̈er 60, 61
r Hühnerstall, ̈e 60
r Hund, -e 15, 18, 23
hundert 14
r Hunger 62
r Hut, ̈e 40, 41, 54
ich 8, 9, 11
e Idee, -n 45
r Igel, - 48
ihm 62, 69, 73
ihn 32, 33, 50
Ihnen 45, 75, 77
ihnen 69, 73, 77
Ihr 13, 18, 61
ihr 13, 18, 19
Ihrer 77
im → in 23, 30, 43
immer 20, 41, 60
immer noch 60
in 11, 12, 15

Indien 25
e Informatikerin, -nen 26
e Information, -en 8, 17
ins → in 51, 52, 54
r Installateur, -e 26
interessant 17, 37
s Interview, -s 61, 72, 73
Italien 25, 37
italienisch 44
ja 19, 34, 35
e Jacke, -n 50, 51, 52
s Jahr, -e 15, 18, 20
r Januar 72
Japan 25
r Japaner, - 74
e Japanerin, -nen 74
jeden 72
jeder 30
jedes 71
jetzt 37, 38, 50
r Job, -s 50
e Journalistin, -nen 61
s Jubiläum, Jubiläen 68
r Juli 72, 74
jung 10, 14
r Junge, -n 9, 19, 21
r Juni 72
s Jura 60
r Kaffee 49, 60, 64
r Käfig, -e 52
e Kajüte, -n 30
r Kakao 58
s Kamel, -e 12, 54
e Kamera, -s 30
Kanada 25
kaputt 12, 13, 19
e Karotte, -n 22
e Karte, -n 57, 76
e Kartoffel, -n 22, 44
r Käse 49
e Katze, -n 18, 21, 24
kaufen 32, 33, 34
s Kaufhaus, ̈er 23
kaum 70
kein 12, 20, 29
keine 12, 13, 26
keinen 29, 30, 31
keiner 35
keins 35, 60
r Keller, - 52
r Kellner, - 49, 54

kennen, kennt, kannte, hat gekannt 40, 70
e Kerze, -n 28, 70, 71
kg 27
s Kilo, -(s) 22
s Kilogramm 27
r Kilometer, - 57
s Kind, -er 12, 43, 49
Kinder (pl) 12, 18, 20
s Kinderzimmer, - 54
e Kindheit 70
e Kirche, -n 55
e Kiste, -n 30, 34
r Kitsch 73
e Klausur, -en 75
s Klavier, -e 11, 12, 24
e Kleidung 40
klingeln 50, 51, 62
r Kloß, ̈e 71
kochen 18, 44, 73
r Koffer, - 13, 32, 33
e Kohlensäure 20
kommen, kommt, kam, ist gekommen 10, 11, 15
kommerziell 73
komplett 13, 33
kompliziert 72
r Komponist, -en 23
können, kann, konnte, hat gekonnt / hat können 17, 20, 21
e Kontaktanzeige, -n 41
e Kontaktlinse, -n 36
kontrollieren 54
konzentriert 50
r Kopf, ̈e 49, 50, 54
korrigieren 23, 64
kosten 30, 32, 33
r Kran, ̈e 50
s Krankenhaus, ̈er 50, 51
r Krankenpfleger, - 50
e Krankenschwester, -n 20
r Krankenwagen, - 12, 14
e Krawatte, -n 39, 41, 54
e Kreditkarte, -n 33, 36, 39
e Kreuzung, -en 57
e Krippe, -n 70, 71
s Krokodil, -e 30, 31, 44
e Küche, -n 62
r Küchentisch, -e 52, 70
e Küchenuhr, -en 28
e Kuh, ̈e 60, 61

r Kühlschrank, ̈e   32, 33, 34
r Kuhstall, ̈e   61
r Kundendienst   46
r Kunststudent, -en   20
e Kurve, -n   57
kurz   50, 60, 64
r Kuss, ̈e   10, 24, 34
küssen   14, 40
lächeln   60
lachen   10, 11, 23
e Lampe, -n   35
s Land, ̈er   26
r Landwirt, -e   60
lang   60, 70
lange   19, 60, 61
langsam   43, 71
langweilig   63
e Laterne, -n   48
laufen, läuft, lief, ist gelaufen   50
laut   39, 41
leben   11, 26, 30
s Leben   30, 50, 60
s Lebensjahr, -e   77
r Lebensretter, -   50
r Lebensstil, -e   30
ledig   20, 21, 26
legen   49, 50, 51
r Lehrer, -   15, 42
e Lehrerin, -nen   69
Leid tun   45, 74
leider   27, 77
leise   40
e Leiter, -n   49, 52
lernen   45, 75
lesen, liest, las, hat gelesen   10, 19, 32
Leute (pl)   17, 30, 33
s Licht, -er   42, 44, 58
lieb   11, 14, 37
lieben   11, 20, 50
r Liebling, -e   63, 73
s Lied, -er   68
liegen, liegt, lag, hat gelegen   48, 50, 51
e Linie, -n   57
links   18, 55, 57
s Loch, ̈er   59, 60, 61
r Löffel, -   33
los   12, 50
e Lösung, -en   23, 24
r Luftballon, -s   20, 21, 66
e Luftmatratze, -n   19

lügen, lügt, log, hat gelogen   40, 41
e Lust   43, 45
r Luxus   30
machen   11, 25, 38
s Mädchen, -   9, 10, 14
r Mai   72, 74
mal   12, 35, 40
malen   59, 64
r Maler, -   49
e Mama, -s   8, 9, 13
man   38, 39, 40
manche   30
manchmal   50
r Mann, ̈er   10, 13, 26
männlich   26
r Mantel, ̈   29, 52, 65
markieren   15, 24, 34
r März   72, 74
e Maschine, -n   60
e Mathematik   32
r Mathematiklehrer, -   18
e Matratze, -n   24, 30, 31
e Maus, ̈e   30, 48, 49
Medizin studieren   27
mehr   30, 32, 60
mein   12, 13, 15
meinen   20, 35, 60
meistens   60, 61
melken, melkt, melkte, hat gemolken   60
e Melkmaschine, -n   60
r Mensch, -en   10, 20, 30
s Messer, -   28, 33, 49
r/s Meter, -   27
miau   60
mich   25, 70, 71
mindestens   70
s Mineralwasser, -   20, 21, 52
r Minikühlschrank, ̈e   30
e Minute, -n   20, 21, 24
mir   45, 70, 71
mit   20, 27, 32
mit freundlichen Grüßen   27
mit·arbeiten   61
r Mitarbeiter, -   47
mit·bringen, bringt mit, brachte mit, hat mitgebracht   68, 69, 70
mit·kommen, kommt mit, kam mit, ist mitgekommen   47
r Mittag   60
s Mittagessen, -   60, 61, 65
r Mittagsschlaf   61

s Mittelmeer   36
e Mitternacht   73
e Mitternachtsmesse, -n   71
r Mittwoch   17
Möbel (pl) -   30, 31, 34
r Möbeltischler, -   20
s Mobiltelefon, -e   30, 31
möchten, möchte   25, 32, 33
s Mofa, -s   48
r Moment, -e   28, 70
r Monatsname, -n   74
r Montag, -e   17, 45, 47
morgen   15, 17, 45
r Morgen   61
morgen früh   75
morgen Nachmittag   75
morgens   60, 61
s Motorrad, ̈er   30, 31, 34
e Mücke, -n   48
müde   42, 61, 62
e Münze, -n   29
s Museum, Museen   37, 41, 55
r Museumsplatz, ̈e   53
e Musik   11, 30, 31
e Musikerin, -nen   30
müssen   38, 39, 40
e Mutter, ̈   13, 23, 43
e Mütze, -n   49, 70
na   20
na ja   19
nach   46, 47, 51
nach Hause   46, 47, 62
r Nachmittag, -e   60
r Nachname, -n   23
e Nachricht, -en   47
nach·sprechen, spricht nach, sprach nach, hat nachgesprochen   14, 15, 24
nächste   50, 71
e Nacht, ̈e   70, 71
nachträglich   77
r Nagel, ̈   28
e Nähe   60
nähen   60
r Name, -n   26, 27, 54
naschen   40, 44
nass   19, 24
natürlich   19, 24, 26
neben   48, 49, 50
nehmen, nimmt, nahm, hat genommen   52, 54, 55
nein   8, 9, 12

A 30

nennen, nennt, nannte, hat genannt
   40
nett   17, 32, 75
neu   33, 73, 77
nicht   11
nicht immer   50
nicht mehr   32, 38, 60
nichts   64, 66
nichts mehr   40
nie   40, 41
nie mehr   40
niemand   50
r Nikolaus   70, 71, 72
r Nikolaustag, -e   70
noch   32, 33, 35
noch ein   67
noch einmal   53
noch nicht   27, 42, 64
noch nichts   50
r Nominativ, -e   28, 29, 48
e Nordsee   36
normalerweise   20, 24, 30
e Notärztin, -nen   50
r Notarztwagen, -   50
e Notaufnahme, -n   50
notieren   9, 22, 23
e Notiz, -en   47
r Notizzettel, -   47
r November   70, 71, 72
Nr. → Nummer   12, 46
null   14
e Nummer, -n   13, 23, 9
nur   30, 41, 43
nur noch   51
e Nuss, ˝e   71
oder   11, 12, 19
oft   60
oh   8, 9, 75
oh Gott   63
ohne   20, 40, 41
okay   45
r Oktober   72, 74
Olympia   34
e Oma, -s   70
r Onkel, -   70
r Opa, -s   70
s Opfer, -   50
ordnen   9, 34, 53
e Ordnung, -en   60
r Ort, -e   17
Ostern   74

Österreich   26, 72
r Österreicher, -   26
e Österreicherin, -nen   26
österreichisch   26
e Ostsee   36
paar   30, 57
s Paar, -e   76
s Päckchen, -   71
packen   19, 64, 65
r Papagei, -en   44, 52
r Parkplatz, ˝e   57
e Party, -s   75
r Passagier, -e   63
passen   12, 18, 21
passieren   53, 61, 63
e Pause, -n   38
s Perfekt   58, 59, 61
e Person, -en   15, 26, 28
Personalien (pl)   26
r Personenwagen, -   50
r Pfarrer, -   49, 69
s Pferd, -e   49
s Pflaster, -   29
r Pfleger, -   51
pfui   8
s Pfund, -e   22
e Pfütze, -n   49
e Physik   32
s Physikbuch, ˝er   34
r Pilz, -e   22, 24
e Pizza, Pizzen   23, 24, 41
r Pizza-Express   23
r Platz, ˝e   30, 73
s Plätzchen, -   70
platzen, ist geplatzt   20, 21, 24
plötzlich   60, 66, 67
r Plural, -e   9, 13
e Polizei   14, 24
s Polizeiauto, -s   12
r Polizist, -en   48
e Polizistin, -nen   9
e Post   34, 55, 65
e Postkarte, -n   17
e Präposition, -en   54
s Präsens   58, 59
s Präteritum   61
prima   17, 45, 65
pro   20
s Problem, -e   19, 20, 37
s Pronomen, -   69
Prost!   20

Prost Neujahr!   73
provozieren   63
PS: 37
e Puppe, -n   49, 54, 71
putzen   40, 41, 60
s Quiz, -   23
s Rad, ˝er   20, 21
s Radio, -s   12, 13, 23
e Rakete, -n   73
r Rasen   40
r Rasierapparat, -e   36
rasieren   20, 21, 24
s Rathaus, ˝er   55
rauchen   30, 41
e Reaktion, -en   50
rechnen   21
rechts   18, 55, 57
s Regal, -e   35, 52, 54
r Regen   54
r Regenschirm, -e   29, 33, 35
r Reifen, -   67
e Reifenpanne, -n   20
e Reihenfolge, -n   22, 66
e Reise, -n   8, 9, 17
reisen, ist gereist   10
reißen, reißt, riss, hat gerissen (vom Haken reißen)   50, 51, 64
reiten, reitet, ritt, ist geritten   21, 45, 53
r Rekord, -e   20
rennen, rennt, rannte, ist gerannt   50,
   51, 64
e Rente, -n   72
reparieren   60, 61, 67
e Reportage, -n   25
r Reporter, -   9, 25, 30
r Rest, -e   30, 34
s Restaurant, -s   37
r Rettungsdienst, -e   50
s Rettungsteam, -s   50
r Rettungswagen, -   50
richtig   11, 13, 19
e Richtung, -en   57
r Rippenbruch, ˝e   50
e Rose, -n   76
r Rotkohl   71
r Rücken   70
rufen, ruft, rief, hat gerufen   50, 64, 70
e Ruhe   38, 42
ruhig   72
Russland   25
e Rute, -n   70

Delfin

Arbeitsbuch

dreibändige Ausgabe

Teil 1

Lektionen 1–7

Vorwort

Liebe Deutschlernerin, lieber Deutschlerner,
was Sie sich im Lehrbuch angeeignet haben, können Sie mithilfe dieses Arbeitsbuches weiterüben und vertiefen. Im Folgenden finden Sie ein paar wichtige Informationen, damit Ihnen die Orientierung leicht fällt und Sie sich schnell in Ihrem Element fühlen:

zu LB Ü ...

bezieht sich auf die Nummer einer Übung im Lehrbuch. Erst nach dieser Lehrbuch-Übung sollten Sie die entsprechende Übung im Arbeitsbuch lösen. Zu einer Lehrbuch-Übung können mehrere Arbeitsbuch-Übungen gehören.

1

ist die Nummer der Arbeitsbuch-Übung.

Lösungsbeispiel

Die Lösungsbeispiele helfen Ihnen, Art und Anforderung einer Aufgabe auf den ersten Blick zu erkennen.

(→ Lehrbuch S. ...)

Hier ist eine Übung genau auf den Inhalt eines Textes in Ihrem Lehrbuch bezogen. Diesen sollten Sie dann unbedingt zu Hilfe nehmen, um die Aufgabe sicher lösen zu können.

Hier können Sie Ihr Wörterbuch benutzen, um die Übung nach Ihren persönlichen Lernbedürfnissen zu erweitern.

Hier ist Spielraum für Ihre eigene Gestaltung. Der Lösungsschlüssel zeigt Ihnen ein Modell, von dem Ihre persönliche Lösung natürlich abweichen kann. Um sicher zu sein, sollten Sie Ihre Lösung von einem Kursleiter durchsehen lassen.

Wörter im Satz

Am Ende des Übungsteils einer jeden Lektion finden Sie Anregungen für Ihre persönliche Wortschatzarbeit. Die Auswahl wichtiger Wörter können Sie durch Satzbeispiele aus der behandelten Lektion ergänzen und auch durch andere vorgekommene Wörter erweitern.

Grammatik

Dem Übungsteil jeder Lektion folgt eine detaillierte tabellarische Übersicht der neuen Grammatikinhalte. Diese Zusammenstellung können Sie auch benutzen, wenn Sie entsprechende Aufgaben bearbeiten.

verweist auf einen Paragrafen der systematischen Grammatik-Übersicht im Lehrbuch.

Grammatik

Am Schluss jeder Arbeitsbuch-Lektion sind die neuen Wörter der Lektion aufgelistet. Die wichtigsten Wörter sind **fett** gedruckt. Diese Wörter sollten Sie sich besonders gut einprägen. Zusätzlich lernen Sie hier auch Varianten kennen, die in Österreich oder in der Schweiz benutzt werden.

Arbeitsbuch, Lösungen (Best.-Nr. 191601–6)

Hier finden Sie die Lösungen aller Aufgaben. So können Sie selbstständig Ihre Ergebnisse kontrollieren. Für Ihren Lernerfolg ist es überaus wichtig, zuerst die Aufgabe vollständig zu bearbeiten. Erst danach sollten Sie im Schlüssel nachschauen.

Ein vergnügliches und erfolgreiches Deutschlernen mit diesem Arbeitsbuch wünschen Ihnen Ihre Autoren und der Hueber-Verlag

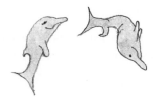

Inhalt

Ergänzen Sie.

5

zwei _____

_____ _____

_____ _____

_____ _____

_____ _____

_____ _____

zu LB Ü 3 Ergänzen Sie.

6

fünf – zwei = *drei* _____   zehn – sechs = _____   neun – acht = _____

zehn – drei = _____   eins + acht = _____   zwei + _____ = sieben

_____ + sechs = acht   vier + sechs = _____   drei + _____ = neun

(fünf minus zwei gleich …; eins plus acht gleich …)

zu LB Ü 4 Ergänzen Sie: **Das ist … / Das sind …**

7

a) *Das ist eine Frau.* b) *Das sind Männer.* c) *Das* _____ d) _____

e) _____ f) _____ g) _____ h) _____

i) _____ j) _____ k) _____ l) _____

zu LB Ü 4 Ergänzen Sie: der, die, das, die / er, sie, es, sie.

8

a) Der Mann lacht. _Er_ winkt.

b) ____ Frau weint. ____ ist verliebt.

c) ____ Mädchen kommt. ____ lacht.

d) ____ Touristen winken. ____ lachen.

e) ____ Reporter geht. ____ sagt: „Auf Wiedersehen."

f) ____ Sängerin lacht. ____ ist verliebt.

g) ____ Junge kommt. ____ sagt: „Guten Tag."

zu LB Ü 5 Ergänzen Sie.

9

a) Er _heißt_ (heißen) Jan.

b) Sie ist jung und _____ (heißen) Claudia.

c) Ich _____ (wohnen) in Wien.

d) Du _____ (arbeiten) in Frankfurt.

e) Die Touristen _____ (sein) verliebt.

f) Der Junge _____ (sein) glücklich.

g) Das Mädchen _____ (schreiben).

h) Die Touristen _____ (sagen): „Guten Tag."

i) Du _____ (leben) in Wien.

j) Die Touristen _____ (lachen).

k) Du _____ (träumen).

l) Das Baby _____ (sagen): „Mama".

zu LB Ü 5 Ordnen Sie.

10

Beispiel: heißt – er – wie   _Wie heißt er?_

Jan – er – heißt   _Heißt er Jan?_

Jan – er – heißt   _Er heißt Jan._

a) wie – sie – heißt   _____ _____ _____ ?

Sara – sie – heißt   _____ _____ _____ ?

Sara - sie – heißt   _____ _____ _____ .

b) Jan – was – schickt   _____ _____ _____ ?

Jan – Blumen – schickt   _____ _____ _____ ?

Jan – Blumen – schickt   _____ _____ _____ .

c) was – Jan – spielt   _____ _____ _____ ?

Klavier – spielt – Jan   _____ _____ _____ ?

Klavier – spielt – Jan   _____ _____ _____ .

d) wo – er – lebt   _____ _____ _____ ?

er – in Wien – lebt   _____ _____ _____ ?

er – in Wien – lebt   _____ _____ _____ .

zu LB Ü 5 Was passt zusammen?

11

traurig	*weinen*	Mann	Junge
glücklich	*l*	Bahnhof	verliebt sein
Frau		~~weinen~~	spielen
Mädchen		lachen	
Klavier			
Touristen			
lieben			

zu LB Ü 5 Was passt nicht?

12

a) Vergangenheit – ~~Bahnhof~~ – Zukunft
b) Bahnhof – Klavier – Zug
c) Mann – Frau – Geldautomat
d) Verkäuferin – Mann – Junge

e) gehen – hören – kommen
f) reisen – winken – heißen
g) wohnen – leben – schreiben

zu LB Ü 5 Ordnen Sie. Was passt?

13

lacht	träumst	arbeiten	ist	schreibe	träume
lachen	winkst	bin	schreiben	winke	arbeitet
träumen	arbeite	winkt	sind	lachst	schreibt

ich	du	er/sie/es	sie (Plural)
komme	kommst	kommt	kommen
	arbeitest		
			winken
		träumt	
	schreibst		
lache			
	bist		

zu LB Ü 6 Ergänzen Sie: ein, eine / kein, keine oder –.

14

■ *Vanessa*, ist das …　　　　▲ Nein, *Uwe*. Das ist …　　　　Das ist …

ein　Polizeiauto?　　　　kein　Polizeiauto.　　　　eine Krankenwagen. *ambulance*

eine Verkäuferin? *sellers saleswoman*　　　keine Verkäuferin.　　　　eine Touristin. *Tourist*

ein　Geldautomat? *ATM*　　　kein Geldautomat.　　　　ein　Fahrkartenautomat. *ticket vendor*

ein Junge? *La garçon boy*　　　kein Junge.　　　　ein Mädchen. *girl*

ein Taxi?　　　　kein Taxi.　　　　ein Polizeiauto. *policecar*

■ *Vanessa*, sind das …　　　　▲ Nein, *Uwe*. Das sind …　　　　Das sind …

eine Busse?　　　　keine Busse.　　　　eine Züge.

ein Polizisten?　　　　keine Polizisten.　　　　ein Reporter.

zu LB Ü 7　Was passt? mein, meine / dein, deine?

15

a) Blume (ich)　　*meine* Blume *flower*　　　g) Sohn (du)　　dein Sohn *son*

b) Auto (du)　　*dein*　Auto　　　h) Frau (du)　　deine Frau

c) Autos (ich)　　mein Autos　　　i) Fahrkarten (ich)　mein Fahrkarten *ticket*

d) Söhne (du)　　dein Söhne *son*　　　j) Kind (du)　　dein Kind *child*

e) Tochter (ich)　meine Tochter *daughter*　　　k) Kinder (ich)　meine Kinder *children*

f) Baby (ich)　　mein Baby　　　l) Töchter (du)　　dein Töchter *daughter*

zu LB Ü 8　Ergänzen Sie: sein, seine / ihr, ihre. *complete suitcase*

16

a) die Koffer von Claudia =　*ihre*　Koffer *suitcase*　　e) die Flasche von Claus =　＿＿＿ Flasche *bottle*

b) die Autos von Vanessa =　ihre Autos *autos*　　f) die Taschen von Veronika =　＿＿＿ Taschen *pockets*

c) das Taxi von Uwe =　＿＿＿ Taxi *taxi*　　g) die Kinder von Jörg =　＿＿＿ Kinder *children*

d) das Kamel von Ralf =　＿＿＿ Kamel *camel*　　h) die Fahrkarte von Claudia =　＿＿＿ Fahrkarte *ticket*

zu LB Ü 9　Was passt nicht?

17

a) Zug – ~~Klavier~~ – Bus　　　d) Polizeiauto – ~~Radio~~ – Krankenwagen

b) Fahrkartenautomat – ~~Kuss~~ – Geldautomat　　　e) Tasche – ~~Nummer~~ – Koffer *suitcase bag Number*

c) ~~Kinder~~ – Gepäck – Koffer *Baggy suitcase*　　　f) Sohn – Tochter – ~~Mann~~ *man/husband*

zu LB Ü 9　Ergänzen Sie: Ihr, Ihre / dein, deine.

18

a) Herr Noll, sind das *Ihre*　Kinder?　　　f) Sara, ist das Ihr Fahrkarte?

b) Claus, ist das *dein*　Sohn?　　　g) Frau Noll, ist das Ihr Hotel?

c) Frau Soprana, ist das ihre Fahrkarte?　　　h) Herr Noll, ist das Ihr Taxi?

d) Herr Noll, ist das dein Auto? *n.*　　　i) Claus, ist das dein Radio?

e) Claudia, sind das ihre Kinder?　　　j) Frau Soprana, ist das Ihr Zug? *n train*

zu LB Ü 9 Ergänzen Sie: **mein, meine / dein, deine / sein, seine / ihr, ihre / Ihr, Ihre.**

19

a) ● Ist das _Ihr_ Auto, Herr Mohn?

■ Nein, das ist nicht **mein** Auto.

Das ist das Auto von Frau Noll.

● Oh, das ist _ihr_ Auto.

b) ● Claus, sind das **deine** Kinder?

■ Nein, das sind nicht _mein_ Kinder.

Das sind die Kinder von Uwe.

● Oh, das sind _sein_ Kinder.

c) ● Sind das _Ihre_ Koffer, Frau Noll?

■ Nein, das sind nicht _mein_ Koffer.

Das sind die Koffer von Frau Soprana.

● Oh, das sind _ihre_ Koffer.

d) ● Du, ist das _deine_ Tasche?

■ Nein, das ist nicht _meine_ Tasche.

Das ist die Tasche von Claudia.

● Oh, das ist _sein_ Tasche.

e) ● Du, ist das _dein_ Ball?

■ Nein, das ist nicht _mein_ Ball.

Das ist der Ball von Ralf.

● Oh, das ist _sein_ Ball.

f) ● Ist das _____ Koffer, Herr Noll?

■ Nein, das ist nicht _____ Koffer.

Das ist der Koffer von Veronika.

● Oh, das ist _____ Koffer.

zu LB Ü 11 Wie heißen die Wörter richtig?

20

BESTABUCH	_Buchstabe_	LEFONTE	_____
SCHEFLA	_____	GELDMATAUTO	_____
ZEILIPO	_____	GANVERHEITGEN	_____
CHENMÄD	_____	RINKÄUVERFE	_____
RINGESÄN	_____	WAKENKRANGEN	_____

zu LB Ü 11 Ergänzen Sie: **ei oder ie?**

21

L___be Sara,

ich bin all___n, ich bin

verl___bt. Ich arb___te,

ich sp___le Klav___r,

ich w___ne, ich schr___be

Br___fe. Verz___hung –

ich l___be Dich!

Auf W___dersehen.

D___n Jan.

_____

_____

_____

_____

zu LB Ü 11 Ergänzen Sie: a oder ä?

22

D__s M____dchen s____gt: „M____m____." Die S____ngerin l____cht.

Der M____nn s____gt: „Das ist Ihr Gep____ck."

zu LB Ü 11 Ergänzen Sie: u oder ü?

23

F____nf J____ngen wohnen in Frankf____rt. Tsch____s und danke f____r die Bl____men.

D____ bist j____ng ____nd gl____cklich.

zu LB Ü 11 Ergänzen Sie den Plural. – Umlaut oder kein Umlaut?

24

Singular	Plural ohne Umlaut	Plural mit Umlaut
Ball	_____	*Bälle*
Buchstabe	*Buchstaben*	_____
Fahrkarte	_____	_____
Mann	_____	_____
Saft	_____	_____
Satz	_____	_____
Tasche	_____	_____
Taxi	_____	_____
Unfall	_____	_____
Vater	_____	_____
Zahl	_____	_____
Blume	_____	_____
Junge	_____	_____
Kuss	_____	_____
Mutter	_____	_____
Nummer	_____	_____
Zug	_____	_____
Bahnhof	_____	_____
Gespräch	_____	_____
Koffer	_____	_____
Sohn	_____	_____

zu LB Ü 13 Schreiben Sie die Zahlen.

25

a) siebzehn _____   e) elf _____   i) achtundsiebzig _____

b) sechsundsiebzig _____   f) neunundneunzig _____   j) sechsundfünfzig _____

c) dreiunddreißig _____   g) einundzwanzig _____

d) siebenundvierzig _____   h) siebenundsechzig _____

zu LB Ü 13 Notieren Sie die Telefonnummern

26

● Ist da nicht dreiunddreißig achtzig achtundfünfzig?   **33 80 58**

■ Nein, hier ist dreiunddreißig achtzehn achtundfünfzig.   33 18 58

● Ist da nicht siebzehn siebenundsechzig siebenundsiebzig?   17 67 67

■ Nein, hier ist siebzehn siebenundsiebzig siebenundsechzig.   17

● Ist da nicht einundneunzig null zwei zweiundvierzig?   _____

■ Nein, hier ist neunundneunzig null zwei dreiundvierzig.   _____

● Ist da nicht zwölf sechzehn sechsundzwanzig zweiundsechzig?   _____

■ Nein, hier ist zwölf sechzehn zweiundsechzig sechsundzwanzig.   _____

● Ist da nicht null eins neunzehn dreiunddreißig dreiundzwanzig zweiunddreißig?   _____

■ Nein, hier ist null eins neunzig zweiunddreißig dreiunddreißig dreiundzwanzig.   _____

● Ist da nicht sechsundneunzig null zwei zwei fünfunddreißig?   2235

■ Nein, hier ist sechsundneunzig null zwei drei dreiundfünfzig.   2335

● Ist da nicht achtundsechzig einundvierzig dreiundachtzig null acht?   _____

■ Nein, hier ist dreizehn fünfundsiebzig neunundzwanzig siebenundvierzig.   _____

zu LB Ü 13 Schreiben Sie die Zahlen.

count

27

    € 38,– _____

    € 66,– _____

    € 16,– _____

    € 41,– _____

    € 73,– _____

    € 17,– _____

	(Bezogenes Kreditinstitut)	O
Nur zur Verrechnung		R

Zahlen Sie gegen diesen Scheck

achtunddreißig

Betrag in Buchstaben

noch Betrag in Buchstaben

an

EUR | 38,–

oder Order

Ausstellungsort

Datum

Unterscr

zu LB Ü 15 Ergänzen Sie.

28

machst du	kommen Sie	bist du	heißen Sie
sind Sie	heißt du	machen Sie	kommst du

a) Hallo Claus, wo _____?

b) Hallo, Frau Soprana, wo _____?

c) Ich heiße Nolte, und wie _____?

d) Ich heiße Ralf, und wie _____?

e) Herr Nolte, wann _____?

f) Und du Sara, wann _____?

g) Frau Noll, was _____?

h) Vanessa, was _____?

telephone call

zu LB Ü 15 Ordnen Sie die Telefongespräche.

29

Und wann kommst du?

Ich bin in Hamburg.

Nolte hier. Guten Tag.

Ich komme morgen.

Hallo Claus! Wo bist du denn?

Hallo Jürgen, hier ist Claus.

Ist da nicht 42 83 39?

Meyer. Ich heiße Meyer.

Nein, hier ist 43 82 39.

Wer ist da bitte?

Hallo. Hier Meyer.

Oh, Verzeihung.

a) ● *Nolte hier.* _____

   ■ *Hallo Jürgen,* _____

   ● _____

   ■ _____

   ● _____

   ■ _____

b) ● *Hallo.* _____

   ■ *Wer* _____ *?*

   ● _____

   ■ _____

   ● _____

   ■ _____

30

Samstag		*Montag*
Dienstag		_____
Freitag		_____
Donnerstag		_____
Mittwoch		_____
~~Montag~~		_____
Sonntag		_____

zu LB Ü 16 Wie viele Wörter erkennen Sie?

31

```
U  V  A  T  E  R  B  A  L  T  W  E  J  U  N  G
X  E  R  K  A  P  U  T  T  A  X  I  U  C  H  E
K  R  A  N  K  E  N  W  A  G  E  N  N  L  E  P
U  Z  O  B  I  T  T  E  S  A  F  T  G  E  R  Ä
N  E  T  T  N  W  I  S  C  H  A  O  E  H  R  C
Z  I  E  L  D  E  S  C  H  Ö  N  L  I  R  L  K
U  H  U  N  D  T  A  T  E  R  A  L  L  E  I  N
G  U  T  P  U  T  E  Y  B  E  L  E  E  R  C  W
G  N  U  M  M  E  R  L  A  N  G  E  N  E  H  M
E  G  R  A  M  R  F  A  L  S  C  H  F  O  T  O
R  E  I  S  E  S  C  H  L  E  C  H  T  N  I  B
```

zu LB Ü 16 Was passt nicht?

32

Wetter: toll / prima / ~~sympathisch~~ / herrlich
Leute: interessant / sympathisch / nett / kaputt
Klavier: glücklich / schön /scheußlich / alt
Koffer: freundlich / alt / kaputt / groß
Zukunft: gut / fantastisch / alt / wunderbar
Bahnhof: richtig / schön / herrlich / interessant
Kind: allein / jung / glücklich / alt
Kuss: angenehm / toll / falsch / gut
Ball: groß / traurig / gut / schlecht

33

heuteistfreitagundichspieleklavier. *Heute ist Freitag* und ich spiele Klavier

daswetteristnichtsogut. Das Wetter ist nicht so gut

woistherrmohn? Wo ist Herr Mohn?

wosindsie,fraunolte? Wo sind sie, Frau Nolt?

wiealtistihrsohn,fraunolte? Wie alt ist Ihr Sohn, Frau Nolte?

wannkommstdu? Wann kommst du?

istdeinetochterglücklich? Ist deine Tochter glücklich?

34

~~Deutschlandreise~~ ◆ Montag ◆ Berlin ◆ Stadt ◆ toll ◆ Wetter
schlecht ◆ Leute ◆ nett ◆ morgen ◆ Hamburg

Hallo ...

hier ist ____ auf Deutschland-

reise. Heute ist Montag morgen

und ich __bin__ __in Berlin__.

Die Stadt __ist__ __toll__.

Das Wetter ist schlect, aber die

Leute __sind nett__.

Morgen __bin ich in Hamburg__

Viele Grüße

____

Wörter im Satz

	Ihre Muttersprache	Schreiben Sie einen Satz aus Delfin, Lehrbuch.	
___ Ball	_____	*Der Ball von Uwe ist kaputt.*	(S. 13)
___ Flasche	_____	_____	(S. 13)
___ Frau	_____	_____	(S. 10)
___ Herr	_____	_____	(S. 8)
___ Koffer	_____	_____	(S. 13)
___ Leute	_____	_____	(S. 17)
___ Mensch	_____	_____	(S. 10)
___ Mutter	_____	_____	(S. 13)
___ Reise	_____	_____	(S. 8)
___ Sohn	_____	_____	(S. 12)
___ Tochter	_____	_____	(S. 12)
___ Vater	_____	_____	(S. 15)
___ Vergangenheit	_____	_____	(S. 11)
___ Zug	_____	_____	(S. 10)
___ Zukunft	_____	_____	(S. 11)
arbeiten	_____	_____	(S. 10)
gehen	_____	_____	(S. 10)
heißen	_____	_____	(S. 9)
hören	_____	*Hörst du Musik?*	(S. 11)
leben	_____	_____	(S. 11)
lieben	_____	_____	(S. 11)
machen	_____	_____	(S. 11)
schicken	_____	_____	(S. 11)
schreiben	_____	_____	(S. 11)
spielen	_____	_____	(S. 11)
wohnen	_____	_____	(S. 11)
allein	_____	_____	(S. 11)

glücklich	_____	_____(S. 10)
heute	_____	_____(S. 17)
hier	_____	_____(S. 12)
morgen	_____	_____(S. 17)
wunderbar	_____	_____(S. 17)

Grammatik

§ 1, 3 **Artikel und Nomen**

36

der Sohn	ein Sohn	kein Sohn		ich:	du:	er:	sie:	es:	sie:	Sie:	
der Sohn	ein Sohn	kein Sohn		mein	dein	sein	ihr	sein	ihr	Ihr	Sohn
die Tochter	eine Tochter	keine Tochter		meine	deine	seine	ihre	seine	ihre	Ihre	Tochter
das Kind	ein Kind	kein Kind		mein	dein	sein	ihr	sein	ihr	Ihr	Kind
die Kinder	Kinder	keine Kinder		meine	deine	seine	ihre	seine	ihre	Ihre	Kinder

§ 33, 43 **Pronomen und Verb**

37

		kommen	warten	heißen	sein
	ich	komme	warte	heiße	**bin**
	du	kommst	wartest	heißt	**bist**
Der Mann:	**er**				
Die Frau:	**sie**	kommt	wartet	heißt	**ist**
Das Kind:	**es**				
Die Kinder:	**sie**				
Frau Noll:	**Sie**	kommen	warten	heißen	**sind**

§ 52 **Satz und Frage**

38

Das ist ein Koffer.	Ist das	ein Koffer?	Was	ist das?
Das ist Herr Nolte.	Ist das	Herr Nolte?	Wer	ist das?
Er heißt Nolte.	Heißt er	Nolte?	Wie	heißt er?
Er wohnt in Frankfurt.	Wohnt er	in Frankfurt?	Wo	wohnt er?
Er kommt morgen.	Kommt er	morgen?	Wann	kommt er?

Wortschatz
Vocabulary

Nomen
Noun

das Alphabet, Alphabete — *Alphabet*
das Auto, Autos — *Car*
das Baby, Babys — *Baby*
der Bahnhof, Bahnhöfe — *Train station*
der Ball, Bälle — *Ball*
die Betonung, Betonungen — *accentuation*
die Blume, Blumen — *flower*
der Brief, Briefe — *letter, epistle*
der Buchstabe, Buchstaben — *letter, character*
der Bus, Busse — *Bus*
der Dienstag, Dienstage — *Tuesday*
der Donnerstag, Donnerstage — *Thursday*
Europa — *Europe*
die Fahrkarte, Fahrkarten — *Ticket*
der Fahrkartenautomat, Fahrkartenautomaten — *Ticket vending*
die Flasche, Flaschen — *bottle*
das Foto, Fotos — *photograph*
die Frau, Frauen — *Ms*
der Freitag, Freitage — *Friday*
der Geldautomat, Geldautomaten — *ATM*
das Gepäck — *suitcase*
das Gespräch, Gespräche — *talk*
die Großmutter, Großmütter — *Grandmother*
der Großvater, Großväter — *Grandfather*
der Gruß, Grüße — *greeting*
der Herr, Herren — *mr*
das Hotel, Hotels — *Hotel*
der Hund, Hunde — *dog*
die Information, Informationen — *Information*
das Jahr, Jahre — *year*
der Junge, Jungen — *boy*
das Kamel, Kamele — *camel*
das Kind, Kinder — *child*
das Klavier, Klaviere — *piano*
der Koffer, Koffer — *suitcase*
der Krankenwagen, Krankenwagen — *ambulance*

der Kuss, Küsse — *kiss*
der Lehrer, Lehrer — *teacher*
Leute (pl) — *people*
das Mädchen, Mädchen — *girl*
die Mama, Mamas — *mom*
der Mann, Männer — *man, husband*
der Mensch, Menschen — *person*
der Mittwoch — *Wednesday*
der Montag, Montage — *Monday*
die Musik — *music*
die Mutter, Mütter — *mother*
die Nummer, Nummern — *number*
der Ort, Orte — *place*
die Person, Personen — *person*
der Plural, Plurale — *plural*
die Polizei — *police*
das Polizeiauto, Polizeiautos — *police car*
die Polizistin, Polizistinnen — *policewoman*
die Postkarte, Postkarten — *postcard*
das Radio, Radios — *Radio*
die Reise, Reisen — *trip*
der Reporter, Reporter — *reporter*
der Saft, Säfte — *juice*
der Samstag, Samstage — *Saturday*
die Sängerin, Sängerinnen
der Satz, Sätze — *sentence*
der Singular, Singulare — *singular*
der Sohn, Söhne — *son*
der Sonntag, Sonntage — *Sunday*
die Stadt, Städte — *city*
der Tag, Tage — *day*
die Tasche, Taschen — *pocket*
das Taxi, Taxis — *TAXI*
das Telefon, Telefone — *telephone*
der Text, Texte — *text*
Thailand
die Tochter, Töchter — *daughter*
der Tourist, Touristen — *Tourist*
die Touristin, Touristinnen
der Unfall, Unfälle — *accident*
der Vater, Väter — *father*
die Vergangenheit
der Verkäufer, Verkäufer — *Salesman*
die Verkäuferin, Verkäuferinnen — *Saleswoman*
die Verzeihung

das Wetter — *weather*
die Zahl, Zahlen — *number*
der Zug, Züge — *train*
die Zukunft — *future*
der Zwilling, Zwillinge — *twins*

Verben
Verbs

arbeiten — *work*
buchstabieren — *spell*
ergänzen — *complete*
gehen — *go*
heißen — *call*
hören — *hear*
kommen — *come*
können — *understand, be able to*
küssen — *kiss*
lachen — *laugh*
leben — *live*
lesen
lieben — *love*
machen — *make*
markieren — *mark*
nach·sprechen — *say after*
notieren — *note*
ordnen — *arrange, sort, suitable*
passen — *fit, suitable*
reisen — *travel*
sagen — *say*
schicken — *send*
schreiben — *write*
sein — *be*
spielen — *play*
träumen — *dream*
verwenden — *use*
warten — *wait for*
weinen — *cry*
winken — *not work*
wohnen — *reside*
zusammen·passen — *fit together*

Adjektive
Adjective

allein — *alone*
alt — *old*
angenehm — *acceptable*
betont
falsch — *false*

fantastisch	*fantastic*	im	*in the*	Was ist das denn?	*what is the*
folgend	*follow*	in	*in, into*	Wie alt bist du?	*How old are you*
freundlich	*friendly*	von	*by, from*	Ich bin 24 Jahre alt.	*I am 24*
glücklich	*fortunate,*	und	*and*	nicht so gut	*not so good*
gut	*good*	der	*and*	Aha!	
herrlich	*magnificent*	die	*who*	Oh!	
herzlich	*splendid, hearty*	das	*that*	Pfui!	
interessant	*interesting*	ein, eine	*an*		
jung	*young*	kein, keine	*not*	## Abkürzungen	
kaputt	*broken, ruined*	mein, meine	*mine*		
komplett	*complete*	dein, deine	*your (personal)*	Nr. = Nummer	
nett	*nice, kind*	sein, seine	*his, her, its*		
prima	*excellent*	ihr, ihre	*yours*		
richtig	*right, correct*	**Ihr, Ihre**	*your*		
scheußlich	*frightful*	ich	*I*		
schlecht	*bad, evil*	du	*you*		
schön	*beautiful*	er	*he*		
sympathisch	*congenial*	sie	*she, her, they, them*		
toll	*mad, wild*	es	*it*		
traurig	*sad, sorrow*	**Sie**	*you*		
verliebt	*love*	**Wann? Wie? Wo? Wer?**	*When, How, where, who*		
viel	*many, much*	**Was? Welche?**	*What, who*		
willkommen	*welcome*	eins zwei drei	*Warum — why*		
wunderbar	*wonderful*	vier fünf sechs			
		sieben acht neun			
		zehn			

Adverbien

		Expressions
aber	*but, however*	## Ausdrücke
bitte	*please*	
da	*there, here, there*	Guten Tag. *Good Day*
denn	~~*then*~~	Auf Wiedersehen. *Goodbye*
dort	*there, yonder*	Hallo. *Hello*
heute	*today, this day*	Tschüs.
hier	*here, in this place*	Wie heißen Sie? *How are you called?*
los	*loose*	Ich heiße … *I am called*
mal	*once*	Wie geht's? *How are you*
morgen	*tomorrow*	Verzeihung! *Pardon!*
nicht	*not*	Bitte. *Please*
oder	*or else*	Danke. *Thank you*
so	*so, thus*	Herzlich willkommen! *splendid welcome*
		Gute Reise. *Good trip*
		Viele Grüße *Feeling good*
		Lieber… / Liebe… *Love*

Funktionswörter

am		Los! *Free*
an	*at, to*	Halt! *stop*
auf	*on, upon*	Nein. *NO*
bis	*till, until, by*	Ich liebe dich. *I love you*
für	*for, instead of*	Sag mal, … *Say again*

Lektion 2

zu LB Ü 2　Ergänzen Sie.

1

a) Ich komme aus München.

Er kommt aus München.

Wir kommen aus München.

b) Ich heiße Schneider.

Er heißt Schneider.

Wir heißen Schneider

c) Ich spiele Computer.

Er spielt Computer

Wir spielen Computer

d) Ich telefoniere.

Er telefoniert

Wir telefonieren

e) Ich bin Lehrer.

Er bist Lehrer

Wir bissen Lehrer.

f) Ich surfe gern.

Er surft gern.

Wir surfen gern.

g) Ich lebe in Wien.

Er lebt in Wien

Wir leben in Wien.

h) Ich koche.

Er kocht

Wir kochen

zu LB Ü 2　Formen Sie die Fragen um.

2

Wie heißen *Sie*?

Wie heißt du?

Woher kommen *Sie*?

Woher kommt du? ?

Was sind *Sie* von Beruf?

Was sind du von Beruf ?

Was ist *Ihr* Hobby?

＿＿＿＿＿＿＿＿＿＿ ?

Wie alt sind *Ihre* Kinder?

＿＿＿＿＿＿＿＿＿＿ ?

zu LB Ü 3　Ergänzen Sie.

3

a) ● Ich komme aus München.　　■ *Wir kommen auch aus München.*

b) ● Ich heiße Schneider.　　■ *Wir* heißen *auch Schneider.*

c) ● Ich spiele Tennis.　　■ Wir spielen *auch Tennis.*

d) ● Ich telefoniere.　　■ Wir *auch.*

e) ● Ich bin Lehrer.　　■ Wir *auch* .

f) ● Ich surfe gern.　　■ Wir *auch* .

g) ● Ich lebe in Wien.　　■ Wir *auch* .

h) ● Ich packe.　　■ Wir .

zu LB Ü 4 Ergänzen Sie: **mein, meine, unser, unsere, ist, sind.**

4

a) Das ist mein Schlafsack.   *Das ist unser Schlafsack.*

b) Das ist meine Luftmatratze.   *Das ist unsere* Luftmatratze

c) Das sind meine Kinder.   *Das sind* unsere Kinder

d) Das ist mein Zelt.   *Das* ist unser Zelt

e) Das _ist_ mein Hund.   Das ist unser Hund

f) Das _ist_ meine Katze.   Das ist unsere Katze

g) Das _sind_ meine Schlafsäcke. Das sind unsere Schlafsäcke

h) Das _ist mein_ Auto.   Das ist unser Auto

i) Das _ist mein_ Tasche.   Das ist unsere Tasche

j) Das _sind meine_ Luftmatratzen. Das sind unsere Luftmatratzen

k) Das _ist mein_ Klavier.   Das ist unser Klavier

zu LB Ü 4 Was passt zusammen?

5

a) Ist dein Schlafsack auch nass?   **6**   1. Sie heißt Sara.
b) Woher kommt ihr?   5   2. Er heißt Jan.
c) Was sind Sie von Beruf?   8   3. Nein, aber sie sind nass.
d) Wie heißt Ihr Sohn?   2   4. Nein, erst drei Tage.
e) Wie heißt Ihre Tochter?   1   5. Ich komme aus Wien.
f) Bist du schon lange hier?   4   6. Nein, mein Schlafsack ist trocken.
g) Sind eure Luftmatratzen kaputt?   3   7. Wir kommen aus München.
h) Woher kommst du?   7   8. Ich bin Fotograf.

du → ST (verb)
ihr → T (verb)

zu LB Ü 4 Ergänzen Sie.

6

a) _Kommst_ du aus Kopenhagen? (kommen)   g) _Kommt_ ihr aus Wien? (kommen)

b) _habt_ ihr Kinder? (haben)   h) _hast_ du Probleme? (haben)

c) Wie _heist_ ihr? (heißen)   i) _heist_ du Sara? (heißen)

d) _Bist_ du Mathematiklehrerin? (sein)   j) _Seid_ ihr Zwillinge? (sein)

e) Warum _packt_ ihr denn? (packen)   k) _Packst_ du? (packen)

f) Du _____ sehr gut Klavier. (spielen) l) _spielt_ ihr gern Computer? (spielen)

zu LB Ü 4 Ergänzen Sie.

7

a) Ist das **euer** Zelt?   *Ja, das ist unser Zelt.*

b) Sind das **eure** Kinder?   *Ja, das sind* _____.

c) Ist _____ _____ Luftmatratze? *Ja,* _____.

d) _____ _____ _____ Schlafsäcke? *Ja,* _____.

e) _____ _____ _____ Katze?	*Ja,* _____ .
f) _____ _____ _____ Sohn?	*Ja,* _____ .
g) _____ _____ _____ Tochter?	*Ja,* _____ .
h) _____ _____ _____ Computer?	*Ja,* _____ .

zu LB Ü 4 _ Wie heißen die Wörter?

8

a) der TERPUCOM   *der Computer* _____

b) die ZEKAT   _____

c) die TRATZEMALUFT   _____

d) das BYHOB   _____

e) der SACKSCHLAF   _____

f) die RINLEHRESPORT   _____

g) die MIFALIE   _____

h) die TINÄRZ   _____

i) der TOGRAFFO   _____

zu LB Ü 4 _ Was passt wo?

9

Hotel ~~Vater~~ ~~Lehrer~~ Gepäck Bahnhof Großmutter Fotograf Tochter Reporter Großvater Polizist Zelt
Baby Koffer Fahrkarte Verkäufer Zug Schlafsack Auto Ärztin Mutter Tourist Kind Sohn Luftmatratze

Reise: *Hotel* _____, _____, _____, _____, _____, _____,
_____, _____, _____, _____, _____

Familie: *Vater* _____, _____, _____, _____, _____, _____,
_____, _____

Beruf: *Lehrer* _____, _____, _____, _____, _____, _____

zu LB Ü 4 _ Ergänzen Sie: wie, was, woher.

how   what   from what

10

a) *Wie* alt ist Ihr Sohn?

b) _____ ist dein Hobby?

c) _____ lange seid ihr schon hier?

d) *woher* kommen Sie?

e) _____ sind Sie von Beruf?

f) _____ kommt ihr?

g) _____ alt bist du?

h) *was* macht ihr hier?

zu LB Ü 4 Schreiben Sie.

11

a) du / Lehrer / bist / ? *Bist du Lehrer?*

b) Zelt / ist / sein / kaputt / . *Sein Zelt ist kaputt.*

c) eure / nass / sind / Luftmatratzen / ? *Sind* _____

d) Schlafsack / mein / kaputt / ist / . _____

e) alt / Kinder / wie / deine / sind / ? _____

f) Hund / heißt / dein / wie / ? _____

g) Kinder / gern / surfen / unsere / . _____

h) Beruf / was / von / bist / du / ? _____

i) lange / hier / Sie / schon / sind / ? _____

j) ist / meine / Fotografin / Frau / . _____

k) vier / Tochter / ist / unsere / . _____

l) trocken / Schlafsack / dein / ist / ? _____

zu LB Ü 6 Richtig **r** oder falsch **f**? (→ Lehrbuch S. 20)

12

a) **Werner Sundermann ...**
   - ◼ 1. kommt aus Radebeul bei Dresden.
   - ◼ 2. hat zwei Kinder.
   - ◼ 3. ist Möbeltischler.
   - ◼ 4. trinkt gern Bier.
   - ◼ 5. kann blind 18 Sorten Mineralwasser erkennen.
   - ◼ 6. trainiert fleißig.
   - ◼ 7. kann in drei Minuten 30 Autos zeichnen.

b) **Nguyen Tien-Huu ...**
   - ◼ 1. wohnt in Berlin.
   - ◼ 2. ist ledig.
   - ◼ 3. ist Sänger.
   - ◼ 4. studiert Kunst in Berlin.
   - ◼ 5. zeichnet Autos.
   - ◼ 6. kann blind 18 Sorten Luftballons erkennen.
   - ◼ 7. kann in zwei Minuten sechs Gesichter zeichnen.

c) **Natascha Schmitt ...**
   - ◼ 1. lebt in Hamburg.
   - ◼ 2. ist verheiratet.
   - ◼ 3. ist Krankenschwester in Berlin.
   - ◼ 4. arbeitet in Hamburg.
   - ◼ 5. liebt Autos.
   - ◼ 6. kann in 27 Sekunden ein Rad wechseln.
   - ◼ 7. kann in 27 Sekunden zwei Reifenpannen erkennen.

d) **Max Claus ...**
   - ◼ 1. wohnt in Wuppertal.
   - ◼ 2. ist geschieden.
   - ◼ 3. ist Friseur von Beruf.
   - ◼ 4. liebt Mineralwasser.
   - ◼ 5. schneidet Haare.
   - ◼ 6. kann 18 Touristen in drei Minuten rasieren.
   - ◼ 7. kann sehr schnell Luftballons rasieren.

13

a) ● Woher **kommst** du?

■ Ich _____ aus Hamburg.

● Wie _____ dein Name?

■ Ich heiße Volker.

● _____ du Mathematik?

■ Nein, ich _____ Kunst.

b) ● Woher _____ Sie?

■ Wir _____ aus München.

● _____ Sie Kinder?

■ Ja, wir _____ zwei.

● Wie alt _____ sie?

■ Neun und elf.

c) ● Woher _____ er?

■ Er _____ aus Dresden.

● _____ er Sport?

■ Nein, Mathematik.

● Wie alt _____ er?

■ Er _____ 22.

d) ● Woher _____ ihr?

■ Wir _____ aus Berlin.

● _____ ihr Tennis?

■ Ja, natürlich.

● Wie alt _____ ihr?

■ Wir _____ 20.

| ~~kommen~~ |
| studieren |
| haben |
| sein |
| spielen |

zu LB Ü 6 **Ergänzen Sie.**

14

a) Werner Sundermann   erkennt   18 Sorten Mineralwasser.

Werner Sundermann   **kann**   18 Sorten Mineralwasser **erkennen** .

b) Nguyen Tien-Huu   zeichnet   Touristen.

Nguyen Tien-Huu   **kann**   Touristen _____ .

c) Natascha Schmitt   wechselt   ein Rad.

Natascha Schmitt   _____   ein Rad _____ .

d) Natascha Schmitt   wechselt   in 27 Sekunden ein Rad.

Natascha Schmitt   _____   in 27 Sekunden ein Rad _____ .

e) Max Claus   rasiert   in drei Minuten 30 Luftballons.

Max Claus   _____   in drei Minuten 30 Luftballons _____ .

zu LB Ü 6 **Ergänzen Sie.**

15

a) Nguyen Tien-Huu kann in zwei Minuten sechs Gesichter zeichnen.
Die Zeichnungen sind trotzdem gut.

Trotzdem sind _____ .

b) Die Studentin kann in vierzig Sekunden zwei Polizisten zeichnen.

In vierzig Sekunden _____ .

c) Natascha Schmitt kann in siebenundzwanzig Sekunden ein Rad wechseln. *(wheel)*
Eine Reifenpanne ist natürlich kein Problem.

Natürlich ist Eine Reiserpanne kein pr.roblem

d) Herr Jensen kann in fünfundfünfzig Minuten ein Rad wechseln.

In fünfundfünfzig Minuten kann Herr Jein ein Rad wechseln

e) Max Claus kann sehr gut Luftballons rasieren.
Er rasiert normalerweise Bärte.

Normalerweise ~~er er~~ rasiert er Bärte .

f) Frau Claus kann fünf Bärte in zehn Minuten rasieren. *(can shave)*

In zehn Minuten kann Frau Clauss fünf Bärte

g) Werner Sundermann kann blind achtzehn Sorten Mineralwasser erkennen. *(Sorte)*
Er schafft vielleicht bald 25 Sorten. *(maybe)* *(kinds)*

Vielleicht schafft er bald ~~er~~ ~~er er~~ 25 Sorten . *(soon)*

h) Frau Sundermann kann blind fünfzehn Sorten Cola erkennen. *(recognize)* *(15)*

Blind kann Frau Sundermann fünfzehn Sorten Cola erkennen

i) Die Sportreporterin kann natürlich gut fotografieren.

Natürlich kann Die Sportreporterin gut fotografieren

zu LB Ü 6 Was passt?

16

a) Lehrerin, Lehrer, Verkäufer, Verkäuferin **sein**

b) Mathematik, Sport, Kunst _____

c) Mineralwasser, Saft, Wein, Bier _____

d) Bärte, Touristen, Luftballons _____

e) Kinder, Touristen, Gesichter _____

f) Computer, Tennis, Ball, Klavier __ _____

g) in Hamburg, in Salzburg, in Österreich _____

~~sein~~
studieren
zeichnen
trinken
wohnen
rasieren
spielen

zu LB Ü 7 Was passt nicht?

17

a) **tauchen:** tief – lange – ~~freundlich~~

b) **reiten:** schnell – gut – tief

c) **schwimmen:** gern – hoch – schnell

d) **rechnen:** fleißig – falsch – sympathisch

e) **springen:** schnell – hoch – alt

f) **warten:** lange – allein – schnell

g) **küssen:** verliebt – allein – lange

h) **schreiben:** gut – wunderbar – kaputt

i) **arbeiten:** gut – gern – ledig

Ergänzen Sie: können.

18

a) ● Kannst du gut tauchen?

   ■ Ja, aber ich _____ nicht so gut schwimmen.

b) ● _____ ihr gut schwimmen?

   ■ Nein, aber wir _____ lange tauchen.

c) ● Unser Hund _____ gut schwimmen.

   ■ Und unsere Hunde _____ auch prima schwimmen.

zu LB Ü 7 **Ergänzen Sie.**

19

	leben	lieben	studieren	telefonieren	reisen	heißen	platzen
ich							
du			studierst			heißt	platzt
er/sie/es		liebt			reist		
wir	leben						
ihr		liebt		telefoniert			
sie / Sie	leben						

	arbeiten	warten	schneiden	zeichnen	wechseln		können	sein
ich		warte			wechsle			
du	arbeitest			zeichnest				
er/sie/es	arbeitet		schneidet				kann	
wir								sind
ihr		wartet			wechselt			
sie / Sie								

zu LB Ü 9 **Schreiben Sie die Zahlen.**

20

a) dreihunderteinundzwanzig _____

b) hundertsiebenundsiebzig _____

c) siebenhundertsiebzehn _____

d) hundertelf _____

e) neunhundertachtundsechzig _____

f) sechshundertneunundachtzig _____

g) fünfhundertsechsundneunzig _____

h) vierhunderteinundsiebzig _____

i) zweihundertzweiundfünfzig _____

j) achthundertfünfundzwanzig _____

zu LB Ü 10 **Wie viel wiegt das?**

21

a) tausendzweihundertfünfundzwanzig Gramm = _1225_ Gramm

b) viertausendsechshundertachtundsiebzig Gramm = _____ Gramm

c) zweitausendfünfhundertvier Gramm = _____ Gramm

d) achthundertachtundachtzig Gramm = _____ Gramm

e) dreitausenddreihundertdreizehn Gramm = _____ Gramm

f) fünftausendvierundzwanzig Gramm = _____ Gramm

g) fünfhundertfünfundfünfzig Gramm = _____ Gramm

h) achttausendachthundertachtzehn Gramm = _____ Gramm

zu LB Ü 10 Schreiben Sie die Zahlen

22

Nur zur Verrechnung (Bezogenes Kreditinstitut)

Zahlen Sie gegen diesen Scheck
dreihundertacht-
Betrag in Buchstaben
undfünfzig EUR Betrag 358,–
noch Betrag in Buchstaben
an oder Order

Ausstellungsort

Datum

€ 583,– _____

€ 725,– _____

€ 815,– _____

€ 275,– _____

€ 696,– _____

€ 969,– _____

€ 1.532,– _____

€ 3.125,– _____

zu LB Ü 10 Was passt wo?

23

Pfund / Kilo	Flasche	
Tomate_____	_____	Karotte
_____	_____	Kartoffel
		Saft
_____	_____	~~Tomate~~
		Pilz
_____	_____	Bier
		Zwiebel
_____		Wasser
		Apfel
_____		Wein

zu LB Ü 12 Ergänzen Sie: haben oder sein.

24

a) Ich **habe** heute Geburtstag.

b) Ich _____ Krankenschwester von Beruf.

c) _____ du verheiratet?

d) _____ du Geld?

e) Familie Schneider _____ zwei Kinder.

f) Werner _____ 37 Jahre alt.

g) Wir **sind** aus Hamburg.

h) Wir _____ Zwillinge.

i) _____ ihr schon lange hier?

j) _____ ihr eine Reifenpanne?

k) _____ Sie auch aus Hamburg?

l) _____ Sie Probleme?

zu LB Ü 12 Ergänzen Sie.

25

a) *Jan-Peter* hat Geburtstag.

b) Er ist *fünf Jahre* alt.

c) Herr Geißler wohnt *in Oldenburg*.

d) Frau Beier kommt *aus Bremen*.

e) Der Komponist heißt *Schubert*.

f) *Herr Beckmann* studiert in Wilhelmshaven.

g) Die Tomaten wiegen *zwei Kilo*.

h) *Morgen* kommt Jochen.

i) Normalerweise schneidet *Max* Haare.

Wer hat Geburtstag?

Wie alt ist er?

_____ wohnt Herr Geißler?

_____ kommt Frau Beier?

_____ heißt der Komponist?

_____ studiert in Wilhelmshaven?

_____ wiegen die Tomaten?

_____ kommt Jochen?

_____ schneidet normalerweise Haare?

zu LB Ü 13 Ergänzen Sie.

26

a) Die Eltern **von** Lisa sind nicht da.

b) Lisa bestellt eine Pizza _____ Bello.

c) Familie Jensen kommt _____ Kopenhagen.

d) Familie Schneider ist _____ München.

e) Volker studiert _____ Berlin.

f) Er zeichnet sechs Gesichter _____ zwei Minuten.

g) Natascha Schmitt ist Krankenschwester _____ Beruf.

h) Sie arbeitet _____ Hamburg.

i) Werner Sundermann kommt aus Radebeul _____ Dresden.

j) Er trinkt gern Mineralwasser _____ Kohlensäure.

(aus – bei – ~~von~~)

(in – für – aus)

(aus – mit – in)

(mit – aus – für)

(in – aus – von)

(von – in – mit)

(bei – aus – von)

(in – aus – für)

(mit – von – bei)

(in – mit – für)

zu LB Ü 14 Ergänzen Sie die Verben.

27

a) Er _____ sechs Gesichter in zwei Minuten.

b) Die Katze _____ sehr hoch.

c) Wir _____ nicht gut singen.

d) Sie _____ ein Rad in 27 Sekunden.

e) _____ Sie gern Saft?

f) Ich _____ blind sechzehn Sorten Mineralwasser.

g) Ich _____ gern Haare und Bärte.

h) Der Apfel _____ 180 Gramm.

i) _____ du viel Geld?

j) Sie _____ drei Cola und zwei Mineralwasser.

k) Meine Frau _____ Lisa.

verdienst	schneide
springt	trinken
zeichnet	können
wiegt	wechselt
bestellt	heißt
erkenne	

zu LB Ü 15 Schreiben Sie die Sätze anders.

28

a) Er möchte dort eine Reportage machen.

 Dort möchte er eine Reportage machen.

b) Sie trinkt normalerweise nur Wasser.

 Normalerweise _____.

c) Die Schlafsäcke sind bald trocken.

 Bald _____.

d) Sein Sohn spielt immer Computer.

 Immer _____.

e) Sie sind vierzehn Tage hier.

 Vierzehn Tage _____.

f) Sie kommt vielleicht aus Italien.

 Vielleicht _____.

g) Das Zelt ist natürlich sauber.

 Natürlich _____.

h) Er zeichnet Touristen in Berlin.

 In Berlin _____.

i) Pro Zeichnung braucht er etwa 30 Sekunden.

 Etwa 30 Sekunden _____.

zu LB Ü 17 Markieren Sie.

29

a) Was kann man essen?

- ☐ Geld
- ☒ Apfel
- ☐ Kartoffel
- ☐ Karotte
- ☐ Bart
- ☐ Land
- ☐ Pilz
- ☐ Zelt
- ☐ Tomate
- ☐ Pizza

b) Was kann man trinken?

- ☐ Zwiebel
- ☐ Saft
- ☐ Japan
- ☐ Urlaub
- ☐ Wein
- ☐ Zeichnung
- ☐ Bier
- ☐ Gesicht
- ☐ Wasser
- ☐ Sprache

c) Was sind Personen?

- ☐ Friseur
- ☐ Kranken-
  schwester
- ☐ Rad
- ☐ Luftballon
- ☐ Österreicher
- ☐ Freundin
- ☐ Sekunde
- ☐ Eltern

zu LB Ü 17 Was passt zusammen?

30

a) Wie geht's? ☐

b) Guten Abend, Volker! ☐

c) Guten Morgen, Herr Winter! ☐

d) Das ist Herr Bloch. ☐

e) Arbeiten Sie hier? ☐

f) Kommen Sie aus Italien? ☐

g) Ist Herr Bloch Fotograf? ☐

h) Studierst du Sport? ☐

1. Nein, er ist Reporter
2. Nein, ich studiere hier.
3. Nein, ich komme aus Spanien.
4. Danke gut.
5. Guten Morgen, Frau Humbold.
6. Ja, ich studiere Sport.
7. Freut mich, Herr Bloch.
8. Guten Abend, Heike!

zu LB Ü 17 Ergänzen Sie **möchten**.

31

a) Ich /studieren: *Ich möchte studieren.*

b) Er / arbeiten: *Er* _____.

c) Wir/ packen: _____.

d) Er / Ball spielen: _____.

e) Ich / Bärte rasieren: _____.

f) Wir / Wasser trinken: _____.

g) Ich / Touristen zeichnen: _____.

h) Er / ein Rad wechseln: _____.

zu LB Ü 17 Formen Sie die Sätze um.

32

a) Ich studiere in Deutschland.

b) Du spielst Klavier.

c) Er zeichnet in sechs Minuten
   zwei Gesichter

d) Wir sind heute glücklich.

e) Ihr springt hoch.

f) Sie verdienen Geld.

möchten	können
a) *Ich möchte in Deutschland studieren.*	*Ich kann in Deutschland studieren.*
b) *Du* _____.	*Du* _____.
c) _____.	_____.
d) _____.	_____.
e) _____.	_____.
f) _____.	_____.

zu LB Ü 17 Wie heißen die Länder? Ergänzen Sie.

33

di ◆ ta ◆ eu ◆ ri ◆ ei ◆ na ◆ ha ◆ en ◆ li ◆ ~~ss~~ ◆ pa

Ru**ss**land
Südaf___ka
Ja___n
Austra___en
In___en
D___tschland
Frankr___ch
Großbri___nnien
Spani___
Ka___da
G___na

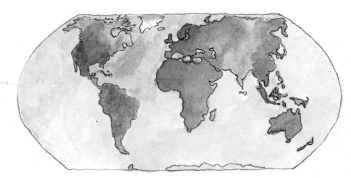

zu LB Ü 18 Ergänzen Sie.

34

Land	Mann	Frau	kommen aus	Staatsangehörigkeit
Japan	Japaner	Japanerin	Japan	japanisch
Italien		Italienerin		
Spanien	Spanier			
Argentinien		Argentinierin		
Griechenland	Grieche	Griechin	Griechenland	griechisch
Polen	Pole		Polen	
Frankreich	Franzose	Französin		französisch
China	Chinese			
Sudan	Sudanese		dem Sudan	
Iran		Iranerin	dem	iranisch
Schweiz	Schweizer		der	
Türkei	Türke		der	türkisch
Niederlande		Niederländerin	den Niederlanden	niederländisch
USA	Amerikaner		den	

zu LB Ü 18 Ergänzen Sie die Tabelle.

35

Sein Name ist Jensen. Sören ist sein Vorname. Er kommt aus Dänemark. In Kopenhagen ist er geboren, aber er wohnt und arbeitet in Flensburg. Er ist 25 Jahre alt und Informatiker von Beruf. Herr Jensen ist ledig. Seine Hobbys sind Surfen und Segeln.

Martina Oehri kommt aus der Schweiz. Sie ist in Luzern geboren und lebt in Zürich. Sie ist verheiratet und hat ein Kind. Frau Oehri ist 30 Jahre alt und von Beruf ist sie Sportlehrerin. Sie schwimmt und sie taucht gern.

	Herr Jensen	*Frau Oehri*
Vorname		
Beruf		
Staatsangehörigkeit	dänisch	schweizerisch
Wohnort		
Geburtsort		
Alter		
Familienstand		
Kinder		
Hobbys		

zu LB Ü 19 Ergänzen Sie die Texte.

36

	Frau Bloch	*Herr Smetana*
Vorname	Salima	Jaroslav
Beruf	Studentin	Arzt
Staatsangehörigkeit	deutsch	tschechisch
Wohnort	München	Prag
Geburtsort	Tunis	Pilsen
Alter	22	45
Familienstand	verheiratet	geschieden
Kinder	–	2
Hobbys	Segeln, Reiten	Reisen, Fotografieren

Salima Bloch ist in **Tunis** geboren, aber sie _____ in München. Sie ist _____, ihr Mann ist

Deutscher und ihre Staatsangehörigkeit _____ _____. Sie haben keine _____. Salima ist

_____ Jahre _____, und sie _____ und _____ gern. Sie _____ Kunst in

München.

Herr Smetana ist **Arzt** von _____. Er ist in _____ _____, _____ Jahre

_____, und er _____ in Prag. Er hat _____ _____, aber er _____ _____.

Seine Hobbys _____ _____ _____ _____.

37

Vorname	
Name	
Alter	
Geburtsort	
Staatsangehörigkeit	
Wohnort	
Familienstand	
Kinder	
Beruf	
Hobbys	

Ich heiße _____ _____ und _____ _____ Jahre alt. Ich bin in _____ geboren

und meine Staatsangehörigkeit ist _____. Ich wohne in _____. Ich bin _____ und habe

_____ Kinder. Ich bin _____ von Beruf und meine Hobbys sind _____ und _____.

Wörter im Satz

38

	Ihre Muttersprache	**Schreiben Sie einen Satz aus Delfin, Lehrbuch**
____ Adresse	_____	_____
____ Beruf	_____	_____
____ Eltern	_____	_____
____ Freund	_____	_____
____ Geld	_____	_____
____ Gesicht	_____	_____
____ Krankenschwester	_____	_____
____ Mann	_____	_____
____ Mineralwasser	_____	_____
____ Problem	_____	_____
____ Rad	_____	_____
____ Staatsangehörigkeit	_____	_____
____ Zeichnung	_____	_____
bestellen	_____	_____
brauchen	_____	_____
erkennen	_____	_____
rechnen	_____	_____
schneiden	_____	_____
springen	_____	_____
studieren	_____	_____
trinken	_____	_____
verstehen	_____	_____
wiegen	_____	_____
zeichnen	_____	_____
bequem	_____	_____
erst	_____	_____
euer	_____	_____

gern	_____	_____
ja	_____	_____
normalerweise	_____	_____
unser	_____	_____
zufrieden	_____	_____

Grammatik

_____Verben

39

	kommen	*arbeiten*	*schneiden*	*zeichnen*	*wechseln*	*heißen*	*platzen*
ich	komme	arbeite	schneide	zeichne	wechsle	heiße	platze
du	kommst	arbeitest	schneidest	zeichnest	wechselst	heißt	platzt
er/sie/es	kommt	arbeitet	schneidet	zeichnet	wechselt	heißt	platzt
wir	kommen	arbeiten	schneiden	zeichnen	wechseln	heißen	platzen
ihr	kommt	arbeitet	schneidet	zeichnet	wechselt	heißt	platzt
sie / Sie	kommen	arbeiten	schneiden	zeichnen	wechseln	heißen	platzen

ebenso: hören   warten   rechnen   segeln
           kochen   reiten
           lachen   antworten
           packen
           spielen
           ...

_____

40

	haben	*sein*	*können*	*möchten*
ich	habe	bin	kann	möchte
du	hast	bist	kannst	möchtest
er/sie/es	hat	ist	kann	möchte
wir	haben	sind	können	möchten
ihr	habt	seid	könnt	möchtet
sie / Sie	haben	sind	können	möchten

_____Wortstellung

41

Vorfeld	*Verb(1)*	*Mittelfeld*		*Verb(2)*
Er	**kann**			**zeichnen.**
Er	**kann**		sechs Gesichter	**zeichnen.**
Er	**kann**	in zwei Minuten	sechs Gesichter	**zeichnen.**
Die Zeichnungen	**sind**	natürlich	gut.	
Natürlich	**sind**	die Zeichnungen	gut.	

§ 3 **Possessivartikel**

42

	wir:	*ihr:*
de**r** Sohn	unse**r** Sohn	eue**r** Sohn
di**e** Tochter	unser**e** Tochter	eur**e** Tochter
da**s** Hobby	unse**r** Hobby	eue**r** Hobby
di**e** Kinder	unser**e** Kinder	eur**e** Kinder

§ 13, 14 **Ländernamen, Einwohner, Staatsangehörigkeit**

43

Land	*Einwohner*	*Einwohnerin*	*Staatsangehörigkeit*
Österreich	Österreicher	Österreicherin	österreichisch
Polen	Pole	Polin	polnisch
Portugal	Portugiese	Portugiesin	portugiesisch
Tschechien	Tscheche	Tschechin	tschechisch
Tunesien	Tunesier	Tunesierin	tunesisch
Deutschland	Deutscher	Deutsche	deutsch

Wortschatz

Nomen

die Adresse, Adressen
der Alkohol
das Alter
die Angabe, Angaben
der Animateur,
    Animateure
die Animateurin,
    Animateurinnen
der Apfel, Äpfel
die Ärztin, Ärztinnen
der Ballon, Ballons
der Bart, Bärte
der Beruf, Berufe
die Bewerbung,
    Bewerbungen
das Bier, Biere
der Computer, Computer
der Delfin, Delfine
der Deutsche, Deutschen
die E-Mail, E-Mails
der Einwohner,
    Einwohner
die Einwohnerin,
    Einwohnerinnen
die Eltern (pl)
die Familie, Familien
der Familienname,
    Familiennamen
der Familienstand
das Fax, Faxe
die Faxnummer,
    Faxnummern
das Formular, Formulare
der Fotograf, Fotografen
der Freund, Freunde
die Freundin,
    Freundinnen
der Friseur, Friseure
der Geburtsort,
    Geburtsorte
der Geburtstag,
    Geburtstage
das Geld

das Geschlecht,
    Geschlechter
das Gesicht, Gesichter
das Gewicht, Gewichte
das Gramm
die Größe, Größen
die Großeltern (pl)
das Haar, Haare
das Hobby, Hobbys
die Informatikerin,
    Informatikerinnen
der Installateur,
    Installateure
die Karotte, Karotten
die Kartoffel, Kartoffeln
die Katze, Katzen
das Kaufhaus, Kaufhäuser
das Kilo
das Kilogramm
die Kohlensäure
der Komponist,
    Komponisten
die Krankenschwester,
    Krankenschwestern
der Kunststudent,
    Kunststudenten
das Land, Länder
die Lösung, Lösungen
der Luftballon,
    Luftballons
die Luftmatratze,
    Luftmatratzen
der Mathematiklehrer,
    Mathematiklehrer
die Matratze, Matratzen
die Medizin
der Meter, Meter
das Mineralwasser,
    Mineralwasser
die Minute, Minuten
der Möbeltischler,
    Möbeltischler
der Nachname,
    Nachnamen
der Name, Namen
der Österreicher,
    Österreicher
die Österreicherin,

    Österreicherinnen
das Pfund, Pfunde
der Pilz, Pilze
die Pizza, Pizzen (Pizzas)
der Pizza-Express
das Problem, Probleme
das Quiz
das Rad, Räder
die Reifenpanne,
    Reifenpannen
die Reihenfolge,
    Reihenfolgen
der Rekord, Rekorde
die Reportage, Reportagen
der Schlafsack,
    Schlafsäcke
die Schwester, Schwestern
die Sekretärin,
    Sekretärinnen
die Sekunde, Sekunden
die Sorte, Sorten
der Sport
die Sportlehrerin,
    Sportlehrerinnen
die Sprache, Sprachen
die Staatsangehörigkeit,
    Staatsangehörigkeiten
die Straße, Straßen
das Telefongespräch,
    Telefongespräche
die Telefonnummer,
    Telefonnummern
(das) Tennis
der Tischler, Tischler
die Tomate, Tomaten
der Tscheche, Tschechen
die Tschechin,
    Tschechinnen
der Tunesier, Tunesier
die Tunesierin,
    Tunesierinnen
der Vorname, Vornamen
das Wasser
der Wein, Weine
der Weltrekord,
    Weltrekorde
der Winter, Winter
der Wohnort, Wohnorte

das Wort, Wörter
die Zeichnung,
   Zeichnungen
das Zelt, Zelte
der Zischlaut, Zischlaute
die Zwiebel, Zwiebeln

Verben

antworten
ausfüllen
bestellen
brauchen
denken
erkennen
fragen
freuen
haben
kochen
können
korrigieren
meinen
möchten
packen
platzen
rasieren
rechnen
reiten
schaffen
schneiden
schwimmen
segeln
singen
spinnen
springen
studieren
suchen
surfen
tauchen
telefonieren
trainieren
trinken
variieren
verdienen
verstehen
wechseln
wiegen
zeichnen

Adjektive

bequem
blind
deutsch
englisch
fleißig
französisch
geboren
genau
geschieden
groß
hoch
ledig
männlich
nass
natürlich
österreichisch
sauber
schnell
spanisch
tief
trocken
tschechisch
tunesisch
verheiratet
weiblich
zufrieden

Adverbien

auch
bald
dann
erst
etwa
gern
immer
lange
leider
links
noch nicht
normalerweise
rechts
schon
sehr
trotzdem
übrigens

vielleicht
weg
wohl

Funktionswörter

als
aus
bei
mit
ohne
pro
zur
wir
ihr
unser
euer
mich
Warum?
Woher?
Wie viel?

Ausdrücke

Guten Morgen.
Guten Tag.
Tag!
Guten Abend.
Wie geht's?
Danke, gut.
Übrigens, das ist Herr...
Freut mich.
Wie bitte?
Warum denn?
Ja.
Ja, natürlich.
Nein.
Ach, ...
Ach so
Na ja.
Kein Problem!
Na dann...
Prost!
Sehr geehrte Frau ...
Sehr geehrter Herr...
Mit freundlichen Grüßen
... Jahre alt sein
... von Beruf sein

Abkürzungen

kg = Kilogramm
Tel. = Telefon
GmbH = Gesellschaft mit
beschränkter Haftung

In Deutschland sagt man:

die Kartoffel, Kartoffeln
die Tomate, Tomaten
der Pilz, Pilze

die E-Mail, E-Mails
Prost!

In Österreich sagt man auch:

der Erdapfel, Erdäpfel
der Paradeiser, Paradeiser
das Schwammerl,
 Schwammerln

In der Schweiz sagt man auch:

das E-Mail, E-Mails
Gesundheit!

Lektion 3

zu LB Ü 1 **Was passt?**

1

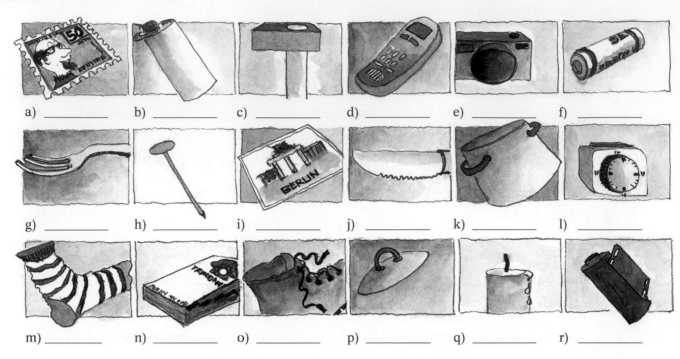

a) _____ b) _____ c) _____ d) _____ e) _____ f) _____

g) _____ h) _____ i) _____ j) _____ k) _____ l) _____

m) _____ n) _____ o) _____ p) _____ q) _____ r) _____

Telefon	Hammer	Fotoapparat	Batterie	Gabel	Kerze	Film	Strumpf	Feuerzeug	Nagel
Ansichtskarte	Messer	Deckel	Telefonbuch	Schuh	Briefmarke	Topf	Küchenuhr		

zu LB Ü 1 **der, die oder das?**

2

_die___ Briefmarke	_____ Gabel	_____ Strumpf
_____ Feuerzeug	_____ Nagel	_____ Telefonbuch
_____ Hammer	_____ Ansichtskarte	_____ Schuh
_____ Telefon	_____ Messer	_____ Deckel
_____ Fotoapparat	_____ Topf	_____ Kerze
_____ Batterie	_____ Küchenuhr	_____ Film

zu LB Ü 2 **der, die, das oder den?**

3

a) Der Fotoapparat ist weg. Er sucht den Fotoapparat.

b) Die Schuhe sind nicht da. Sie sucht die Schuhe.

c) Das Telefonbuch ist weg. Ich suche das Telefonbuch.

d) Der Deckel ist weg. Ich suche den Deckel.

e) Sind die Strümpfe nicht da? Ich suche die Strümpfe.

f) Ist _der_ Film nicht da?   Suchst du _den_ Film?

g) _Das_ Feuerzeug ist nicht da.   Suchst du _das_ Feuerzeug?

h) _Der_ Hammer ist weg.   Sie sucht _den_ Hammer.

i) Ist _____ Messer nicht da?   Wir suchen _____ Messer.   _finish_

j) _____ Gabel ist nicht da.   Er sucht _____ Gabel.

k) _____ Topf ist weg.   Sucht er _____ Topf?

l) _____ Briefmarke ist nicht da.   Suchst du _____ Briefmarke?

m) Ist _____ Nagel nicht da?   Wir suchen _____ Nagel.

zu LB Ü 3 Ergänzen Sie: ein, eine, einen, kein, keine, keinen.   _finish_

4

a) Brauchst du _ein_ Pflaster? – Nein danke, ich brauche _kein_ Pflaster.

b) Brauchst du _____ Regenschirm? – Nein danke, ich brauche _____ Regenschirm.

c) Brauchen Sie _____ Briefmarke? – Nein danke, ich brauche _____ Briefmarke.

d) Brauchst du _____ Telefonbuch? – Nein danke, ich brauche _____ Telefonbuch.

e) Brauchen Sie _____ Hammer? – Nein danke, ich brauche _____ Hammer.

f) Brauchst du _____ Sonnenbrille? – Nein danke, ich brauche _____ Sonnenbrille.

g) Brauchst du _____ Mantel? – Nein danke, ich brauche _____ Mantel.

zu LB Ü 3 Nominativ oder Akkusativ?

5

	Nominativ	Akkusativ
a) Der Hammer ist nicht da.	X	
b) Er sucht den Hammer.		X
c) Er hat kein Taschentuch.		
d) Wir brauchen keinen Regenschirm.		
e) Mein Mantel ist weg.		
f) Sind die Gummistiefel nicht da?		
g) Ich suche die Telefonkarte.		
h) Wir brauchen keine Münzen.		

zu LB Ü 3 Verben mit Akkusativ. Was passt nicht?

6

a) **bestellen:** eine Pizza – ein Mineralwasser – ~~einen Moment~~ – Blumen

b) **hören:** einen Zug – ein Gespräch – ein Polizeiauto – eine Briefmarke

c) **lesen:** einen Nagel – einen Satz – eine Ansichtskarte – eine Information

d) **schicken:** eine E-Mail – einen Brief – einen Geburtstag – eine Bewerbung

e) **schneiden:** einen Apfel – Haare – eine Tomate – einen Topf

f) **schreiben:** einen Hammer – einen Brief – eine Ansichtskarte – einen Text

g) **trinken:** ein Bier – einen Saft – eine Gabel – Wasser

h) **verstehen:** einen Deckel – eine Sprache – ein Formular – ein Gespräch

zu LB Ü 4 Wie heißen die Wörter?

7

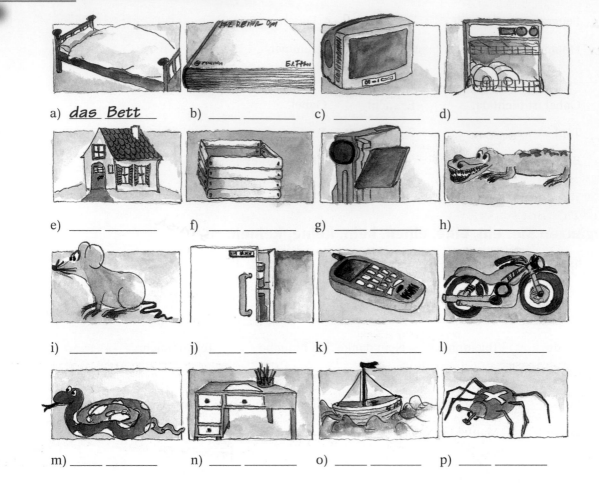

a) *das Bett*   b) _____   c) _____   d) _____

e) _____   f) _____   g) _____   h) _____

i) _____   j) _____   k) _____   l) _____

m) _____   n) _____   o) _____   p) _____

zu LB Ü 4 Richtig r oder falsch f? (→ Lehrbuch S. 30)

8

a) ■ Jochen Pensler studiert Sport.

b) ■ Er hat kein Telefon und kein Radio.

c) ■ Er braucht nur seine Bücher und seine Tiere.

d) ■ Sein Hobby kostet aber nicht viel Zeit.

e) ■ Bernd Klose ist Reporter von Beruf.

f) ■ Deshalb arbeitet er oft zu Hause.

g) ■ Seine Wohnung hat vier Zimmer.

h) ■ Er findet Möbel nicht wichtig.

i) ■ Karin Stern ist von Beruf Fotografin.

j) ■ Sie ist 33 und wohnt in Frankfurt.

k) ■ Einen Computer braucht sie nicht.

l) ■ Aber sie hat einen Geschirrspüler.

m) ■ Linda Damke hat ein Segelboot.

n) ■ Eine Wohnung und ein Auto hat sie nicht.

o) ■ Im Sommer ist sie immer in Griechenland.

p) ■ Ihre Kajüte ist groß und hat viel Platz.

zu LB Ü 6 Ergänzen Sie.

9

a) Jochen Pensler hat 6 Schlangen und 14 _____.

b) Er braucht Bücher, aber er hört keine _____.

c) Bernd Klose findet _____ nicht wichtig.

d) Von Beruf ist er _____.

e) Karin Stern hat im _____ ein Fotolabor.

Platz
Mäuse
Möbel
Wohnung
Bad
Musik
Reporter
Geld

f) Nur für ihre Kameras braucht sie _____.

g) Linda Damke braucht nicht viel _____.

h) Deshalb hat sie kein Haus und auch keine _____.

zu LB Ü 6 Zwei Wörter passen zusammen. Markieren Sie.

10

a) <u>Bett</u> – Maus – <u>Tisch</u>

b) Schreibtisch – Schlange – Krokodil

c) Radio – Fernseher – Regenschirm

d) Möbel – Motorrad – Wagen

e) Luxus – Bett – Matratze

f) Wohnung – Briefmarke – Haus

g) Reporter – Musiker – Spinne

h) Sommer – Winter – Kiste

i) Mensch – Geld – Münzen

j) Tiere – Zoo – Segelboot

zu LB Ü 6 Gibt es hier einen Fernseher? Schreiben Sie.

11

a) (Fernseher)   *Gibt es einen   ?* –   *Ja, es gibt einen Fernseher.*

b) (Krokodile)   *Gibt es Krokodile?* –   *Nein, es gibt keine_____ .*

c) (Telefon)   *Gibt es ein Telefon?* –   _____ .

d) (Spinne)   _____ ? –   _____ .

e) (Kiste)   _____ ? –   _____ .

f) (Bett)   _____ ? –   _____ .

g) (Fotoapparat)   _____ ? –   _____ .

h) (Schlangen)   _____ ? –   _____ .

i) (Kühlschrank)   _____ ? –   _____ .

j) (Topf)   _____ ? –   _____ .

k) (Tisch)   _____ ? –   _____ .

l) (Geschirrspüler)   _____ ? –   _____ .

zu LB Ü 6 Ordnen Sie die Wörter.

12

a) Er ist Reporter. (er – selten – zu Hause – ist)

   Deshalb ist er selten zu Hause.

b) Sie liebt die Freiheit. (sie – ein Segelboot – hat)

   Deshalb _____

c) Tiere sind sein Hobby. (ein Zoo – sein Zimmer – ist)

   Deshalb _____

d) Er ist selten zu Hause. (Möbel – findet – nicht – wichtig – er)

   Deshalb _____

e) Sie braucht keinen Luxus. (sie – keinen Computer – hat)

   Deshalb _____

f) Das Segelboot hat wenig Platz. (nicht – bequem – ist – es – sehr)

   Deshalb _____

g) Er hört keine Musik. (hat – kein Radio – er)

   Deshalb _____

zu LB Ü 6 Schreiben Sie die Sätze anders.

13

a) Ich trinke keinen Alkohol.   _Alkohol trinke ich nicht._

b) Ich brauche keinen Computer.   _Einen Computer_ _____

c) Ich habe keine Tiere.   _Tiere_ _____

d) Ich brauche keine Unterhaltung.   _Unterhaltung_ _____

e) Ich habe kein Krokodil.   _Ein_ _____

f) Ich lese keine Bücher.   _____

g) Ich habe kein Motorrad.   _____

h) Ich bin kein Student.   _____

i) Ich habe keine Probleme.   _____

zu LB Ü 6 Ergänzen Sie: ein, eine, einen oder –.

14

a) Jochen Pensler studiert _____ Biologie. Sein Zimmer ist _____ Zoo. Er hat _____ Schlangen,

   _____ Spinnen, _____ Mäuse und _____ Krokodil. _____ Tiere sind sein Hobby, aber sie kosten

   _____ Zeit.

b) Karin Stern ist _____ Sozialarbeiterin von Beruf. Ihr Bad ist eigentlich _____ Fotolabor. Sie braucht

_____ Geld für ihre Kameras.

c) Bernd Klose ist _____ Reporter. Er findet _____ Möbel nicht wichtig. _____ Bett hat er nicht, aber er

braucht unbedingt _____ Schreibtisch.

d) Linda Damke hat _____ Segelboot. _____ Haus braucht sie nicht. Ihr Segelboot bedeutet _____

Freiheit.

zu LB Ü 7 __Was passt zusammen?

15

a) Sag mal, wie heißt du denn?   ▪ 1. Ja, aber ich möchte mehr Freiheit.

b) Bist du Student?   ▪ 2. Morgen habe ich Zeit.

c) Wo wohnst du denn jetzt?   ▪ 3. Natürlich möchte ich es haben.

d) Sind deine Eltern nett?   ▪ 4. Noch zu Hause bei meinen Eltern.

e) Das Zimmer kostet 130 Euro. Möchtest du es? ▪ 5. Ja, ich studiere Biologie.

f) Wann kannst du kommen?   ▪ 6. Peter heiße ich. Und du?

zu LB Ü 8 __Was passt nicht?

16

a) Computer – Fernseher – Geschirrspüler – ~~Topf~~

b) Schreibtisch – Segelboot – Stuhl – Schreibmaschine

c) Herd – Film – Geschirrspüler – Kühlschrank

d) Minute – Gaskocher – Uhr – Sekunde

c) Radio – Telefonbuch – Fernseher – Unterhaltung

f) Wohnung – Zimmer – Wagen – Haus

g) Löffel – Gabel – Nagel – Messer

h) Bett – Koffer – Tisch – Schrank

zu LB Ü 8 __Ergänzen Sie: **er, sie, es, ihn**.

17

a) Der Stuhl ist sehr bequem, aber er kostet 200 Euro. Vielleicht kaufe ich ihn.

b) Der Topf ist neu, aber ____ hat keinen Deckel. Kaufst du ____?

c) Die Uhr kostet nur 5 Euro und ____ ist fast neu. Kaufen Sie ____!

d) Der Kühlschrank ist schön, aber ____ funktioniert nicht. Frau Fischer kauft ____ nicht.

e) Das Telefon hat keine Batterie und ____ ist nicht schön. Wir kaufen ____ nicht.

f) Der Fernseher ist alt, aber ____ funktioniert gut. Kauft ihr ____?

g) Die Betten sind bequem und ____ kosten zusammen nur 150 Euro. Möchten Sie ____ kaufen?

h) Das Radio ist schön, aber ____ kostet 100 Euro. Herr und Frau Fischer möchten ____ kaufen.

zu LB Ü 8 Ergänzen Sie die Pronomen.

18

a) Der Reporter sucht den Tennisspieler. _Er_ sucht _ihn_ .

b) Der Tennisspieler sucht den Reporter. _Er_ sucht ____.

c) Die Frau sucht den Nagel. ____ sucht ____.

d) Die Krankenschwester sucht das Besteck. ____ sucht ____.

e) Die Studentin kauft die Bücher. ____ kauft ____ .

f) Das Kind braucht das Messer. ____ braucht ____.

g) Der Tischler braucht den Hammer. ____ braucht ____.

h) Die Touristen fragen die Taxifahrer. ____ fragen ____.

i) Die Musikerin findet Freiheit wichtig. ____ findet ____ wichtig.

j) Die Reporterinnen finden die Filme gut. ____ finden ____ gut.

k) Der Student möchte das Zimmer haben. ____ möchte ____ haben.

l) Frau Fischer will die Schreibmaschine nicht kaufen. ____ will ____ nicht kaufen.

m) Die Friseurin kann den Mann schnell rasieren. ____ kann ____ schnell rasieren.

zu LB Ü 8 Ergänzen Sie.

19

a) In zwanzig Sekunden will Herr Noll zwanzig Kartoffeln essen.

Aber kann _er_ _sie_ in zehn Sekunden essen?

b) In zwei Sekunden will Frau Nolte die Flasche Mineralwasser trinken.

Aber kann _____ _____ in _____ _____ _____?

c) In drei Sekunden will Frau Stern den Film wechseln.

Aber _____ _____ _____ in _____ _____ _____?

d) In vierzehn Sekunden will Frau Schneider vierzig Zwiebeln schneiden.

Aber _____ _____ _____ in _____ _____ _____ ?

e) In dreißig Sekunden will die Lehrerin ihre zwanzig Schüler blind erkennen.

Aber kann _____ _____ in _____ _____ _____ _____?

f) In vierzig Sekunden wollen die Sekretärinnen vierzehn Briefe schreiben.

Aber _____ _____ _____ in _____ _____ _____?

g) In zwei Minuten will Herr Tien-Huu zwölf Touristinnen zeichnen.

Aber kann _____ _____ in _____ _____ _____?

zu LB Ü 8 Ergänzen Sie: einen, eine, ein oder –.

20

a) Sie findet _einen_ Fernseher, _____ Computer und _____ Mobiltelefon wichtig.

b) Der Mann hört _____ Katze und _____ Papagei.

c) Der Tourist fotografiert _____ Schlange und _____ Verkäuferin.

d) Die Fotografin wechselt _____ Film und _____ Batterie.

e) Wir suchen _____ Tisch, _____ Bett und _____ Schrank.

f) Sie schreiben _____ Brief, _____ Ansichtskarten und _____ Postkarte.

g) Der Friseur schneidet _____ Haare und _____ Bärte.

h) Seine Frau schneidet _____ Zwiebeln, _____ Tomate und _____ Karotte.

i) Der Reporter findet _____ Sängerin und _____ Fotografin interessant.

zu LB Ü 8 Wie finden die Leute ...? Ergänzen Sie.

21

Eva Humbold	Werner Bergman	Und Sie?	
Reporter – interessant	Polizistinnen – nett	Friseure / Studenten / Großväter ...	interessant / nicht so interessant / nett / freundlich / sympathisch ...
Katzen – schön	seinen Hund – prima	Katzen / Hunde / einen Papagei ...	schön / prima ...
Luftballons – toll	Ansichtskarten – interessant	Filme / Bücher / Briefmarken ...	toll / interessant / ...
Reisen – herrlich	Segeln – wunderbar	Reisen / Telefonieren/ Tennis ...	herrlich / wunderbar / spannend ...
Freiheit – wichtig	Geld – nicht so wichtig	Musik / Unterhaltung / Luxus ...	wichtig / nicht so wichtig ...
ein Mobiltelefon – nicht so wichtig	aber Kreditkarten – herrlich	ein Mobiltelefon / einen Fernseher / ein Radio ...	wichtig / nicht so wichtig ...

a) Eva Humbold _findet_ Reporter _____. _____ findet sie _____ und Luftballons

_____ _____ toll. _____ findet sie _____ und _____ _____ _____

_____. _____ _____ _____ _____ nicht so wichtig.

b) Werner Bergman _____ Polizistinnen _____. _____ _____ _____ er _____

und _____ _____ _____ interessant. _____ _____ er _____. _____

findet er _____ _____ _____, aber _____ _____ _____ _____.

c) Ich finde (Friseure) _____ sympathisch. (Hunde) _____ finde ich _____ und (Filme)

_____ finde ich _____. (Telefonieren) _____ finde ich nicht so wichtig, aber (einen

Fernseher) _____ finde ich wichtig.

22

a) Das ist Vanessa. Das ist _ihr_ Regenschirm. _Er_ ist neu. _Sie_ zeichnet _ihn_ .

b) Das ist Eva. Das ist _____ Apfel. _____ wiegt zweihundert Gramm. _____ fotografiert _____.

c) Das ist Uwe. Das ist _____ Wagen. _____ ist kaputt. _____ möchte _____ verkaufen.

d) Das sind Benno und Veronika. Das ist _____ Koffer. _____ ist neu. _____ möchten _____ packen.

e) Das ist Jörg. Das sind _____ Gummistiefel. _____ sind sehr bequem. _____ braucht _____ heute.

f) Das ist Peter. Das ist _____ Freundin. _____ ist sehr schön. Peter liebt _____.

g) Das ist Frau Fischer. _____ Geschirrspüler funktioniert nicht. _____ ist sehr alt. _____ sucht _____ Mann.

h) Das sind Herr und Frau Nolte. _____ Hund ist weg. _____ ist erst 1 Jahr alt. _____ suchen _____.

zu LB Ü 12 Wie heißen die Wörter richtig?

23

a) die KEMARBRIEF   _die Briefmarke_____

b) die BRILSONNENLE   _____

c) das GALRE   _____

d) der MERHAM   _____

e) der SCHRANKKÜHL   _____

f) der TELMAN   _____

g) der SCHIRMGENRE   _____

h) der PICHTEP   _____

i) die SEVA   _____

j) der GELSPIE   _____

k) der FELSTIEMIGUM   _____

zu LB Ü 12 Ergänzen Sie: sch – st – sp.

24

a) Ti**_sch_**

b) **_St_**_adt

c) Kühl____rank

d) ____ortlehrer

e) ____rumpf

f) Gummi____iefel

g) Regen____irm

h) ____uhl

i) Pfla____er

j) Ta____entuch

k) ____inne

l) Geschirr____üler

m) ____lafzimmer

n) ____reibma____ine

25

a) der Schuh   *die Schuhe*

     der Beruf   _____

     der Brief   _____

     der Film   _____

     das Haar   _____

     der Hund   _____

     das Jahr   _____

     der Pilz   _____

     das Problem   _____

     der Tag   _____

     das Tier   _____

c) die Vase   *die Vasen*

     die Blume   _____

     die Lampe   _____

     der Junge   _____

     die Briefmarke   _____

     die Brille   _____

     die Karotte   _____

     die Kiste   _____

     die Tasche   _____

     die Tomate   _____

     die Münze   _____

b) der Topf   *die Töpfe*

     der Gruß   _____

     der Kuss   _____

     der Stuhl   _____

     der Strumpf   _____

     der Bart   _____

     der Sohn   _____

     der Saft   _____

d) der Stiefel   *die Stiefel*

     der Spiegel   _____

     der Wagen   _____

     der Löffel   _____

     das Messer   _____

     der Lehrer   _____

     der Deckel   _____

     der Fernseher   _____

     der Geschirrspüler   _____

zu LB Ü 17 Ordnen Sie die Gespräche.

26

a) Meinst du das da?

     Kaufen wir es?

     Das ist nicht schlecht.

     Ja, das kaufen wir.

     Wie findest du das Regal?

     Ja.

● *Wie* _____

■ _____

● _____

■ _____

● _____

■ _____

b) Hast du keinen Teppich?

     Schau mal, da ist ein Teppich.

     Hier sind noch welche.

     Aber den finde ich nicht schön.

     Nein, ich habe keinen.

     Ich suche einen.

● *Schau* _____

_____

■ _____

● _____

■ _____

● _____

27

a) Suchst du eine Sonnenbrille?
- Nein, ich brauche keine.
- Ja, ich suche einen.
- Ja, ich brauche eine.

b) Wie findest du den Stuhl?
- Die sind schön.
- Den finde ich schön.
- Der ist schön.

c) Ich suche eine Vase.
- Hast du keine?
- Brauchst du eine?
- Meinst du den?

d) Kaufen wir die Lampe?
- Nein, wir brauchen keine.
- Ja, die kaufen wir.
- Nein, wir haben keine.

e) Schau mal, die Uhr ist schön.
- Meinst du die da?
- Welche Uhr meinst du?
- Sind da welche?

f) Hast du keine Gummistiefel?
- Nein, aber ich brauche welche.
- Nein, die sind nicht schön.
- Nein, aber ich kaufe welche.

zu LB Ü 17 Schreiben Sie Fragen und Antworten.

28

a) (Koffer) *Wie findest du den Koffer?* (schön) *Den finde ich schön.*

b) (Bild) _____? (wunderbar) _____.

c) (Teppich) _____? (scheußlich) _____.

d) (Tisch) _____? (toll) _____.

e) (Lampen) _____? (schön) _____.

f) (Töpfe) _____? (teuer) _____.

g) (Stuhl) _____? (bequem) _____.

h) (Regal) _____? (gut) _____.

i) (Buch) _____? (interessant) _____.

j) (Sonnenbrille) _____? (schön) _____.

k) (Schlangen) _____? (scheußlich) _____.

zu LB Ü 17 Ergänzen Sie.

29

Nominativ	
Da ist	ein Teppich.
Da ist	eine Vase.
Da ist	ein Radio.
Da sind	Töpfe.

Akkusativ	
Ich brauche	einen Teppich.
Ich brauche	eine Vase.
Ich brauche	ein Radio.
Ich brauche	Töpfe.

Akkusativ	
Ich brauche	einen.
Ich brauche	eine.
Ich brauche	eins.
Ich brauche	welche.

(Bild) *Da ist ein Bild.*   *Ich brauche* _____   *Ich brauche* _____

(Spiegel) _____ _____ _____

(Tisch) _____ _____ _____

(Vasen) _____ _____ _____

(Regal) _____ _____ _____

(Uhr) _____ _____ _____

(Tasche) _____ _____ _____

(Lampen)_____ _____ _____

zu LB Ü 17 Ergänzen Sie.

30

| ein   eine   einer   eins   einen |

a) Schau mal, da ist _____ Regal. Ich brauche _____.

b) Hier ist _____ Vase. Ich brauche _____.

c) Ich brauche _____ Teppich und _____ Tisch.

d) Haben Sie _____ Topf? Ich brauche _____.

e) Du suchst doch _____ Regenschirm. Hier ist _____.

f) Ist das _____ Vase? Ich suche _____.

g) Ich brauche _____ Feuerzeug. Haben Sie _____?

h) Hier gibt es _____ Radio. Wir brauchen _____.

i) Brauchst du _____ Teppich? Hier ist _____.

j) Ich brauche _____ Stuhl. Da ist _____.

zu LB Ü 17 Ergänzen Sie.

31

| keiner   keinen   keine   keins |

a) Haben Sie einen Spiegel?   –   Nein, ich habe _____.

b) Kaufst du eine Lampe?   –   Nein, ich brauche _____.

c) Hast du ein Regal?   –   Nein, ich habe _____.

d) Gibt es hier Stühle?   –   Nein, hier gibt es _____.

e) Suchst du einen Regenschirm?   –   Ja, aber hier ist _____.

f) Ist hier ein Bild?   –   Nein, hier ist _____.

g) Brauchst du einen Topf?   –   Ja, aber hier ist _____.

h) Die Löffel sind schön.   –   Ja, aber ich brauche _____.

i) Brauchen Sie einen Koffer?   –   Nein, ich brauche _____.

j) Hast du ein Feuerzeug?   –   Nein, ich habe _____.

zu LB Ü 18 Wie schreibt man es richtig? Welche Wörter schreibt man groß?

32

a) suchstdudiespinne   *Suchst du die Spinne?* _____

b) findestdutennisspannend?   _____

c) kostetderstuhlnureineneuro?   _____

d) dasstimmt.   _____

e) kaufstdudiesportschuhe?   _____

f) brauchstdudiestrümpfe?   _____

g) spielstduklavier?   _____

h) bistdustudentin?   _____

i) studierstdusport?   _____

j) springstduodernicht?   _____

zu LB Ü 18 St, st, Sp, sp. Ergänzen Sie.

33

a) Such**st** du die ___inne?

b) Finde___ du Tennis ___annend?

c) Ko___et der ___uhl nur einen Euro?

d) Ja, das ___immt.

e) Kauf___ du ihn?

f) Brauch___ du die ___rümpfe?

g) ___iel___ du Klavier?

h) Bi___ du ___udent?

i) ___udier___ du ___ort?

j) ___ring___ du oder nicht?

zu LB Ü 18 Ergänzen Sie den Singular oder den Plural.

34

Stuhl	*Stühle*	Topf	_____
_____	Schränke	_____	Häuser
_____	Uhren	_____	Blumen
Schlafsack	_____	_____	Hämmer
_____	Mäuse	Sprache	_____
Schuh	_____		

zu LB Ü 18 Ergänzen Sie den Plural.

35

Brille	*Brillen*	Zimmer	_____
Schlange	_____	Pflaster	_____
Kiste	_____	Geschirrspüler	_____
Matratze	_____	Fernseher	_____
Briefmarke	_____	Koffer	_____

Münze	_____	Spanier	_____
Junge	_____	Tochter	_____
Chinese	_____	Reporter	_____

zu LB Ü 18 Ergänzen Sie.

36

bin sind gibt finde suche kannst Probleme Problem
meine mein sie ihn es eins einer welche eine weg

a)

Liebe Inge,

ich _bin_ in Paris. Paris ist wunderbar. Aber es _____ ein _____. _____ Rasierapparat ist weg. Zu Hause ist noch _____. Kannst Du _____ bitte schicken?

Viele Grüße

Jens

b)

Lieber Udo,

ich bin in Athen. Die Stadt ist sehr schön, aber ich habe _____. _____ Brille ist weg. Zu Hause ist noch _____. Kannst Du _____ bitte schicken?

Danke schön und herzliche Grüße

Karin

c)

Liebe Sara,

Rom _____ ich wirklich schön. Die Stadt ist interessant, die Leute _____ wunderbar, aber ich habe ein Problem. Mein Abendkleid ist kaputt. Zu Hause ist noch _____.

Schickst Du _____ bitte?

Danke und liebe Grüße

Hannelore

d)

Lieber Peter,

Madrid ist herrlich! Die Restaurants sind sehr gut. Aber ich habe ein Problem: Ich _____ meine Schecks. Sie sind _____. Zu Hause habe ich noch _____. _____ Du sie schicken?

Viele Grüße

Bernd

Wörter im Satz

	Ihre Muttersprache	Schreiben Sie einen Satz aus Delfin, Lehrbuch
_____ Ding	_____	_____
_____ Freiheit	_____	_____
_____ Haus	_____	_____
_____ Leben	_____	_____
_____ Moment	_____	_____
_____ Platz	_____	_____
_____ Schreibtisch	_____	_____
_____ Tier	_____	_____
_____ Unterhaltung	_____	_____
_____ Wohnung	_____	_____
_____ Zeit	_____	_____
_____ Zimmer	_____	_____
bedeuten	_____	_____
es gibt	_____	_____
finden	_____	_____
funktionieren	_____	_____
kaufen	_____	_____
kosten	_____	_____
stimmen	_____	_____
deshalb	_____	_____
eigentlich	_____	_____
mehr	_____	_____
neu	_____	_____
selten	_____	_____
spannend	_____	_____
teuer	_____	_____
unbedingt	_____	_____

viel	_____	_____
wenig	_____	_____
wichtig	_____	_____
zusammen	_____	_____

Grammatik

 Artikel: Nominativ und Akkusativ

38

	Nominativ	Akkusativ		
Maskulinum	der Löffel	den Löffel	**Der** Löffel ist weg.	Ich suche **den** Löffel.
Femininum	die Gabel		**Die** Gabel ist weg.	Ich suche **die** Gabel.
Neutrum	das Messer		**Das** Messer ist weg.	Ich suche **das** Messer.
Plural	die Töpfe		**Die** Töpfe sind weg.	Ich suche **die** Töpfe.

	Nominativ	Akkusativ		
Maskulinum	ein Löffel	einen Löffel	Da ist **ein** Löffel.	Ich brauche **einen** Löffel.
Femininum	eine Gabel		Da ist **eine** Gabel.	Ich brauche **eine** Gabel.
Neutrum	ein Messer		Da ist **ein** Messer.	Ich brauche **ein** Messer.
Plural	Töpfe		Da sind Töpfe.	Ich brauche Töpfe.

	Nominativ	Akkusativ		
Maskulinum	kein Löffel	keinen Löffel	Da ist **kein** Löffel.	Ich brauche **keinen** Löffel.
Femininum	keine Gabel		Da ist **keine** Gabel.	Ich brauche **keine** Gabel.
Neutrum	kein Messer		Da ist **kein** Messer.	Ich brauche **kein** Messer.
Plural	keine Töpfe		Da sind **keine** Töpfe.	Ich brauche **keine** Töpfe.

 Pronomen: Nominativ und Akkusativ

39

	Nominativ	Akkusativ		
			Der Stuhl ist schön.	Ich kaufe **den Stuhl**.
Maskulinum	der	den	**Der** ist schön.	**Den** kaufe ich.
	er	ihn	**Er** ist neu.	Ich kaufe **ihn**.
	einer	einen	Hier ist **einer**.	Ich brauche **einen**.
	keiner	keinen	Da ist **keiner**.	Ich brauche **keinen**.

	Nominativ	Akkusativ		
			Die Uhr ist schön.	Ich kaufe **die Uhr**.
Femininum	die		**Die** ist schön.	**Die** kaufe ich.
	sie		**Sie** ist neu.	Ich kaufe **sie**.
	eine		Hier ist **eine**.	Ich brauche **eine**.
	keine		Da ist **keine**.	Ich brauche **keine**.

	Nominativ	Akkusativ		
Neutrum		das	Das Telefon ist schön.	Ich kaufe **das Telefon**.
			Das ist schön.	**Das** kaufe ich.
		es	**Es** ist neu.	Ich kaufe **es**.
		eins	Hier ist **eins**.	Ich brauche **eins**.
		keins	Da ist **keins**.	Ich brauche **keins**.

	Nominativ	Akkusativ		
Plural		die	**Die Schuhe** sind schön.	Ich kaufe **die Schuhe**.
			Die sind schön.	**Die** kaufe ich.
		sie	**Sie** sind neu.	Ich kaufe **sie**.
		welche	Hier sind **welche**.	Ich brauche **welche**.
		keine	Da sind **keine**.	Ich brauche **keine**.

§ 4 Nomen mit und ohne Artikel
40

ohne Artikel	mit Artikel
Bernd ist **Reporter** von Beruf.	**Ein Reporter** braucht ein Mobiltelefon.
Karin braucht **Geld**.	**Das Geld** ist weg.
Linda braucht **Freiheit**.	**Die Freiheit** ist wichtig.
Jochen liebt **Tiere**.	**Seine Tiere** sind sein Hobby.

§ 5 Nomen: Singular und Plural
41

Singular	Symbol für Plural	Plural	So steht es in der Wortliste
der Spiegel	–	die Spiegel	r Spiegel, –
die Tochter	¨	die T**ö**chter	e Tochter, ¨
der Brief	–e	die Brief**e**	r Brief, –e
der Stuhl	¨e	die St**ü**hle	r Stuhl, ¨e
das Kind	–er	die Kind**er**	s Kind, –er
der Mann	¨er	die M**ä**nner	r Mann, ¨er
der Junge	–n	die Jung**en**	r Junge, –n
die Frau	–en	die Frau**en**	e Frau, –en
das Auto	–s	die Auto**s**	s Auto, –s

Besondere Formen: das Muse**um**, die Muse**en**
die Fotografin, die Fotografin**nen**

§ 51b Subjekt, Verb und Akkusativ-Ergänzung
42

Der Topf ist weg.	*(Topf = Subjekt)*
Ich suche **den Topf**.	*(Topf = Akkusativ-Ergänzung)*
Ein Telefon ist wichtig.	*(Telefon = Subjekt)*
Bernd Klose braucht **ein Telefon**.	*(Telefon = Akkusativ-Ergänzung)*

⚠ „es gibt" + *Akkusativ-Ergänzung:* Es gibt eine Matratze und einen Schreibtisch.

§53 Wortstellung: Subjekt und Akkusativ-Ergänzung

a) Subjekt im Vorfeld

Vorfeld	Verb	Akkusativ-Ergänzung
Bernd	braucht	drei Dinge.
Ich	suche	eine Uhr.
Wir	kaufen	den Stuhl.

b) Akkusativergänzung im Vorfeld

Vorfeld	Verb	Subjekt
Drei Dinge	braucht	Bernd.
Eine Uhr	suche	ich.
Den Stuhl	kaufen	wir.

Vorfeld	Verb	Akkusativ-Ergänzung mit Negation
Bernd	hat	kein Auto.
Ich	suche	keine Lampe.
Wir	kaufen	keine Schuhe.

Vorfeld	Verb	Subjekt	Angabe (Negation)
Ein Auto	hat	Bernd	nicht.
Eine Lampe	suche	ich	nicht.
Schuhe	kaufen	wir	nicht.

Wortschatz

Nomen

s Abendkleid, –er
r Akkusativ, –e
e Ansichtskarte, –n
r Atlantik
r Ausdruck, ⸚e
r Autoschlüssel, –
s Bad, ⸚er
e Batterie, –n
s Beispiel, –e
s Besteck, –e
s Bett, –en
s Bild, –er
e Biologie
e Briefmarke, –n
e Brille, –n
s Buch, ⸚er
r Dank
r Deckel, –
s Ding, –e
r Euro
r Fernseher, –
s Feuerzeug, –e
r Film, –e
r Fotoapparat, –e
s Fotoarchiv, –e
e Fotografin, –nen

s Fotolabor, –s
e Freiheit, –en
e Gabel, –n
r Gaskocher, –
s Geschäft, –e
r Geschirrspüler, –
r Gummistiefel, –
r Hammer, ⸚
s Haus, ⸚er
r Herd, –e
e Kajüte, –n
e Kamera, –s
e Kerze, –n
e Kiste, –n
e Kontaktlinse, –n
e Kreditkarte, –n
s Krokodil, –e
e Küchenuhr, –en
r Kühlschrank, ⸚e
e Lampe, –n
s Leben
r Lebensstil, –e
r Löffel, –
r Luxus
r Mantel, ⸚
e Mathematik
e Maus, ⸚e
s Messer, –
r Mini–Kühlschrank, ⸚e
s Mittelmeer
s Möbel, –

s Mobiltelefon, –e
r Moment, –e
s Motorrad, ⸚er
e Münze, –n
s Museum, Museen
e Musikerin, –nen
r Nagel, ⸚
r Nominativ, –e
e Nordsee
e Ostsee
s Pflaster, –
e Physik
s Physikbuch, ⸚er
r Platz, ⸚e
e Post
r Rasierapparat, –e
s Regal, –e
r Regenschirm, –c
r Rest, –e
s Restaurant, –s
r Scheck, –s
s Schlafzimmer, –
e Schlange, –n
e Schreibmaschine, –n
r Schreibtisch, –e
r Schuh, –e
s Segelboot, –e
e Situation, –en
r Sommer, –
e Sonnenbrille, –n
e Sozialarbeiterin, –nen

r Spiegel, –
e Spinne, –n
r Stiefel, –
r Strumpf, ¨e
s Studium, Studien
r Stuhl, ¨e
s Taschentuch, ¨er
s Telefonbuch, ¨er
e Telefonkarte, –n
r Teppich, –e
s Tier, –e
r Tisch, –e
r Topf, ¨e
e Uhr, –en
e Unterhaltung, –en
e Vase, –n
r Wagen, –
e Wohnung, –en
e Wohnungsaufgabe
s Wörterbuch, ¨er
e Zeit, –en
s Zimmer, –
r Zoo, –s
s Zuhause

Verben

bedeuten
benutzen
finden
formulieren
fotografieren
funktionieren
geben
kaufen
kosten
rauchen
schauen
stimmen

verkaufen
üben
weiterüben

Adjektive

andere
frei
neu
selten
spannend
teuer
weitere
wichtig

Adverbien

anders
auch nicht
deshalb
eigentlich
fast
gerne
jetzt
mehr
nicht mehr
nur
selbst
selten
unbedingt
viel
wenig
zurzeit
zusammen

Funktionswörter

ab
zu

zum

deshalb
einer
ihn (Akk)
sie (Akk)
es (Akk)
jeder
keiner
manche
ein paar
welche

Ausdrücke

es gibt
ein paar...
noch einer / noch welche

etwas wichtig / nicht wichtig finden
Wie findest du...?
zum Beispiel
zu Hause

Moment ...
Schau mal
Bitte?
Es geht nicht.
(Das) stimmt nicht
(Das) stimmt

Herzliche Grüße
Vielen Dank

Abkürzungen

P. S. = Post Scriptum

In Deutschland sagt man:	In Österreich sagt man:	In der Schweiz sagt man:
r Junge, –n	r Bub, –n	
r Schreibtisch, –e		s Pult, –e
r Stuhl, ¨e	r Sessel, –	
e Telefonkarte, –n	e Telefonwertkarte, –n	e Taxcard

Lektion 4

<u>zu LB Ü 2</u> Was passt? (✗)

1

a) ▪ Er kann gut springen.
   ▪ Er kann nicht springen.

b) ▪ Sie darf nicht springen.
   ▪ Sie muss springen.

c) ▪ Er will springen.
   ▪ Er kann nicht springen.

d) ▪ Sie darf nicht springen.
   ▪ Sie muss springen.

e) ▪ Er soll springen.
   ▪ Er soll nicht springen.

f) ▪ Sie kann jetzt nicht springen.
   ▪ Sie will jetzt nicht springen.

<u>zu LB Ü 2</u> Bilden Sie Sätze.

2

a) Das Mädchen: hoch springen können

   Das Mädchen kann hoch springen.

b) Der Junge: tief tauchen können

   Der Junge kann _____

c) Die Sportlehrerin: schnell schwimmen können

   Die Sportlehrerin _____

d) Der Installateur: schnell arbeiten müssen

   _____

e) Der Mann und die Frau: sehr gut tanzen können

   _____

f) Die Reporter: den Tennisspieler fotografieren müssen

   _____

g) Die Sekretärin: den Brief korrigieren müssen

   _____

h) Die Studentin: auch Chinesisch lernen wollen

   _____

i) Werner Sundermann: bald 25 Sorten Mineralwasser erkennen wollen

   _____

zu LB Ü 2 Ergänzen Sie.

3

	können	wollen	dürfen	müssen	sollen	möchten
ich	kann		darf		soll	
du		willst		musst		möchtest
er/sie/es/man			darf			
wir		wollen				
ihr	könnt		dürft		sollt	möchtet
sie				müssen		

zu LB Ü 4 Was passt nicht?

4

a) Man kann eine Ansichtskarte, ~~eine Kreditkarte~~, eine E-Mail, einen Brief **schreiben**.

b) Man kann einen Fernseher, eine Pizza, eine Lampe, einen Stern **bestellen**.

c) Man kann ein Mobiltelefon, einen Spiegel, einen Zug, ein Telefon **hören**.

d) Man kann Wasser, eine Zwiebel, eine Tomate, einen Topf **kochen**.

e) Man kann eine Blume, ein Feuerzeug, Gummistiefel, Französisch **suchen**.

zu LB Ü 4 Bilden Sie Sätze.

5

a) die Frau – gut – schwimmen können – aber – nicht so gut – tauchen können

   Die Frau kann gut schwimmen, aber sie kann nicht so gut tauchen.

b) das Kind – gut – tauchen – können – aber – nicht – schwimmen – können

   Das Kind kann _____

c) die Studentin – schnell – zeichnen – müssen – aber – nicht – schnell – zeichnen – können

   _____

d) der Reporter – wunderbar – surfen – können – aber – nicht – segeln – können

   _____

e) ihr – laut – singen – können – aber – auch – richtig – singen – müssen

   _____

f) der Papagei – gut – nachsprechen – können – aber – die Wörter – nicht – verstehen – können

   _____

g) die Kinder – gern – schwimmen – möchten – aber – keine Bademütze – tragen – wollen

   _____

h) das Mädchen – gern – singen – möchten – aber – man – hier – nicht – laut – sein – dürfen

   _____

zu LB Ü 4 _Bilden Sie Sätze mit **wollen, können, müssen.**

6

a) Student: Pause machen / lernen

Der Student will Pause machen. Aber er kann keine Pause machen. Er muss lernen.

b) Junge: telefonieren / erst eine Telefonkarte kaufen

Der Junge will _____ *. Aber er kann nicht* _____ *.*

Er muss _____ *.*

c) Fotografin: fotografieren / erst den Film wechseln.

_____ *. Aber* _____ *.*

Sie _____ *.*

d) Tischler: Tee trinken / arbeiten

_____ *. Aber* _____ *.*

Er _____ *.*

e) Sängerin: singen / erst Tee trinken

_____ *. Aber* _____ *.*

Sie _____ *.*

zu LB Ü 4 _Bilden Sie Sätze mit **sollen, können, müssen.**

7

a) Junge: schnell schwimmen / noch trainieren

Der Junge soll schnell schwimmen. Aber er kann noch nicht schnell schwimmen.

Er muss noch trainieren. _____

b) Studentin: tief tauchen / es noch üben

Die Studentin soll _____ *. Aber sie kann noch nicht* _____ *.*

Sie muss _____ *.*

c) Kind: richtig rechnen / es erst lernen

_____ *. Aber* _____ *.*

Es _____ *.*

d) Mann: schnell reiten / es noch lernen

_____ *. Aber* _____ *.*

Er _____ *.*

e) Studenten: genau zeichnen / es noch üben

_____ *. Aber* _____ *.*

Sie _____ *.*

zu LB Ü 4 Bilden Sie Sätze mit **wollen** und **nicht dürfen**.

8

a) er: fotografieren

Er will hier fotografieren. Aber man darf hier nicht fotografieren.

b) sie: Eis essen

Sie will hier _____ _. Aber hier darf_ _____ _kein Eis_ _____ _._

c) die Kinder: Ball spielen.

Sie _____ _. Aber man_ _____ _._

d) er: telefonieren

_Er_ _____ _. Aber hier_ _____ _._

e) sie: Musik hören

Sie _____ _. Aber man_ _____ _._

zu LB Ü 5 Ergänzen Sie. (→ Lehrbuch S. 40)

9

Du sollst den _____ nicht betreten

und am Abend sollst du _____ .

Vitamine sollst du _____

und _____ nicht vergessen.

_____ sollen nicht beim Spiel betrügen

und wir sollen auch nie _____ .

Wir sollen täglich _____ putzen

und die Kleidung nicht _____ .

Kinder sollen leise _____ ,

_____ darf man nicht zerbrechen.

Sonntags trägt man einen _____ ,

_____ sind nicht gut.

Ich _____ alle Sterne kennen,

meinen Hund mal _____ nennen.

Nie mehr will ich Strümpfe _____ ,

tausend Bonbons will _____ naschen.

Ich will keine Steuern _____ ,

alle _____ bunt bemalen.

Ohne _____ will ich gehen,

ich will nie mehr Tränen _____ .

Ich _____ nichts mehr sollen müssen,

ich möchte einen Tiger _____ .

_____ möchte alles dürfen wollen,

alles können – nichts mehr _____ .

zu LB Ü 6 Was passt nicht?

10

a) einen Rasen, ein Haus, ein Restaurant, ~~den Abend~~, ein Museum **betreten**
b) eine Pizza, Kartoffeln, einen Hamburger, einen Spiegel, einen Apfel **essen**
c) einen Hut, Schuhe, eine Pause, eine Brille, ein Kleid, eine Krawatte **tragen**
d) ein Kleid, die Zukunft, einen Mantel, einen Spiegel, einen Teppich **beschmutzen**
e) die Zähne, die Wohnung, den Herd, das Motorrad, die Stiefel, den Urlaub **putzen**
f) die Haare, die Strümpfe, einen Rasen, die Kartoffeln, das Gesicht **waschen**
g) einen Spiegel, eine Brille, eine Flasche, einen Stuhl, eine Vase, einen Geburtstag **zerbrechen**
h) Mineralwasser, Saft, Tee, Bonbons, Alkohol **trinken**
i) eine Wand, ein Haus, einen Luftballon, Vitamine, eine Postkarte, eine Vase **bemalen**

zu LB Ü 6 Ergänzen Sie.

11

a) Ich vergesse alle Geburtstage.   *Vergisst du auch alle Geburtstage?*

b) Ich trage gern Hüte.   _____ du auch gern Hüte?

c) Ich esse nic Kartoffeln.   _____ _____ _____ nie Kartoffeln?

d) Ich zerbreche dauernd meine Brille.   _____ _____ _____ dauernd deine Brille?

e) Ich sehe gern Filme.   _____ _____ _____ gern Filme?

f) Ich betrete nie den Rasen.   _____ _____ _____ nie den Rasen?

g) Ich spreche Deutsch.   _____ _____ _____ Deutsch?

h) Ich wasche nicht gern.   _____ _____ _____ nicht gern?

zu LB Ü 6 Ergänzen Sie.

12

a) (essen/Apfel)   *Jochen isst einen Apfel.* _____

b) (zerbrechen/Flasche)   *Eva* _____ .

c) (waschen/Apfel)   *Jochen* _____ .

d) (sprechen/Englisch)   *Jochen* _____ .

e) (betreten/Museum)   *Eva* _____ .

f) (tragen/Hut)   *Jochen* _____ .

g) (sehen/Maus)   *Eva* _____ .

h) (vergessen/Termin)   *Eva* _____ .

zu LB Ü 6 Wie heißen die Wörter?

13

a) *die* Pa**u**se   i) ____ Ter__in

b) ____ R__he   j) ____ Kleid__ng

c) ____ Kr_ watte   k) ____ S__ern

d) ____ Mobilt__lefon   l) ____ K__tze

e) ____ B__demütze   m) ____ T__äne

f) ____ Kred__tkarte   n) ____ G__burtstag

g) ____ Ras__n   o) ____ Git__rre

h) ____ A__end   p) ____ T__ger

zu LB Ü 6 Ergänzen Sie.

14

a) Er (wollen) *will* keine Vitamine essen.

b) Er (müssen) _____ seine Schuhe putzen.

c) (Möchten) _____ du einen Tiger küssen?

d) Das Kind (dürfen) _____ den Rasen betreten.

e) (Dürfen) _____ du ein Bonbon naschen?

f) Das Mädchen (sollen) _____ seine Zähne putzen.

g) Ich (können) _____ nicht alle Sterne kennen.

h) Der Junge (möchten) _____ laut sprechen.

i) (können) _____ du Gitarre spielen?

j) (wollen) _____ du die Wand bunt bemalen?

k) Ich (müssen) _____ leider Steuern zahlen.

l) Ich (sollen) _____ sonntags immer einen Hut tragen.

m) (müssen) _____ du eine Krawatte tragen?

zu LB Ü 6 Kontaktanzeige (→ Lehrbuch S. 41). Was schreibt der Mann? (r / f)

15

a) Er putzt nie seine Zähne. ■

b) Sein Auto wäscht er nie. ■

c) Er raucht und trinkt viel. ■

d) Er spielt Gitarre. ■

e) Horrorfilme sieht er gern. ■

f) Sonntags trägt er eine Krawatte. ■

g) Museen liebt er sehr. ■

h) Er isst immer Pizza und Hamburger. ■

i) Geburtstage vergisst er nie. ■

j) Er spricht sehr laut. ■

k) Er zerbricht dauernd seine Spiegel. ■

l) Seine Schuhe putzt er nie. ■

m) Er bemalt gern Toilettenwände. ■

zu LB Ü 6 Ergänzen Sie.

16

	essen	vergessen	betreten	sprechen	zerbrechen	sehen	tragen	waschen
ich	esse							
du				sprichst			trägst	
er/sie/es/man		vergisst						wäscht
wir						sehen		
ihr					zerbrecht			
sie/Sie			betreten					

zu LB Ü 7 Ergänzen Sie.

17

a) Peter möchte einen Film sehen. Er schaltet den Fernseher _____.

b) Susanne möchte schlafen. Sie macht das Licht _____.

c) Eric muss den Akkusativ üben. Er macht sein Deutsch-Buch _____.

d) Jochen möchte Kartoffeln kochen. Er macht den Herd _____.

e) Werner möchte Mineralwasser trinken. Er macht den Kühlschrank _____.

f) Frau M. möchte in Ruhe ein Buch lesen. Sie schaltet das Radio _____.

g) Gerda muss einen Brief schreiben. Sie schaltet den Computer _____.

h) Lisa liest, aber sie soll jetzt schlafen. Deshalb macht sie ihr Buch _____.

an	ein
zu	aus
ein	auf
auf	aus

zu LB Ü 7_Ergänzen Sie.

18

a) Der Computer ist noch an.   *Schaltest du ihn bitte aus?*

b) Das Zelt ist noch auf.   *Kannst du es bitte zumachen?*

c) Der Geschirrspüler ist noch an.   *Schaltest*   *?*

d) Der Geschirrspüler ist noch auf.   *Kannst*   *?*

e) Das Mobiltelefon ist aus.   *Kannst*   *?*

f) Das Fenster ist noch auf.   *Du musst*   *.*

g) Das Radio ist noch an.   *Schaltest*   *?*

h) Der Kühlschrank ist noch auf.   *Machst*   *?*

i) Der Brief ist noch zu.   *Du darfst*   *.*

j) Die Waschmaschine ist noch auf.   *Machst*   *?*

k) Die Waschmaschine ist noch an.   *Kannst*   *?*

l) Das Klavier ist noch auf.   *Machst*   *?*

m) Der Herd ist noch an.   *Du musst*   *.*

n) Das Telefonbuch ist noch auf.   *Kannst*   *?*

zu LB Ü 8_Ergänzen Sie.

19

a) aufwachen: ich *wache auf*   er *wacht auf*

b) ausmachen: ich _____   er _____

c) ausschalten: ich _____   er _____

d) bemalen: ich _____   er _____

e) bezahlen: ich _____   er _____

f) einschalten: ich _____   er _____

g) fahren: ich _____   er _____

h) fragen: ich _____   er _____

i) haben: ich _____   er _____

j) lachen: ich _____   er _____

k) machen: ich _____   er _____

l) naschen: ich _____   er _____

m) packen: ich _____   er _____

n) passen: ich _____   er _____

o) sagen: ich _____   er _____

p) schaffen: ich _____   er _____

q) schlafen: ich _____   er _____

r) tanzen: ich _____   er _____

s) tragen: ich _____   er _____

t) warten: ich _____   er _____

u) waschen: ich _____   er _____

v) zumachen: ich _____   er _____

20

a) aufstehen: ich _____   er _____

b) bestellen: ich _____   er _____

c) beten: ich _____   er _____

d) betreten: ich _____   er _____

e) denken: ich _____   er _____

f) erkennen: ich _____   er _____

g) essen: ich _____   er _____

h) geben: ich _____   er _____

i) gehen: ich _____   er _____

j) kennen: ich _____   er _____

k) leben: ich _____   er _____

l) lesen: ich _____   er _____

m) nennen :   ich _____   er _____

n) rechnen: ich _____   er _____

o) schlafen: ich _____   er _____

p) sehen: ich _____   er _____

q) vergessen: ich _____   er _____

r) verstehen: ich _____   er _____

s) wechseln: ich _____   er _____

t) zerbrechen: ich _____   er _____

zu LB Ü 9 Wie ist die Reihenfolge?

21

a) nicht – kann – Gerda – schlafen

Gerda _____ _____ _____

b) das – Peter – ausmachen – soll – Licht

Peter _____ _____ _____ _____

c) wieder – Herr M. – den – schaltet – Fernseher – aus

Herr M. _____ _____ _____ _____

d) aufmachen – Eric – Fenster – soll – das

Eric _____ _____ _____ _____

e) ganz – möchte – Susanne – fahren – schnell

Susanne _____ _____ _____ _____

f) nicht – muss – Emil – arbeiten – heute

Emil _____ _____ _____ _____

zu LB Ü 11 Ergänzen Sie.

22

| geht | fährt | will | hat | spricht | schläft | fahren | will | kann | wacht | geht |
| muss | hat | kommt | weiß | kann | darf | muss | weiterschlafen | ist |

a) Das Kind möchte ganz schnell _____. Aber das _____ nicht. Die Mutter _____ nur 80 fahren.

Deshalb _____ das Kind traurig. Da _____ die Mutter 130. Aber dann _____ ein Polizeiauto.

b) Werner _____ auf. Seine Frau _____ noch. Er möchte auch _____, aber das _____ nicht. Er

_____ jetzt aufstehen.

c) Lisa _____ heute nicht kommen. Sie _____ keine Zeit. Sie _____ Klavier üben. Bernd _____

auch nicht kommen. Er _____ keine Lust.

d) Warum _____ Florian nicht? Seine Mutter _____ es nicht. Florian _____ sprechen. Aber er

_____ heute nicht sprechen.

zu LB Ü 11 kennen, können oder wissen? Ergänzen Sie die richtige Form.

23

a) Eva ist unsere Freundin. Wir _____ sie schon lange. Sie _____ sehr gut schwimmen.

b) Max _____ eine Krankenschwester. Die _____ in 27 Sekunden ein Rad wechseln.

c) Ich _____ den Mann nicht. _____ du ihn vielleicht?

d) Hier darf man nicht rauchen. _____ du das nicht?

e) Einen Tiger _____ man nicht küssen. _____ ihr das nicht?

f) ● Wann _____ ihr kommen?

   ■ Wir _____ es noch nicht.

g) ● Ich _____ nicht schlafen.

   ■ Warum _____ du nicht schlafen?

   ● Ich _____ es nicht.

zu LB Ü 11 Ergänzen Sie.

24

	schlafen	fahren	lesen	wissen
ich		fahre		
du				
er/sie/es/man				
wir			lesen	
ihr				wisst
sie/Sie	schlafen			

zu LB Ü 13 sch oder ch? Ergänzen Sie.

25

a) Er wa**ch**t auf.

b) Er wä____t a____t Autos.

c) Er ist glückli____.

d) Sie trägt a____tzehn Ta____en.

e) Sie ist ____ön und la____t.

f) Die Mäd____en brau____en Li____t.

g) Sie su____en die ____lange.

h) Er mö____te Bü____er ____reiben und ohne ____uhe gehen.

i) Er hat keinen Regen____irm und auch kein Ta____entu____.

j) Sie findet einen Kühl____rank und einen Ge____irrspüler ni____t wi____tig.

zu LB Ü 14 Ordnen Sie. /Ergänzen Sie.

26

a) du **wäschst**_____   ihr **wascht**_____

b) du _____   ihr tragt

c) du schläfst   ihr _____

d) du liest   ihr _____

e) du _____   ihr seht

f) du _____   ihr sprecht

g) du zerbrichst   ihr _____

h) du _____   ihr esst

i) du vergisst   ihr _____

j) du _____   ihr betretet

k) du weißt   ihr _____

zu LB Ü 16 Ordnen Sie die Gespräche.

27

a) Prima, dann lernen wir am Donnerstag.
   Können wir mal wieder zusammen lernen?
   Könnt ihr denn Mittwoch?
   Ja, Donnerstag können wir gut.
   Und Donnerstag, geht das?
   Ja, gute Idee.
   Mittwoch kann ich gut, aber Karin kann da nicht.

● _Können wir mal wieder ..._____

■ _____

- _____
- _____
- _____
- _____
- _____

b) Übermorgen können wir gut.
   Und übermorgen?
   Ja, gern. Wann können Sie denn?
   Morgen. Geht das?
   Tut mir leid. Morgen kann ich nicht,
     und meine Frau kann auch nicht.
   Können wir mal wieder zusammen surfen?

- _____
- _____
- _____
- _____
- _____
- _____

zu LB Ü 19 Ergänzen Sie.

28

a) Kannst du bitte die _____ ausschalten?

b) Wollen wir morgen zusammen _____ fahren?

c) Können wir morgen mal wieder _____ spielen?

d) Kannst du bitte meinen _____ anrufen?

e) Notieren Sie bitte die _____ ___?

f) Könnt ihr bitte alle _____ zumachen?

g) Hast du am _____ Zeit?

h) Möchtest du um 20 Uhr den _____ sehen?

Fenster
Tischtennis
Bruder
Fernsehfilm
Telefonnummer
Waschmaschine
Fahrrad
Wochenende

zu LB Ü 19 Was passt nicht?

29

a) eine Sprache, ein Spiel, ein Büro, Mathematik **lernen**

b) einen Freund, einen Schlüssel, die Chefin, einen Mitarbeiter **anrufen**

c) einen Zettel, eine Nachricht, einen Brief, eine Pizza **schreiben**

d) einen Strumpf, die Waschmaschine, den Fernseher, das Radio **anmachen**

e) das Telefon, den Computer, den Fernsehfilm, das Fahrrad **benutzen**

f) die Steuern, das Wetter, 20 Euro, viel Geld **bezahlen**

g) ein Buch, eine Anzeige, eine E-Mail, einen Papagei **lesen**

h) Kartoffeln, Tee, Wasser, Licht **kochen**

zu LB Ü 19 Was passt zusammen?

30

a) Wann kommt Peter nach Hause? ■

b) Fahren Sie morgen nach Hamburg? ■

c) Ist der Fernseher kaputt? ■

d) Soll ich das Büro abschließen? ■

e) Hast du den Schlüssel? ■

f) Kannst du bitte den Arzt anrufen? ■

g) Hat Vera am Samstag Zeit? ■

h) Wann ist Frau Meyer zurück? ■

1. Tut mir leid; ich weiß die Nummer nicht.

2. Nein, da muss sie arbeiten.

3. Sie ist am Montag wieder da.

4. Ja bitte, und machen Sie auch die Fenster zu.

5. Normalerweise kommt er um 8 Uhr.

6. Ja, wir müssen den Kundendienst anrufen.

7. Nein, ich kann erst übermorgen fahren.

8. Nein, aber vielleicht hat Eva ihn.

zu LB Ü 19 Schreiben Sie.

31

a) PETERKANNSEINENSCHLÜSSELNICHTFINDEN

Peter kann seinen Schlüssel nicht finden.

b) ICHMUSSMORGENNACHLONDONFLIEGEN

_____

c) VERAMÖCHTEAMWOCHENENDESURFEN

_____

d) WIRSINDAMMITTWOCHNICHTZUHAUSE

_____

e) PETERSOLLSEINETERMINENICHTVERGESSEN

_____

f) ICHMÖCHTEMALWIEDERTISCHTENNISSPIELEN

_____

g) AMSONNTAGKÖNNENWIRZUSAMMENSCHWIMMENGEHEN

_____

zu LB Ü 19 Notieren Sie die Telefonnummern.

32

a) achtunddreißig siebzehn fünfundvierzig   *38 17 45*

b) siebenundneunzig achtundsechzig elf   _____

c) fünfundfünfzig dreiundsiebzig zweiundsechzig   _____

d) einundzwanzig vierundvierzig neunzig   _____

e) neunundsechzig achtundachtzig dreiundsiebzig   _____

f) dreizehn achtundvierzig zwölf   _____

g) einundneunzig vierundneunzig achtundsiebzig   _____

zu LB Ü 19 Ergänzen Sie.

33

a) Morgen habe ich keine Zeit. Ich muss den Termin _____.

b) Ich gehe heute Abend Tennis spielen. Möchtest du _____.

c) Telefonnummern vergesse ich immer. Deshalb muss ich sie _____.

d) Die Fenster sind offen; kannst du sie bitte _____?

e) Der Fernseher ist kaputt; wir müssen den Kundendienst _____.

f) Der Papagei ist sehr schön, aber leider kann er nicht _____.

> anrufen
> notieren
> zumachen
> absagen
> sprechen
> mitkommen

zu LB Ü 19 Bilden Sie Sätze.

34

a) Gehst du morgen schwimmen? / Ja. morgen – ich – schwimmen gehen wollen

   Ja. Morgen will ich schwimmen gehen.

b) Gehst du Sonntag essen? / dann – wir – zusammen – essen gehen können

   _____.

c) Er geht Montag tanzen. / Montag – seine Frau – nicht – tanzen gehen wollen

   _____.

d) Wir gehen Dienstag Tennis spielen. / Dienstag – ihr – bestimmt – auch – Tennis spielen gehen dürfen

   _____.

e) Geht ihr Mittwoch surfen? / Ja. da – wir – surfen gehen wollen

   _____.

f) Sie gehen Donnerstag essen. / wir – Freitag – essen gehen wollen

   _____.

g) Sie geht Samstag arbeiten. / da – er – nicht – arbeiten gehen müssen

   _____.

zu LB Ü 19 Schreiben Sie eine Notiz.

35

Schreiben Sie eine Notiz für einen Freund oder für eine Freundin. Sie möchten mal wieder zusammen essen gehen. Am Freitag geht es nicht, aber am Samstag haben Sie Zeit. Sie wissen auch schon ein Restaurant. Ihr Freund / Ihre Freundin soll anrufen.

Liebe ... / lieber ... _____ ,

_____

_____

_____

_____

Bis dann _____

Wörter im Satz

	Ihre Muttersprache	Schreiben Sie einen Satz aus Delfin, Lehrbuch.
____ Abend	_____	_____
____ Angst	_____	_____
____ Anruf	_____	_____
____ Büro	_____	_____
____ Licht	_____	_____
____ Ruhe	_____	_____
____ Schlüssel	_____	_____
____ Tee	_____	_____
____ Zahn	_____	_____
abschließen	_____	_____
anrufen	_____	_____
aufmachen	_____	_____
aufstehen	_____	_____
ausmachen	_____	_____
betrügen	_____	_____
bezahlen	_____	_____
dürfen	_____	_____
fahren	_____	_____
lügen	_____	_____
müssen	_____	_____
sehen	_____	_____
sprechen	_____	_____
tanzen	_____	_____
tragen	_____	_____
waschen	_____	_____
wollen	_____	_____
zumachen	_____	_____

draußen	_____	_____
dringend	_____	_____
laut	_____	_____
müde	_____	_____
übermorgen	_____	_____

Grammatik

 Modalverben

37

	können	*müssen*	*dürfen*	*wollen*	*sollen*	*möchten*
ich	**kann**	**muss**	**darf**	**will**	**soll**	möcht**e**
du	**kannst**	**musst**	**darfst**	**willst**	sollst	möcht**est**
er/sie/es/man	**kann**	**muss**	**darf**	**will**	**soll**	möcht**e**
wir	können	müssen	dürfen	wollen	sollen	möchten
ihr	könnt	müsst	dürft	wollt	sollt	möchtet
sie	können	müssen	dürfen	wollen	sollen	möchten

 Unregelmäßiges Verb: wissen

38

	wissen
ich	**weiß**
du	**weißt**
er/sie/es/man	**weiß**
wir	wissen
ihr	wisst
sie	wissen

§ 33, 44 **Verben mit Vokalwechsel**

39

	sprechen e → i		*fahren* a → ä	
ich	spreche		fahre	
du		sprichst		fährst
er/sie/es/man		spricht		fährt
wir	sprechen		fahren	
ihr	sprecht		fahrt	
sie/Sie	sprechen		fahren	

	zerbrechen	geben	sehen	lesen	essen	vergessen	betreten
ich	zerbreche	gebe	sehe	lese	esse	vergesse	betrete
du	zerbrichst	gibst	siehst	liest	isst	vergisst	betrittst
er/sie/es/man	zerbricht	gibt	sieht	liest	isst	vergisst	betritt
wir	zerbrechen	geben	sehen	lesen	essen	vergessen	betreten
ihr	zerbrecht	gebt	seht	lest	esst	vergesst	betretet
sie/Sie	zerbrechen	geben	sehen	lesen	essen	vergessen	betreten

	schlafen	tragen	waschen
ich	schlafe	trage	wasche
du	schläfst	trägst	wäschst
er/sie/es/man	schläft	trägt	wäscht
wir	schlafen	tragen	waschen
ihr	schlaft	tragt	wascht
sie/Sie	schlafen	tragen	waschen

Verben mit trennbarem Verbzusatz

40

	aufstehen	mitkommen
ich	stehe **auf**	komme **mit**
du	stehst **auf**	kommst **mit**
er/sie/es/man	steht **auf**	kommt **mit**
wir	stehen **auf**	kommen **mit**
ihr	steht **auf**	kommt **mit**
sie/Sie	stehen **auf**	kommen **mit**

Ebenso (so steht es in der Wortliste):

ab·sagen	**aus**·füllen	**weiter**·sprechen
ab·schließen	**aus**·machen	**weiter**·tauchen
an·machen	**aus**·schalten	**weiter**·üben
an·rufen	**ein**·schalten	**zu**·hören
auf·machen	**ein**·tauchen	**zu**·machen
auf·tauchen	**nach**·sprechen	**zusammen**·passen
auf·wachen	**weiter**·schlafen	

Verben mit Verbativergänzung

41

	essen gehen
ich	gehe **essen**
du	gehst **essen**
er/sie/es/man	geht **essen**
wir	gehen **essen**
ihr	geht **essen**
sie/Sie	gehen **essen**

Ebenso:

schwimmen gehen
surfen gehen
rechnen lernen
…

Vorfeld	Verb(1)	Mittelfeld	Verb(2)
Emil	muss	jetzt	auf·stehen.
Emil	steht	jetzt	auf.
Jetzt	steht	Emil	auf.
Wir	gehen	heute	essen.
Heute	gehen	wir	essen.
Man	darf		spielen.
Man	darf	Wasserball	spielen.
Man	darf	nicht Wasserball	spielen.
Man	darf	hier nicht Wasserball	spielen.
Hier	darf	man nicht Wasserball	spielen.

Wortschatz

Nomen

r Abend, –e
e Angst, ‥e
r Anruf, –e
c Anzeige, –n
r Babysitter, –
e Bademütze, –n
r Besuch, –e
s Bonbon, –s
r Bruder, ‥
s Büro, –s
e Chefin, –nen
e Chiffre, –n
s Fahrrad, ‥er
r Federball, ‥e
s Fenster, –
r Fernsehfilm, –e
e Gitarre, –n
r Hamburger, –
r Horrorfilm, –e
r Hut, ‥e
e Idee, –n
e Kleidung, –en
e Kontaktanzeige, –n
e Krawatte, –n
r Kundendienst

s Licht, –er
e Lust
r Mitarbeiter, –
e Nachricht, –en
e Notiz, –en
r Notizzettel, –
r Papagei, –en
e Pause, –n
r Rasen
e Ruhe
s Schach
r Schlüssel, –
r Ski, –er
s Spiel, –e
r Stern, –e
e Steuer, –n
r Tee, –s
r Termin, –e
r Tiger, –
s Tischtennis
e Toilettenwand, ‥e
e Träne, –n
s Vitamin, –e
e Wand, ‥e
e Waschmaschine, –n
r Wasserball, ‥e
s Wochenende, –n
r Zahn, ‥e
r Zettel, –
e Zigarette, –n

Verben

ab·sagen
ab·schließen
achten
an·machen
an·rufen
auf·machen
auf·stehen
auf·tauchen
auf·wachen
aus·machen
aus·schalten
bemalen
beschmutzen
beten
betreten
betrügen
bezahlen
bleiben
dürfen
ein·schalten
ein·tauchen
ertrinken
essen
essen gehen
fahren
fliegen
kennen
leid·tun
lernen

lügen
mit·kommen
möchten
müssen
naschen
nennen
passen
putzen
schießen
schlafen
schwimmen gehen
sehen
sollen
sprechen
surfen gehen
tanzen
tragen
tun
vergessen
waschen
weiter·schlafen
weiter·sprechen
weiter·tauchen
wissen
wollen
zahlen
zerbrechen
zu·hören
zu·machen

Adjektive

bunt
gerade
italienisch
langsam
laut
leise
lieb
müde

Adverbien

also
dauernd
draußen
dringend
einverstanden
ganz
gerade
heute Abend
langsam
laut
leise
nichts mehr
nie
nie mehr
schade
sonntags
täglich
übermorgen
wieder
zurück

Funktionswörter

beim
nach
um

alle
alles
Ihnen
man
mir

Ausdrücke

seine Ruhe haben wollen
(keine) Lust haben
(keine) Zeit haben
leise sprechen
laut sein
Pause machen
mit Kreditkarte bezahlen
eine Krawatte tragen
Zähne putzen
essen gehen
schwimmen gehen
nach Hause gehen
um wie viel Uhr?
um acht Uhr
heute Abend
am Abend
Bis dann!
Tut mir leid.
Okay!
Schade!

In Deutschland sagt man:

ausmachen
abschließen
zumachen
e Anzeige, –n
e Kleidung (sg.)
s Fahrrad, ¨er
bunt
prima

In Österreich sagt man auch:

abdrehen
absperren
zusperren

super

In der Schweiz sagt man auch:

e Annonce, –n
e Kleider (pl.)
s Velo, –s
farbig

Lektion 5

zu LB Ü 2   **Ergänzen Sie die Nomen und Artikel.**

1

1. *der* *Baum*
2. _____ _____
3. _____ _____
4. _____ _____
5. _____ _____
6. _____ _____
7. _____ _____
8. _____ _____
9. _____ _____
10. _____ _____
11. _____ _____
12. _____ _____
13. _____ _____
14. _____ _____
15. _____ _____
16. _____ _____
17. _____ _____
18. _____ _____
19. _____ _____
20. _____ _____

Baum	Brücke	Deckel	Fenster	Flasche	Hund	Koffer
Maus	Mofa	Mücke	Pfütze	Polizist	Rad	Schuh	Sofa
Tasche	Taube	Topf	Turm	Wurm		

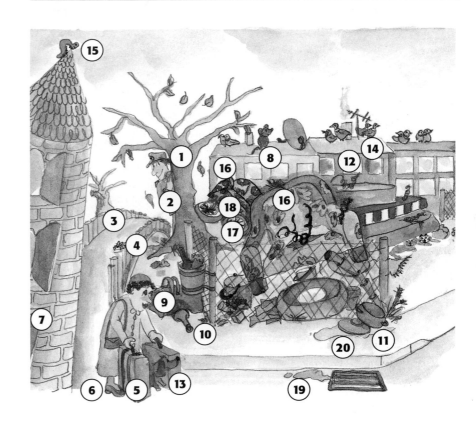

zu LB Ü 2 **Ergänzen Sie.**

2

a) *Der* Topf liegt *auf* *dem* Deckel.

b) _____ Deckel liegt __ __ _____ Topf.

c) _____ Flasche liegt _____ _____ Tasche.

d) __ _ Tasche steht _____ _____ Flasche.

e) _____ Mofa liegt _____ _____ Sofa.

f) _____ Polizist steht _____ _____ Baum.

g) _____ Baum steht _____ _____ Polizist.

h) _____ Koffer stehen _____ _____ Frau.

i) _____ Frau steht _____ _____ Koffern.

j) _____ Turm steht _____ _____ Brücke.

k) _____ Wurm sitzt _____ _____ Turm.

l) _____ Maus sitzt _____ _____ Haus.

m) _____ Hund steht _____ _____ Koffern.

n) _____ Tauben sitzen __ __ _____ Häusern.

o) _____ Mücke sitzt _____ _____ Brücke.

p) _____ Brücke steht _____ _____ Bäumen.

q) _____ Frau steht _____ _____ Turm.

der	die	das	dem	den
auf	unter	vor	hinter	
neben	zwischen			

zu LB Ü 2 __Ergänzen Sie: der, die, das, dem oder den.

3

a) Auf _dem_ Kamel sitzt _der_ Hund.

b) Auf _____ Hund sitzt _____ Katze.

c) Auf _____ Katze sitzt _____ Maus.

d) Auf _____ Maus sitzt _____ Taube.

e) Auf _____ Taube sitzt _____ Mücke.

f) Auf _____ Tisch steht _____ Tasche.

g) Auf _____ Tasche liegt _____ Kamera.

h) Auf _____ Kamera liegt _____ Wörterbuch.

i) Auf _____ Wörterbuch liegt _____ Mobiltelefon.

j) Auf _____ Mobiltelefon liegt _____ Spiegel.

k) Auf _____ Spiegel liegt _____ Uhr.

l) Auf _____ Uhr liegen _____ Briefe.

m) Auf _____ Briefen liegt _____ Ansichtskarte.

zu LB Ü 2 __Ergänzen Sie.

4

a) Drei Touristen sitzen auf zwei _Stühlen._ (Stuhl)

b) Vier Mädchen sitzen auf drei _____. (Sofa)

c) Fünf Jungen liegen auf vier _____. (Bett)

d) Sechs Teller stehen auf fünf _____. (Tisch)

e) Sieben Löffel liegen neben sechs _____. (Teller)

f) Acht Gabeln liegen neben sieben _____. (Messer)

g) Neun Töpfe stehen auf acht _____. (Herd)

h) Zehn Deckel liegen auf neun _____. (Schrank)

i) Elf Fotografen stehen auf zehn _____. (Teppich)

j) Zwölf Frauen stehen vor elf _____. (Spiegel)

k) Dreizehn Mücken sitzen auf zwölf _____. (Regal)

l) Vierzehn Rasierapparate liegen neben dreizehn _____. (Fotoapparat)

m) Fünfzehn Computer stehen neben vierzehn _____. (Fernseher)

n) Sechzehn Mobiltelefone liegen neben fünfzehn _____. (Radio)

o) Siebzehn Wörterbücher stehen neben sechzehn _____. (Telefonbuch)

p) Achtzehn Briefmarken liegen neben siebzehn _____. (Brief)

q) Neunzehn Hüte liegen neben achtzehn _____. (Mantel)

r) Zwanzig Schuhe liegen zwischen neunzehn _____. (Abendkleid)

s) Einundzwanzig Fahrräder stehen neben zwanzig _____. (Motorrad)

t) Tausend Notizen stehen auf neunhundertneunundneunzig _____. (Notizzettel)

zu LB Ü 2　Ergänzen Sie die Artikel.

5

a) Frau Stern steht vor **dem** Herd. Sie will **den** Herd putzen. **Der** Herd ist nicht sauber.

b) Herr Noll will _____ Buch lesen. _____ Buch ist spannend. Die Katze sitzt auf _____ Buch.

c) Frau Nolte steht vor _____ Tür. _____ Tür ist zu. Sie will _____ Tür aufmachen.

d) Die Lehrerin sitzt auf _____ Tisch. Der Junge zeichnet die Lehrerin und _____ Tisch. _____ Tisch ist neu.

e) Frau Schmitt sucht _____ Fahrkarte. _____ Fahrkarte ist weg. Die Krawatte liegt auf _____ Fahrkarte.

f) Die Kinder stehen neben _____ Hund. Sie möchten _____ Hund waschen. _____ Hund ist noch jung.

g) Die Touristen stehen hinter _____ Turm. Sie wollen _____ Turm fotografieren. _____ Turm ist hoch.

h) Linda ist auf _____ Segelboot. Sie will _____ Boot putzen. _____ Boot ist klein.

zu LB Ü 4　Ergänzen Sie: wer, wen, was, wohin.

6

a) **Die Mutter** setzt den Sohn auf den Stuhl.   **Wer** setzt den Sohn auf den Stuhl?

Die Mutter setzt **den Sohn** auf den Stuhl.   **Wen** setzt die Mutter auf den Stuhl?

Die Mutter setzt den Sohn **auf den Stuhl.**   **Wohin** setzt die Mutter den Sohn?

b) **Der Kellner** legt den Löffel neben den Teller.   _____ legt den Löffel neben den Teller?

Der Kellner legt **den Löffel** neben den Teller.   _____ legt der Kellner neben den Teller?

Der Kellner legt den Löffel **neben den Teller.**   _____ legt der Kellner den Löffel?

c) Der Vater setzt **den Sohn** auf den Tisch.   _____ setzt der Vater auf den Tisch?

Der Vater setzt den Sohn auf den Tisch.   _____ setzt den Sohn auf den Tisch?

Der Vater setzt den Sohn **auf den Tisch.**   _____ setzt der Vater den Sohn?

d) Der Tischler legt den Nagel **neben den Hammer.**   _____ legt der Tischler den Nagel?

Der Tischler legt **den Nagel** neben den Hammer.   _____ legt der Tischler neben den Hammer?

Der Tischler legt den Nagel neben den Hammer.   _____ legt den Nagel neben den Hammer?

e) Die Sekretärin stellt **die Blumen** neben den Computer.   _____ stellt die Sekretärin neben den Computer?

Die Sekretärin stellt die Blumen neben den Computer.   _____ stellt die Blumen neben den Computer?

Die Sekretärin stellt die Blumen **neben den Computer.**   _____ stellt die Sekretärin die Blumen?

7

| stellt | steht | stellt | liegen | stellt | stehen | legt | steht | setzt | sitzt | liegen |

a) Frau Wagner **stellt** die Flaschen auf den Balkon.

b) Auf dem Balkon **st_____** der Saft.

c) Sie **st_____** Saft auf den Tisch.

d) Auf dem Geschirrspüler **st_____** der Topf.

e) Sie **st_____** den Topf auf den Herd.

f) Die Teller **st_____** schon auf dem Tisch.

g) Neben den Tellern **l_____** schon zwei Messer und zwei Gabeln.

h) Sie **l_____** die Löffel neben die Messer. Dann schneidet sie Tomaten.

i) Neben den Tomaten **l_____** Kartoffeln.

j) Die Tochter **s_____** auf dem Teppich und **s_____** den Hut auf den Kopf.

zu LB Ü 4 Ergänzen Sie

8

a) ● Die Regenschirme stehen nicht neben den Gummistiefeln.

   ■ Aber **die stelle ich doch immer neben die Gummistiefel.**

b) ● Der Hut liegt nicht auf dem Schrank.

   ■ Aber den lege ich doch immer _____.

c) ● Die Schuhe stehen nicht neben dem Sofa.

   ■ Aber die stelle ich doch immer _____.

d) ● Die Strümpfe liegen nicht neben den Hausschuhen.

   ■ Aber die _____.

e) ● Das Telefonbuch liegt nicht neben dem Telefon.

   ■ Aber das _____.

f) ● Meine Brille liegt nicht neben dem Fernseher.

   ■ Aber die _____.

g) ● Meine Gitarre steht nicht unter dem Regal.

   ■ Aber die _____.

h) ● Mein Geld liegt nicht unter der Matratze.

   ■ Aber das legst du doch immer _____.

zu LB Ü 5 Ordnen Sie die Sätze. (→ Lehrbuch S. 50)

9

Mit Tempo 100 fährt das Rettungsteam zum Krankenhaus zurück.

Dort liegt ein Personenwagen unter einem Container.

Die Sanitäter heben den Mann aus dem Rettungswagen und bringen ihn in die Notaufnahme.

Dann untersucht die Ärztin das Unfallopfer.

Zwei Feuerwehrmänner brechen die Tür auf.

Sie fahren zum Hamburger Hafen.

In der Notaufnahme klingelt das Telefon.

Die Sanitäter heben den Mann auf eine Trage und schieben sie in den Notarztwagen.

Die Notärztin und die Sanitäter rennen zum Notarztwagen.

a) _In der Notaufnahme ..._ _____ .

b) _____ .

c) _____ .

d) _____ .

e) _____ .

f) _____ .

g) _____ .

h) _____ .

i) _____ .

zu LB Ü 5 Wie viele Wörter erkennen Sie?

10

D	A	T	I	V	U	L	O	L	L	B	A	B	A	B
Z	G	Ü	N	X	Q	P	Z	T	O	R	P	E	R	E
M	B	R	Ü	C	K	E	O	L	A	U	N	R	Q	M
A	W	I	M	K	E	R	R	Ü	H	S	E	I	T	E
H	U	N	V	O	R	S	I	C	H	T	S	C	Z	S
A	Z	P	I	V	R	O	S	N	A	M	Z	H	E	N
K	R	A	N	K	E	N	H	A	U	S	R	T	O	D
E	G	U	R	B	Ä	E	K	O	S	Z	Y	N	P	I
N	O	T	A	U	F	N	A	H	M	E	N	I	F	B
D	A	O	N	Ö	L	W	S	A	Q	I	R	U	E	Ü
J	O	B	E	B	R	A	G	F	A	H	R	E	R	R
A	B	A	C	A	N	G	H	E	N	U	N	T	E	O
W	E	H	M	U	G	E	I	N	G	A	N	G	U	F
H	A	N	D	M	I	N	Z	E	T	R	A	U	L	U
U	L	D	E	N	E	M	S	C	H	M	E	R	Z	C

zu LB Ü 5 Was passt wo?

11

laufen   setzen   sagen   heben   ~~stellen~~   springen   schimpfen   tanzen   sprechen   fragen
schieben   rennen

legen   **gehen**   **rufen**

stellen _____   _____   _____

_____   _____   _____

_____   _____   _____

_____

zu LB Ü 5 Was passt wo?

12

der Verkehr   die Hand   das Krankenhaus   die Brust   der Krankenpfleger   der Kopf
die Haut   die Brücke   die Ärztin   die Straße   die Krankenschwester   das Gesicht

die Autobahn   **der Arm**   **die Notaufnahme**

_____   _____   _____

_____   _____   _____

_____   _____   _____

_____

zu LB Ü 7 Ergänzen Sie.

13

Wo?   Wohin?   Woher?   die – der – den – das – dem

a) _____ steht der Notarztwagen?   Vor _____ Eingang.

b) _____ sitzt der Krankenpfleger?   Neben _____ Ärztin.

c) _____ kommt die Ärztin?   Aus _____ Notaufnahme.

d) _____ fährt der Rettungswagen?   In _____ Hafen.

e) _____ ist der Unfall?   Bei _____ Kran.

f) _____ liegt der Personenwagen?   Unter _____ Container.

g) _____ kommen die Sanitäter?   Aus _____ Rettungswagen.

h) _____ liegt der Mann?   Auf _____ Trage.

i) _____ bringen die Sanitäter das Opfer?   In _____ Krankenhaus.

j) _____ blutet der Mann?   An _____ Händen.

k) _____ geht die Ärztin?   In _____ Notaufnahme.

zu LB Ü 7 **Schreiben Sie die Buchstaben in die Zeichnung.**

14

a) Das Flugzeug fliegt über die Bäume.
b) Peter liegt unter dem Baum.
c) Peter steht neben dem Baum.
d) Peter sitzt im Baum.
e) Peter steht vor dem Baum.
f) Peter sitzt auf dem Baum.
g) Peter steht am Baum.
h) Peter steht zwischen den Bäumen.
i) Peter steht hinter dem Baum.

zu LB Ü 7 **Bewegung (B) oder Ruhe (R)?**

15

a) Er geht nach Hause. *B*
b) Sie steht vor dem Spiegel. *R*
c) Er liegt auf dem Sofa. ■
d) Sie sitzt auf dem Stuhl. ■
e) Er läuft zum Wagen. ■
f) Sie stellt die Blumen auf den Tisch. ■
g) Er kommt aus der Küche. ■
h) Die Uhr hängt über der Tür. ■
i) Sie rennen zum Notarztwagen. ■

j) Der Wagen hält vor dem Tor. ■
k) Er bleibt im Bett. ■
l) Sie reist nach Italien. ■
m) Er setzt den Hut auf den Kopf. ■
n) Sie wirft den Ball ins Wasser. ■
o) Er ist auf dem Balkon. ■
p) Sie heben den Mann auf die Trage. ■
q) Sie schiebt die Leute zur Seite. ■

zu LB Ü 7 **Ergänzen Sie.**

16

	halten	*laufen*
ich		
du	hältst	
er/sie/es/man		läuft
wir		
ihr		
sie/Sie		

zu LB Ü 9 **Was passt zusammen?**

17

a) Sie bekommt eine Kreditkarte ■
b) Er bringt den Papagei ■
c) Der Stuhl steht ■
d) Sie hängt das Bild ■
e) Wir stellen die Blume ■
f) Der Papagei sitzt ■
g) Montags fährt er immer ■
h) Er nimmt das Bild ■
i) Sie steigt ganz nass ■
j) Er hängt den Mantel ■

1. von der Wand.
2. aus der Badewanne.
3. im Käfig.
4. in die Vase.
5. von der Bank.
6. zur Bank.
7. an die Wand.
8. in den Schrank.
9. neben dem Tisch.
10. in den Käfig.

zu LB Ü 9 Ergänzen Sie die Formen von **nehmen**.

18

a) Fahren wir mit dem Bus oder _____ wir ein Taxi?

b) Herbert _____ die Kreditkarte aus der Handtasche.

c) Der Fahrkartenautomat _____ keine Münzen.

d) Wir müssen ein paar Dinge in den Keller bringen; ich _____ die Leiter und du _____ den Stuhl.

e) Darf ich den Papagei aus dem Käfig _____?

f) _____ Sie einen Kaffee oder Tee, Frau Schmidt?

g) Es sind etwa sechs Kilometer bis zum Zoo. Warum _____ ihr nicht den Bus?

h) Im Urlaub habe ich keine Probleme mit meinem Hund. Meine Mutter _____ ihn immer.

i) Ich _____ morgens immer Vitamine.

zu LB Ü 10 Ergänzen Sie.

19

a) | im – ins – in der – in die – in den |

Die Frau steigt _____ Taxi.

Sie sitzt _____ Taxi.

Der Fahrer soll _____ Luisenstraße fahren.

Sie sucht das Geld _____ Handtasche.

Sie kann nicht _____ Blumenladen gehen.

b) | an den – am – an der – ans – an die |

Der Taxifahrer soll _____ Blumenladen halten.

Er soll auch _____ Bank halten.

Werner soll das Bild _____ Wand hängen.

Die Gitarre stellt er _____ Sofa.

Er hängt seinen Mantel _____ Haken.

c) | zum – zu den – zur |

Der Fahrer fährt _____ Bank.

Dann soll er _____ Flughafen fahren.

Dann fährt er _____ Taxis am Bahnhof zurück.

d) | beim – bei den – bei der |

Die Ärztin steht _____ Unfallopfer.

Die Leute stehen _____ Ärztin.

Die Sanitäter stehen _____ Feuerwehrmännern.

e) | von den – von der – vom |

Der Notarztwagen fährt _____ Notaufnahme zum Unfallort.

Der Notarztwagen fährt _____ Unfallort zum Krankenhaus.

Die Notarztwagen fahren immer _____ Unfallorten zu den Krankenhäusern.

zu LB Ü 11 Bilden Sie Sätze mit **durch.**

20

a) Mann/gehen/Eingang

   Der Mann geht durch den Eingang.

b) Hund/rennen/Pfütze

   _____

c) Krankenwagen/fahren/Tor

   _____

d) Kinder/ laufen/Wald

   _____

e) Einbrecher/kommen/Keller

   _____

f) Lehrerin/schauen/Brille

   _____

g) Katze/springen/Fenster

   _____

zu LB Ü 11 Ergänzen Sie **für, gegen** oder **ohne.**

21

a) Er fährt mit Tempo 30 _____ einen Baum.

b) Sie hat kein Geld _____ den Taxifahrer.

c) Er hat keine Zeit _____ ein Gespräch.

d) Er geht nie _____ seinen Hund in den Wald.

e) Er wirft den Ball _____ die Wand.

f) Sie geht nie _____ ein Buch ins Bett.

g) Die Ärztin kann _____ ihren Beruf nicht leben.

h) Sie sieht schlecht und läuft deshalb manchmal _____ eine Laterne.

i) Im Keller ist kein Platz _____ den Tisch.

j) Sie kauft Blumen _____ ihre Mutter.

k) Der Maler stellt die Leiter _____ den Balkon.

l) Man sieht ihn nie _____ seine Gitarre.

zu LB Ü 12 Schreiben Sie die Sätze unter die Bilder.

22

a) _____   b) _____   c) _____   d) _____

e) _____   f) _____   g) _____   h) _____

> Die Puppe sitzt.   Die Puppe liegt.   Der Hund sitzt.   Der Hund liegt.   Die Puppe hängt.
> Die Puppe steht.   Der Hund hängt.   Der Hund steht.

zu LB Ü 12 Ergänzen Sie.

23

	setzen	sitzen	stellen	stehen	legen	liegen
ich	setze					
du		sitzt				
er/sie/es/man			stellt			
wir				stehen		
ihr					legt	
sie/Sie						liegen

zu LB Ü 13 Ergänzen Sie m, n oder r.

24

a) Vor eine__ Telefonzelle steht eine Touristin.

b) Links hat sie eine__ Koffer und eine__ Hut in der Hand.

c) Rechts trägt sie ihre__ Mantel und ihre___ Hund auf de__ Arm.

d) Sie stellt erst ihre__ Koffer neben die Telefonzelle.

e) Dann stellt sie ihre__ Hund auf ihre__ Koffer und setzt ihre__ Hut auf ihre__ Kopf.

f) Dann legt sie ihre__ Mantel auf de__ Koffer.

g) In ihre__ Mantel findet sie ihre Telefonkarte.

h) Sie geht mit ihre__ Telefonkarte in die Telefonzelle.

i) Leider funktioniert das Telefon nicht, aber jetzt sieht sie vor eine__ Bäckerei ein Mädchen mit eine__ Mobiltelefon.

j) Sie geht zu de__ Mädchen und fragt: „Darf ich vielleicht mit Ihre__ Mobiltelefon telefonieren?"

zu LB Ü 15 Wie heißen die Nomen?

25

a) die Telefon_____

b) der Bahn_____

c) das Rat_____

d) die Arzt_____

e) das Schwimm_____

f) die Bade_____

g) der Brief_____

h) das Kinder_____

i) der Tennis_____

j) der Taxi_____

praxis	stand
bad	platz
haus	zelle
träger	hof
wanne	zimmer

zu LB Ü 15 Schreiben Sie.

26

a) 1. Straße ⇒ *Die erste Straße rechts.*

b) 3. Haus ⇐ *Das dritte _____ links.*

c) 2. Weg ⇒ _____.

d) 1. Haus ⇒ _____.

e) 4. Straße ⇐ _____.

f) 6. Weg ⇒ _____.

g) 3. Straße ⇒ _____.

h) 7. Haus ⇐ _____.

zu LB Ü 15 Schreiben Sie.

27

geradeaus	links	die zweite Straße	bis zur Bushaltestelle
geradeaus	links	die zweite Straße	nach der Bushaltestelle
rechts	links	die dritte Straße	nach der Kirche
rechts	links	die Blumenstraße	
rechts	die erste Straße	die zweite Straßc	
rechts	die erstc Straße		

a) ● Wie komme ich zur Post?

■ Gehen Sie hier _____ und dann

_____. Nehmen Sie dann _____

_____. Noch ein Stück _____.

Dann sehen Sie _____ die Post.

b) ● Verzeihung, wie komme ich zur Blumenstraße?

■ Das ist einfach. Gehen Sic _____.

_____ nehmen Sie _____

_____.

Und dann _____ _____.

Das ist _____.

c) ● Guten Tag. Gibt es hier eine Apotheke?

■ Kein Problem. Da gehen Sie hier _____

_____. _____ nehmen Sie

_____ _____.

Da sehen Sie _____ eine Apotheke.

zu LB Ü 18 Ergänzen Sie die Formen der Verben.

28

> ~~fahren~~   nehmen   aussteigen   sein   umsteigen   brauchen

a) Am Montag um acht Uhr **fährt** Herr Wagner zur Arbeit.

b) Zuerst _____ er die Straßenbahn bis zur Haltestelle Marktplatz.

c) Von da _____ er etwa zehn Minuten bis zum Goetheplatz.

d) Dort muss er von der Straßenbahn in die U–Bahn _____.

e) An der Haltestelle Blumenweg _____ er _____.

f) Und dann _____ er schon da.

> ~~haben~~   fahren   sein   abbiegen   aussteigen   ankommen   gehen

g) Frau Wagner **hat** einen Termin beim Arzt.

h) Sie _____ mit dem Zug.

i) Um 9 Uhr _____ sie am Hauptbahnhof _____.

j) Dort _____ sie _____.

k) Sie _____ zu Fuß.

l) Nach dem Bahnhofsplatz _____ sie nach links in die Königsstraße _____.

m) Bis zur Arztpraxis _____ es dann nur noch ein paar Minuten.

> ~~fahren~~   steigen   halten   aussteigen   vorbeigehen   ankommen

n) Die Kinder **fahren** am Mittwoch mit dem Bus zum Schwimmbad.

o) Um 3 Uhr _____ sie in den Bus.

p) An der Haltestelle Delfinstraße müssen sie _____.

q) Der Bus _____ hundert Meter nach der Brücke.

r) Sie _____ am Tennisplatz _____.

s) Nach fünf Minuten _____ sie am Schwimmbad _____.

zu LB Ü 18 Ergänzen Sie.

29

a) Herr Fischer geht von _____ Haltestelle nach Hause.

b) Erst geht er an _____ Post vorbei.

c) Dann biegt er nach _____ Brücke links ab.

d) Jetzt ist er in _____ Kantstraße.

e) Da ist sein Haus. Seine Wohnung ist neben _____ Apotheke.

f) Frau Maier geht aus _____ Haus. Sie will zur Haltestelle.

> den
> dem
> die
> der
> den

g) Erst geht sie geradeaus bis zu _____ Tennisplätzen.

h) An _____ Kreuzung geht sie über _____ Straße.

i) Dann nimmt sie _____ erste Straße links.

j) Da ist die Haltestelle, direkt vor _____ Blumengeschäft.

zu LB Ü 18 Ergänzen Sie.

30

> Brille → Haare → Arm → Hand → Flasche → Regenschirm → Klavier → Jacke → Mantel
> Handtasche → Kiste → Koffer → Lampe → Fenster → Flughafen.

Eine Mücke sitzt auf einer Brille.

a) Die Mücke fliegt **von der Brille** auf **die Haare.**

b) Dann fliegt sie **von den Haaren** auf ___ _____.

c) Dann fliegt sie vo__ **Arm** auf ___ _____.

d) Dann fliegt sie von ___ _____ auf ___ _____.

e) Dann fliegt sie von ___ _____ auf ___ _____.

f) Dann fliegt sie vo__ _____ auf ___ _____.

g) Dann fliegt sie vo__ _____ auf ___ _____.

h) Dann fliegt sie vo _ _____ auf ___ _____.

i) Dann fliegt sie vo__ _____ auf ___ _____.

j) Dann fliegt sie von ___ _____ auf ___ _____.

k) Dann fliegt sie von ___ _____ auf ___ _____.

l) Dann fliegt sie vo__ _____ auf ___ _____.

m) Dann fliegt sie von ___ _____ auf ___ _____.

n) Dann fliegt sie vo__ _____ zu__ Flughafen.

Wörter im Satz

31

	Ihre Muttersprache	Schreiben Sie einen Satz aus Delfin, Lehrbuch.
____ Ampel	_____	_____
____ Badewanne	_____	_____
____ Brücke	_____	_____
____ Brust	_____	_____
____ Fahrer	_____	_____
____ Flughafen	_____	_____
____ Kopf	_____	_____
____ Krankenhaus	_____	_____
____ Notaufnahme	_____	_____
____ Parkplatz	_____	_____
____ Reaktion	_____	_____
____ Tür	_____	_____
____ Wald	_____	_____
abbiegen	_____	_____
atmen	_____	_____
bekommen	_____	_____
feiern	_____	_____
halten	_____	_____
hängen	_____	_____
nehmen	_____	_____
schieben	_____	_____
setzen	_____	_____
sitzen	_____	_____
stellen	_____	_____
umsteigen	_____	_____
untersuchen	_____	_____
einige	_____	_____

geradeaus	_____		_____
hoffentlich	_____		_____
manchmal	_____		_____
niemand	_____		_____
vorbei	_____		_____

Grammatik

 Artikel und Nomen: Nominativ, Akkusativ, Dativ

32

	Nominativ	*Akkusativ*	*Dativ*
Maskulinum	**der** Turm	**den** Turm	**dem** Turm
Femininum		**die** Brücke	**der** Brücke
Neutrum		**das** Haus	**dem** Haus
Plural		**die** Häuser	**den** Häuser**n**
		die Autos	**den** Auto**s**

	Nominativ	*Akkusativ*	*Dativ*
Maskulinum	**ein** Turm	**einen** Turm	**einem** Turm
Femininum		**eine** Brücke	**einer** Brücke
Neutrum		**ein** Haus	**einem** Haus
Plural		Häuser	Häuser**n**
		Autos	Auto**s**

Ebenso:

keinem Turm	**meinem** Turm
keiner Brücke	**meiner** Brücke
keinem Haus	**meinem** Haus
keinen Häusern	**meinen** Häusern
keinen Autos	**meinen** Autos

 Präpositionen mit lokaler Bedeutung

33

vor   neben   an   hinter   von … nach

unter   in   auf   über   gegen

aus   zu   um   durch   zwischen

§ 29, 30 Präpositionen mit Dativ

34

aus	Sie kommt **aus dem** Haus.
bei	Der Unfall ist **bei dem** Kran.
beim = bei dem	Der Briefträger steht **beim** Buchhändler.
mit	Sie fährt **mit dem** Auto.
nach	**Nach dem** Anruf geht sie aus dem Haus.
von	Der Anruf kommt **von der** Zentrale.
vom = von dem	Er holt die Stühle **vom** Balkon.
zu	Die Ärztin geht **zu dem** Unfallopfer.
zum = zu dem	Sie fährt **zum** Krankenhaus.
zur = zu der	Herbert fährt **zur** Bank.
bis zu	Gehen Sie geradeaus **bis zum** Bahnhof

§ 29, 30 Präpositionen mit Akkusativ

35

durch	Er geht **durch den** Wald.
für	Die Wurst ist **für den** Hund
gegen	Er fährt **gegen den** Baum.
ohne	Er schläft **ohne den** Teddy.
um	Sie gehen **um das** Haus.

§ 29,30,31 Präpositionen mit Akkusativ oder Dativ

36

	Akkusativ *Richtung* *Bewegung* *Wohin?* ⇨⇨◎	*Dativ* *Position* *Ruhe* *Wo?* ◎
in	Sie setzt das Kind **in die** Badewanne.	Das Kind sitzt **in der** Badewanne.
ins = in das im = in dem	Sie legt das Kind **ins** Bett.	Das Kind liegt **im** Bett.
an	Er hängt das Bild **an die** Wand.	Das Bild hängt **an der** Wand.
ans = an das am = an dem	Er stellt die Leiter **ans** Regal.	Die Leiter steht **am** Regal.
auf	Sie stellt die Blumen **auf den** Tisch.	Die Blumen stehen **auf dem** Tisch.
über	Er hängt die Lampe **über den** Tisch.	Die Lampe hängt **über dem** Tisch.
unter	Sie legt die Gitarre **unter das** Regal.	Die Gitarre liegt **unter dem** Regal.
vor	Er stellt den Wagen **vor das** Haus.	Der Wagen steht **vor dem** Haus.
hinter	Er stellt das Fahrrad **hinter das** Haus.	Das Fahrrad steht **hinter dem** Haus.
neben	Sie legt die Jacke **neben den** Mantel.	Die Jacke liegt **neben dem** Mantel.
zwischen	Er hängt die Uhr **zwischen die** Bilder.	Die Uhr hängt **zwischen den** Bildern.

§ 33, 44 Verben mit Vokalwechsel

37

	e → i		a → ä		au → äu	
	werfen	**nehmen**	**halten**		**laufen**	
ich	werfe	nehme	halte		laufe	
du	wirfst	nimmst		hältst		läufst
er/sie/es/man	wirft	nimmt		hält		läuft
wir	werfen	nehmen	halten		laufen	
ihr	werft	nehmt	haltet		lauft	
sie/Sie	werfen	nehmen	halten		laufen	

§ 47 Verben mit trennbarem Verbzusatz

38

	abbiegen
ich	biege **ab**
du	biegst **ab**
er/sie/es/man	biegt **ab**
wir	biegen **ab**
ihr	biegt **ab**
sie/Sie	biegen **ab**

Ebenso:

ab·stellen	**um**·steigen
an·kommen	**weg**·rennen
auf·brechen	**weiter**·fahren
aus·steigen	**weiter**·gehen
frei·machen	**zurück**·fahren

§ 51 e Verben mit Situativergänzung

39

		Position/Ruhe Wo? ◎
bleiben	Emil bleibt heute	**im Bett.**
halten	Der Wagen hält	**am Tor.**
hängen	Das Bild hängt	**an der Wand.**
liegen	Das Buch liegt	**auf dem Tisch.**
sitzen	Susanne sitzt	**auf dem Stuhl.**
stehen	Der Wagen steht	**vor dem Haus.**

§ 51 f Verben mit Direktivergänzung

40

		Richtung/Bewegung Wohin? ⇨ ⇨ ◎
fahren	Peter fährt	**nach Berlin.**
gehen	Werner geht	**zur Bank.**
kommen	Helga kommt	**nach Hause.**
laufen	Die Sanitäter laufen	**zum Wagen.**
reisen	Herr M. reist	**nach Spanien.**
rennen	Die Ärztin rennt	**ins Krankenhaus.**
springen	Lisa springt	**ins Wasser.**
steigen	Die Frau steigt	**in ein Taxi.**

§ 51 g____Verben mit Herkunftsergänzung

41

		Richtung/Bewegung ◎ ⇨ ⇨ *Woher?*
kommen	Er kommt	**aus Österreich.**
	Der Anruf kommt	**von der Zentrale.**
sein	Sie ist	**aus München.**
springen	Sie springt	**aus dem Wagen.**
steigen	Sie steigt	**aus dem Taxi.**

§ 51 h____Verben mit Akkusativergänzung und Direktivergänzung

42

		Akkusativergänzung *Was?*	*Direktivergänzung* *Wohin?* ⇨ ⇨ ◎
bringen	Sie bringt	**das Kind**	**ins Bett.**
hängen	Er hängt	**das Bild**	**an die Wand.**
heben	Sie heben	**den Mann**	**auf die Trage.**
legen	Sie legt	**den Löffel**	**auf den Tisch.**
schieben	Sie schiebt	**die Leute**	**zur Seite.**
setzen	Er setzt	**den Hut**	**auf den Kopf.**
stellen	Er stellt	**die Blumen**	**in die Vase.**
werfen	Sie wirft	**den Ball**	**auf den Balkon.**

§ 51 i____Verben mit Akkusativergänzung und Herkunftsergänzung

43

		Akkusativergänzung *Was?*	*Provenienzergänzung* ◎ ⇨ ⇨ *Woher?*
heben	Sie heben	**das Unfallopfer**	**aus dem Wagen.**
holen	Er holt	**den Wein**	**aus dem Keller.**
nehmen	Sie nimmt	**die Flasche**	**aus dem Kühlschrank.**
reißen	Sie reißen	**ihre Jacken**	**vom Haken.**

§ 22____Ordinalzahlen

44

eins:	der **erste** Weg	zwanzig:	der zwanzig**ste** Brief
zwei:	die zwei**te** Straße	dreißig:	die dreißig**ste** Flasche
drei:	das **dritte** Haus	hundert:	das hundert**ste** Auto
vier:	die vier**te** Kreuzung	tausend:	der tausend**ste** Stuhl
fünf:	die fün**fte** Ampel	...	...
sechs:	der sechs**te** Weg		
sieben:	das **siebte** Schild		
acht:	das ach**te** Haus		
...	...		

Wortschatz

Nomen

e Abfahrt, –en
e Ampel, –n
e Antwort, –en
e Apotheke, –n
r Arm, –e
r Artikel, –
e Arztpraxis, Arztpraxen
e Atemmaske, –n
r August
e Autobahn, –en
r Autofahrer, –
e Autonummer, –n
e Bäckerei, –en
e Badewanne, –n
s Bahnhofscafé, –s
r Balkon, –s
e Bank, ⏑e
e Bank, –en
r Bauernhof, ⏑e
r Baum, ⏑e
r Bericht, –e
s Blaulicht, –er
r Blumenladen, ⏑
r Briefträger, –
e Brücke, –n
e Brust, ⏑e
r Buchhändler, –
e Bundesstraße, –n
e Bushaltestelle, –n
r Camper, –
s Clubhaus, ⏑er
s Computergeschäft, –e
r Container, –
r Dativ, –e
r Dienst, –e
e Dusche, –n
r Einbrecher, –
r Eingang, ⏑e
e Einladung, –en
r Einsatz, ⏑e
e Elbe
r Fahrer, –
e Fahrt, –en

r Feuerwehrmann, ⏑er
r Fisch, –e
r Flughafen, ⏑
r Fuß, ⏑e
r Gast, ⏑e
e Geburtstagsfeier, –n
r Goetheplatz, ⏑e → Platz
r Golf
r Golffahrer, –
r Hafen, ⏑
s Hafenkrankenhaus, ⏑er
r Haken, –
e Haltestelle, –n
e Hand, ⏑e
e Handtasche, –n
r Hauptbahnhof, ⏑e
e Haut
r Igel, –
e Jacke, –n
r Job, –s
r Kaffee
r Käfig, –e
e Karte, –n
r Käse
r Keller, –
r Kellner, –
r Kilometer, –
s Kinderzimmer, –
e Kirche, –n
r Kopf, ⏑e
r Kran, ⏑e
s Krankenhaus, ⏑er
r Krankenpfleger, –
e Kreuzung, –en
r Küchentisch, –e
e Kurve, –n
e Laterne, –n
r Lebensretter, –
r Leiter, –
e Leiter, –n
e Linie, –n
r Maler, –
s Mofa, –s
e Mücke, –n
r Museumsplatz, ⏑e
e Mütze, –n
e Notärztin, –nen
r Notarztwagen, –

e Notaufnahme, –n
s Opfer, –
r Parkplatz, ⏑e
r Personenwagen, –
r Pfarrer, –
s Pferd, –e
r Pfleger, –
e Pfütze, –n
r Platz, ⏑e
r Polizist, –en
e Präposition, –en
e Puppe, –n
s Rathaus, ⏑er
e Reaktion, –en
r Regen
r Rettungsdienst, –e
s Rettungsteam, –s
r Rettungswagen, –
e Richtung, –en
r Rippenbruch, ⏑e
r Sanitäter, –
r Sauerstoff
s Schild, –er
r Schmerz, –en
r Schock, –s
r Schrank, ⏑e
s Schwimmbad, ⏑er
e Seite, –n
e Sirene, –n
s Sofa, –s
e Stadtbahn, –en
r Stall, ⏑e
e Station, –en
s Stück, –e
e Tankstelle, –n
e Taube, –n
r Taxifahrer, –
r Taxistand, ⏑e
r Teddy, –s
r Telefonanruf, –e
e Telefonzelle, –n
r Teller, –
s Tempo
r Tennisplatz, ⏑e
r Tod, –e
e Toilette, –n
s Tor, –e
e Trage, –n

e Tür, –en
r Turm, ⸚e
s Unfallopfer, –
r Unfallort, –e
e Uniform, –en
e Ursache, –n
s Verb, –en
r Verkehr
e Vorsicht
r Wald, ⸚er
r Wanderweg, –e
r Weg, –e
e Wegbeschreibung, –en
r Wurm, ⸚er
e Wurst, ⸚e
e Zentrale, –n
s Zentrum, Zentren

Verben

ab·biegen
ab·stellen
an sein
an·kommen
atmen
auf sein
auf·brechen
aus·steigen
bekommen
beschreiben
bluten
bringen
drücken
entscheiden
feiern
frei·machen
geben
halten
hängen (+ Situativerg.)
hängen (+ Akk.-Erg. +
     Direktiverg.)
heben
holen
klingeln
kontrollieren
laufen
legen
liegen

nehmen
passieren
reißen
rennen
rufen
schieben
schimpfen
setzen
sitzen
stehen
steigen
stellen
stöhnen
um·steigen
untersuchen
weg·rennen
weiter·fahren
weiter·gehen
werfen
zeigen
zurück·fahren

Adjektive

einfach
hart
konzentriert
kurz
schwach

Adverbien

bereits
diesmal
echt
geradeaus
hinten
hoffentlich
manchmal
nicht immer
noch einmal
noch nichts
nur noch
später
ungefähr
vorbei
vorne

Funktionswörter

ans
bis zu
durch
gegen
hinter
ins
neben
über
unter
vom
vor
zwischen

beide
denn
einige
meiner
nächste
niemand
Wo?
Wohin?
Woher?

der erste
der zweite
der dritte
der vierte
der fünfte …
der nächste

Ausdrücke

Und los!
Tür zu!
Geschafft!
Vorsicht!
Keine Ursache!

Wie komme ich zu …?
die Straße geradeaus gehen
die erste Straße rechts nehmen
an … vorbei gehen
Aus welcher Richtung …?
da hinten

keine Reaktion zeigen
die Tür ist auf
zur Seite schieben
unter die Haut gehen
zu spät kommen
zu wenig

zu Fuß
zu Ende
um 8.59 Uhr = um acht Uhr
   neunundfünfzig
um 20.59 Uhr = um zwanzig
   Uhr neunundfünfzig

Abkürzungen

Dr. = Doktor

In Deutschland sagt man:

e Arztpraxis, Arztpraxen
r Briefträger, –
r Fahrer, –
e Haltestelle, –n
s Krankenhaus, ̈er
e Telefonzelle, –n
klingeln
laufen

In Österreich sagt man auch:

e Ordination, –en

e Station, –en
s Spital, ̈er

läuten
rennen

In der Schweiz sagt man auch:

r Pöstler, –
r Chauffeur, –e
e Station, –en
s Spital, ̈er
e Telefonkabine, –en
läuten

Lektion 6

zu LB Ü 1 __Ergänzen Sie.

1

Infinitiv	Präsens	Perfekt
duschen	er duscht	er hat geduscht
_____	er wirft	er hat geworfen
_____	_____	er hat getrunken
_____	er schießt	_____
_____	er weint	_____
_____	_____	er hat aufgeräumt
lesen	_____	_____
_____	er wäscht	_____
anstreichen	_____	_____

zu LB Ü 1 __Ergänzen Sie das Perfekt.

2

hat gewaschen	hat gelacht	hat geputzt	hat aufgeräumt
hat eingeschaltet	~~hat gelesen~~	hat gegessen	~~hat gekocht~~
hat angerufen	hat gepackt	hat gehört	hat geschrieben
hat getrunken	hat geweint	hat geworfen	hat angestrichen
hat ausgemacht	hat gezeichnet		

a) Sie kocht eine Suppe.　　_Sie hat eine Suppe gekocht._

　Er lacht.　　_____

　Sie weint.　　_____

　Sie hört Musik.　　_____

　Er packt den Koffer.　　_____

　Sie putzt die Schuhe.　　_____

　Er zeichnet ein Gesicht.　　_____

　Sie macht das Licht aus.　　_____

　Er räumt das Zimmer auf.　　_____

　Sie schaltet den Fernseher ein.　_____

b) Sie liest ein Buch.　　_Sie hat ein Buch gelesen._

　Er isst eine Pizza.　　_____

　Er ruft an.　　_____

Sie schreibt einen Brief. _____

Er trinkt Wasser. _____

Sie wirft den Ball. _____

Er wäscht das Kind. _____

Sie streicht die Wand an. _____

zu LB Ü 1   Schreiben Sie die Sätze.

3

abgesagt   abgeschlossen   ~~angestrichen~~   aufgemacht   aufgebrochen   aufgeräumt
abgestellt   angerufen   ausgemacht   angemacht

a) (anstreichen/die Wand)

Er streicht die Wand an.

Er soll die Wand anstreichen.

Er hat die Wand angestrichen.

b) (ausmachen/den Fernseher)

Er macht _____

Er soll _____

Er hat _____

c) (aufräumen/das Zimmer)

Sie räumt _____

Sie soll _____

Sie hat _____

d) (abschließen/ die Tür)

Sie schließt _____

Sie soll _____

Sie hat _____

e) (aufmachen/das Fenster)

Er macht _____

Er _____

Er _____

f) (anmachen/das Radio)

Sie macht _____

Sie _____

Sie _____

g) (absagen/den Termin)

Sie sagt _____

Sie _____

Sie _____

h) (anrufen/den Chef)

Er ruft _____

Er _____

Er _____

i) (aufbrechen/die Tür)

Er bricht _____

Er _____

Er _____

j) (abstellen/das Auto)

Sie stellt _____

Sie _____

Sie _____

zu LB Ü 1 Schreiben Sie die Antworten.

4

a) Weint er? – *Nein, aber er hat geweint.*

b) Lacht sie? – *Nein, aber sie hat* _____.

c) Duscht er? – _____

d) Spielt sie? – _____

e) Lernt sie? – _____

f) Arbeitet er? – _____

g) Putzt sie? – _____

h) Tanzt er? – _____

i) Rechnet sie? – _____

j) Packt er? – _____

zu LB Ü 1 Ergänzen Sie.

5

| wäscht | gelegen | schneidet | sitzt | geschlafen | gewaschen | geschrieben | trinkt | ~~gelesen~~ |
| geschnitten | ~~liest~~ | gegessen | schläft | getrunken | isst | schreibt | gesessen | liegt |

a) (lesen)   Er hat eine Zeitschrift **gelesen** _____ . Jetzt **liest** _____ er ein Buch.

b) (essen)   Sie hat eine Pizza _____ . Jetzt _____ sie einen Apfel.

c) (schreiben)   Er hat eine Karte _____ . Jetzt _____ er einen Brief.

d) (trinken)   Er hat Bier _____ . Jetzt _____ er Wasser.

e) (waschen)   Sie hat ihr Gesicht _____ . Jetzt _____ sie ihre Haare.

f) (liegen)   Sie hat im Bett _____ . Jetzt _____ sie auf dem Sofa.

g) (schneiden)   Er hat Kartoffeln _____ . Jetzt _____ er Zwiebeln.

h) (schlafen)   Er hat acht Stunden _____ . Jetzt _____ er schon wieder.

i) (sitzen)   Sie hat auf dem Balkon _____ . Jetzt _____ sie am Schreibtisch.

zu LB Ü 2 Ergänzen Sie: ist oder hat.

6

a) Er _____ nach Berlin gefahren.

b) Sie _____ ins Wasser gesprungen.

c) Er _____ eine Blume gemalt.

d) Er _____ zwei Stunden gewandert.

e) Sie _____ das Besteck gespült.

f) _____ sie schon nach Hause gekommen?

g) Der Zug _____ um sieben Uhr abgefahren.

h) Meine Mutter _____ nach London geflogen.

i) Er _____ das Auto nicht abgeschlossen.

j) Das Kind _____ um neun Uhr aufgewacht.

k) Er _____ seinen Vater zum Bahnhof gebracht.

zu LB Ü 2 Ergänzen Sie.

7

weinen	*er/sie weint* _____	*er/sie hat geweint* _____
lachen	_____	_____
arbeiten	_____	_____
aufräumen	_____	_____

lesen	_____	_____
werfen	_____	_____
schreiben	_____	_____
abschließen	_____	_____
fliegen	_____	_____
wandern	_____	_____

zu LB Ü 2 Ergänzen Sie.

8

ich	_habe_ _geduscht_		ich	_bin_ _gelaufen_
du	_hast_ _geduscht_		du	_bist_ _gelaufen_
er/sie/es	_hat_ _____		er/sie/es	_____ _____
wir	_____ _____		wir	_____ _____
ihr	_____ _____		ihr	_____ _____
sie/Sie	_____ _____		sie/Sie	_____ _____

zu LB Ü 3 Ordnen Sie die Sätze. (→ Lehrbuch S. 60)

9

- ■ a) Um sieben Uhr frühstückt Familie Renken zusammen.
- **1** b) Frühmorgens melken Herr und Frau Renken die Kühe.
- ■ c) Abends schläft Herr Renken fast immer vor dem Fernseher ein.
- ■ d) Um zwei Uhr sind die Töchter aus der Schule zurück.
- ■ e) Nach dem Frühstück macht Herr Renken den Stall sauber.
- ■ f) Abends melken Herr und Frau Renken meist bis sieben.
- ■ g) Um zwei Uhr essen die Renkens mit ihren Töchtern zu Mittag.
- ■ h) Nach der Stallarbeit repariert Herr Renken die Maschinen.
- ■ i) Nach dem Abendbrot macht Herr Renken oft noch Büroarbeit.
- ■ j) Nach dem Mittagessen schläft Herr Renken normalerweise eine Stunde.

zu LB Ü 3 Was passt nicht?

10

- a) den Hund – das Kind – ~~die Puppe~~ – die Zwillinge **wecken**
- b) den Kaffee – den Saft – die Tomaten – das Mineralwasser **trinken**
- c) das Baby – das Klavier – die Katze – den Fisch **füttern**
- d) den Teller – die Tasse – den Topf – den Deckel **füllen**
- e) das Schlafzimmer – das Kinderzimmer – den Schreibtisch – den Alltag **aufräumen**
- f) die Wand – das Wasser – die Tür – das Haus **anstreichen**
- g) das Buch – die Zeitung – den Brief – das Telefon **lesen**
- h) den Brief – den Freund – das Buch – die Notiz **schreiben**
- i) die Kinder – das Licht – das Radio – den Computer **ausmachen**
- j) die Wohnung – das Haus – die Tür – den Schuh **abschließen**

zu LB Ü 3 Finden Sie die Wörter.

11

BAUERJINXFRÜHSTÜCKMSTRUGARTENISMASCHINETRDLMPSCHULEQZAUNDOKUHLRBIENDE
JDSESSELAYCMTASSEKHUHNMVFRPSWÄSCHEAXÜBVCORDNUNGÄLHFTSCHALTERQZMVMITTAG
ESSENZTFLALLTAGÜOZNACHMITTAGVDREVORMITTAGDOUPÄMBVXGLÜCKÖÄARBEIT

1. *Bauer*

2. _____

3. _____

4. _____

5. _____

6. _____

7. _____

8. _____

9. _____

10. _____

11. _____

12. _____

13. _____

14. _____

15. _____

16. _____

17. _____

18. _____

19. _____

zu LB Ü 3 Ordnen Sie und ergänzen Sie.

12

Balkon	Apfel	Deckel	Bad	Topf	Karotte	Haare	Wohnung	Tasse	Haus	Gesicht
Hände	Teller	Büro	Arme	Wäsche	Geschirr	Geschäft	Küche	Abendkleid	Herd
Jacke	Messer	Schuhe	Gabeln	Löffel	Zähne	Besteck	Strümpfe

putzen

den Balkon

_____

_____

_____

_____

_____

_____

_____

_____

waschen

den Apfel

_____

_____

_____

_____

_____

_____

_____

_____

spülen

den/die Deckel

_____

_____

_____

_____

_____

_____

_____

_____

zu LB Ü 3 Ergänzen Sie.

13

um acht: aufstehen
bis halb neun: duschen
dann: die Katze füttern
danach eine halbe Stunde: frühstücken
nach dem Frühstück: die Zähne putzen

das Geschirr spülen
die Wäsche waschen
um zwölf: das Mittagessen kochen
um halb eins: zu Mittag essen
um eins: ins Büro fahren
von zwei bis sechs: am

Computer arbeiten
um sechs: nach Hause fahren
zuerst: das Abendbrot machen
dann: die Wohnung aufräumen
später: bügeln, tanzen und Musik hören
gegen elf: zu Bett gehen

a) Herr Maus **_ist um acht aufgestanden._**

b) Bis halb neun ____ er _____.

c) Dann _____ _____ die Katze _____.

d) Danach _____ er eine halbe Stunde _____.

e) Nach dem Frühstück _____ er _____ _____ _____, ____ _____ _____

   und ___ _____ _____ .

f) Um zwölf ____ _____ das Mittagessen _____.

g) Um halb eins ____ er ___ _____ _____ .

h) Um eins ____ ____ ____ ____ _____ _____.

i) Von zwei bis sechs ____ er _____ _____ _____.

j) Um sechs _____ er ___ _____ _____.

k) Zuerst _____ er _____ _____ _____.

l) Dann ____ er _____ _____ _____.

m) Später _____ er _____ , _____ und Musik _____.

n) Gegen elf ____ er ___ _____ _____.

zu LB Ü 3   Ergänzen Sie.

14

a) Gestern **_hatte_** ich viel Arbeit und wenig Zeit. Heute **_habe_** ich wenig Arbeit und viel Zeit.

b) Gestern **_war___** er noch ledig. Jetzt **_ist___** er verheiratet.

c) Früher _____ die Familie nur eine 3-Zimmer-Wohnung. Jetzt _____ sie viel Platz in ihrem Haus.

d) Gestern _____ die Autoschlüssel weg. Heute _____ die Motorradschlüssel nicht da.

e) Gestern _____ ihr nur eine halbe Stunde Pause. Deshalb _____ ihr heute schon um drei
   Feierabend.

f) 10 Jahre _____ ihr keine Kinder. Und jetzt _____ ihr Zwillinge!

g) Gestern _____ ich in Salzburg. Heute _____ ich in München.

h) Am Anfang _____ die Studenten keine Freunde. Jetzt _____ sie viele Freunde.

i) _____ ihr gestern in den USA? _____ ihr morgen auf den Bahamas?

j) Heute Morgen um acht _____ ihr müde. Jetzt ist es Mitternacht und ihr _____ noch wach.

k) Gestern _____ du deine Kamera, aber leider keinen Film. Heute _____ du viele Filme, aber deine
   Kamera funktioniert nicht.

zu LB Ü 4 Bilden Sie Sätze.

15

a) die Mutter: geputzt haben   *Sie hat geputzt.*

    am Vormittag   *Sie hat am Vormittag geputzt.*

    die Wohnung   *Sie hat am Vormittag die Wohnung geputzt.*

    zwei Stunden   *Sie hat am Vormittag zwei Stunden die Wohnung geputzt.*

b) der Vater: gekocht haben   *Er* _____

    am Sonntag   *Er* _____

    Suppe   *Er* _____

    zwei Stunden   *Er* _____

c) die Mutter: aufgeräumt haben _____

    nach dem Mittagessen _____

    die Küche _____

    eine Stunde _____

d) der Vater: gespült haben _____

    nach dem Mittagessen _____

    die Töpfe _____

    eine Stunde _____

e) die Großmutter: gebügelt haben _____

    nach dem Kaffee _____

    ihr Abendkleid _____

    eine halbe Stunde _____

f) der Großvater: gelesen haben _____

    am Sonntagnachmittag _____

    die Zeitung _____

    zwei Stunden _____

g) der Sohn: geschrieben haben _____

    Sonntagabend _____

    Briefe _____

    zwei Stunden _____

h) die Tochter: telefoniert haben   _____

   Sonntagabend   _____

   mit ihrer Freundin   _____

   drei Stunden   _____

zu LB Ü 4 Bilden Sie Fragen.

16

a) Ich habe einen Monat Deutsch gelernt. ***Wie lange hast du Deutsch gelernt***?

b) Ich habe vor einem Monat Deutsch gelernt. ***Wann hast du Deutsch gelernt***?

c) Ich war eine Woche in Berlin. _____ _____ _____ du ___ _____?

d) Ich war vor einer Woche in Berlin. _____ _____ du ___ _____?

e) Wir sind am Nachmittag spazieren gegangen. _____ _____ ihr _____ _____?

f) Wir sind einen Nachmittag spazieren gegangen. _____ ____ _____ ihr _____ _____ ?

g) Sie sind um sieben Uhr tanzen gegangen. _____ _____ sie _____ _____?

h) Sie haben sieben Stunden getanzt. _____ _____ _____ sie _____ ?

i) Am Montag haben sie geschlafen. _____ _____ sie _____?

j) Sie haben einen Tag geschlafen. _____ _____ _____ sie _____?

k) Er hat in der Nacht am Computer gearbeitet. _____ _____ er _____ _____ _____ ____?

l) Er hat eine Nacht am Computer gearbeitet. _____ ____ ____ er ____ _____ _____?

m) Sie haben vor einem Monat die Wand angestrichen. _____ _____ sie ___ _____ _____?

n) Sie haben einen Monat die Wand angestrichen. _____ _____ _____ sie ____ _____ _____?

o) Sie haben vor zwei Jahren Urlaub gemacht. ___ _____ _____ sie _____ _____?

p) Sie haben zwei Jahre Urlaub gemacht. _____ _____ ____ sie Urlaub _____?

zu LB Ü 4 Welcher Text passt? (✗) (→ Lehrbuch S. 60)

17

■ a) Die Renkens leben auf dem Bauernhof. Heute ist ihre Arbeit nicht mehr so anstrengend, denn sie haben eine Melkmaschine. Aber ihr Arbeitstag beginnt immer noch früh am Morgen. Der Sohn ist Student in Münster. Die Töchter gehen noch zur Schule. Also machen die Eltern die Arbeit alleine. Vormittags räumt Frau Renken die Wohnung auf, macht sauber und wäscht. Herr Renken geht vormittags in den Stall. Dann bringt er Maschinen in Ordnung und macht Feldarbeit. Abends sieht Herr Renken manchmal mit seiner Frau Fußball im Fernsehen. Danach arbeitet er oft noch am Computer. Dabei schläft er fast immer ein.

b) Die Renkens leben auf dem Bauernhof. Früher war ihr Alltag sehr anstrengend. Heute hilft die Melkmaschine. Aber sie müssen morgens immer noch früh aufstehen. Sie machen die Arbeit alleine, denn die Töchter gehen noch zur Schule und der Sohn studiert. Nach dem Frühstück füttert Frau Renken die Tiere. Am Vormittag putzt Frau Renken, räumt auf und wäscht, Herr Renken macht den Stall sauber. Dann repariert er Maschinen und arbeitet auf dem Feld. Am Abend bügelt Frau Renken oder näht. Ihr Mann macht oft noch Büroarbeit am Computer. Später sehen sie zusammen fern, aber dabei schläft Herr Renken fast immer ein.

c) Die Renkens leben auf dem Bauernhof. Heute müssen sie nicht mehr so schwer arbeiten, aber sie können morgens nie lange schlafen. Ihre Töchter gehen noch zur Schule, der Sohn studiert Jura in Münster. Die Eltern müssen die Arbeit alleine machen. Nach dem Frühstück macht Frau Renken Hausarbeit und wäscht. Herr Renken arbeitet am Vormittag im Stall, später auf dem Feld. Er repariert auch die Maschinen. Am Abend bügelt Frau Renken und macht oft noch Büroarbeit. Dann sitzen die Renkens vor dem Fernseher. Dabei schläft ihr Mann fast immer ein.

zu LB Ü 4 _Ordnen Sie.

18

| nie   selten   oft   ~~immer~~   manchmal | immer _____ _____ _____ _____ |

zu LB Ü 4 _Was passt zum Text? (→ Lehrbuch S. 60)

19

Morgens um Viertel nach vier	ist	Herr und Frau Renken	die Mädchen	aufgestanden.
Nach einer Tasse Kaffee	sind	Frau Renken	in den Stall	gegangen.
Um Viertel vor sieben	hat	Familie Renken	zusammen	eingeschlafen.
Um sieben Uhr morgens	haben	die Mädchen	den Bus	geweckt.
Um halb acht		die Renkens	die Wohnung	gefrühstückt.
Am Vormittag		Herr Renken und die	Tee	genommen.
Am Nachmittag		Mädchen	im Garten	gearbeitet.
Um vier Uhr		Herr Renken	die Hühner	getrunken.
Nach dem Tee			schon oft vor dem	aufgeräumt.
Um halb sechs			Fernseher	geholt.
Am Abend			die Kühe von der	gesucht.
			Weide	

a) *Morgens um Viertel nach vier sind Herr und Frau Renken aufgestanden.*

b) *Nach einer Tasse Kaffee* _____

c) _____

d) _____

e) _____

f) _____

g) _____

h) _____

i) _____

j) _____

k) _____

zu LB Ü 4 Ergänzen Sie.

20

	haben	sein
ich	hatte	war
du		
er/sie/es/man	hatte	
wir		
ihr		
sie/Sie		

zu LB Ü 4 Wie viel Uhr ist es? Ergänzen Sie.

21

a) **13:00** Es ist _dreizehn_____ Uhr.   Es ist _ein__ Uhr.   Es ist _eins_ .

b) **15:00** Es ist _____ Uhr.   Es ist _____ Uhr.   Es ist _____.

c) **17:00** Es ist _____ Uhr.   _____.   _____.

d) **19:00** Es ist _____ Uhr.   _____.   _____.

e) **21:00** Es ist _____ Uhr.   _____.   _____.

f) **23:00** Es ist _____ Uhr.   _____.   _____.

zu LB Ü 4 Wie spät ist es? Ergänzen Sie.

22

a) **6:15**   sechs Uhr _fünfzehn_____ / _Viertel nach_____ sechs.

b) **6:30**   sechs Uhr _____ / _halb sieben_.

c) **6:45**   sechs Uhr _____ / _Viertel vor sieben._

d) **7:15**   sieben Uhr _____ / _____ _____ sieben.

e) **7:30**   sieben Uhr _____ / _____ _____.

f) **7:45**   sieben Uhr _____ / _____ _____ _____.

g) **8:30**   acht Uhr _____ / _____ _____.

zu LB Ü 5 Uhrzeiten. Was passt zusammen?

23

a) Wann kommt Hans nach Hause? → (8.45 Uhr)

b) Wie spät ist es? → (15.20 Uhr)

c) Um wie viel Uhr fängt der Film an? → (20.30 Uhr)

d) Wie lange arbeitest du heute? → (20.30 Uhr)

e) Wann hast du gefrühstückt? → (8.20 Uhr)

f) Wie lange hast du heute Morgen geschlafen? → (6.45 Uhr)

g) Wie viel Uhr ist es? → (8.30 Uhr)

h) Wann soll ich die Kinder wecken? → (6.40 Uhr)

i) Um wie viel Uhr bist du ins Bett gegangen? → (23.45 Uhr)

■ 1. Es ist halb neun.

■ 2. Es ist zwanzig nach drei.

■ 3. Um Viertel vor zwölf.

■ 4. Um Viertel vor neun.

■ 5. Bis halb neun.

■ 6. Bis Viertel vor sieben.

■ 7. Um halb neun.

■ 8. Um zwanzig nach acht.

■ 9. Um zwanzig vor sieben.

zu LB Ü 5 Wie spät ist es? Ergänzen Sie.

a)	6:16	_sechs Uhr sechzehn_	_sechzehn Minuten nach sechs_
b)	7:17	_sieben Uhr_	_____ nach _____
c)	8:21	_acht Uhr_	_____ nach _____
d)	10:05	_zehn Uhr_	_____ nach _____
e)	11:14	_elf Uhr_	_____ nach _____
f)	15:08	_fünfzehn Uhr_	_____ nach drei _____
g)	17:24	_siebzehn Uhr_	_____ nach _____
h)	21:18	_einundzwanzig Uhr_	_____ nach _____
i)	11:50	_elf Uhr_	_zehn Minuten vor zwölf_
j)	6:55	_sechs Uhr_	_____ vor _____
k)	9:48	_neun Uhr_	_____ vor _____
l)	17:51	_siebzehn Uhr_	_____ vor _____
m)	22:58	_zweiundzwanzig Uhr_	_____ vor _____

zu LB Ü 6 Was passt zusammen?

25

a) Möchtest du weiterschlafen? ■   1. Nein, ich habe keinen Hunger.
b) Wann hat der Wecker geklingelt? ■   2. Kaffee, Wurst und Brötchen.
c) Willst du frühstücken? ■   3. Ja, ich möchte noch im Bett bleiben.
d) Wo ist denn der Hund? ■   4. Der Hund hat sie gefressen.
e) Soll ich zum Bäcker gehen? ■   5. Nein, wir haben noch Brötchen.
f) Was gibt es zum Frühstück? ■   6. Um sieben Uhr.
g) Warum haben wir keine Brötchen? ■   7. Er ist in der Küche.

zu LB Ü 6 Ergänzen Sie.

26

Stunde
Stunden
Uhr
Uhren

a) Wie viel _____ ist es?

b) Meine _____ ist leider kaputt.

c) In seinem Wohnzimmer hängen drei _____ .

d) Meine Tochter kommt in zwei _____ nach Hause.

e) Der Zug fährt um 18 _____; wir haben noch eine _____ Zeit.

f) Sie arbeitet täglich fünf _____ im Büro.

g) Meine _____ ist weg; hast du sie gesehen?

h) Ich war gestern zwei _____ im Schwimmbad.

i) Kannst du mit deiner _____ ins Wasser gehen?

j) Der Film dauert drei _____ .

k) Ich warte schon seit einer _____ !

27

> ist … geflogen   hat … gesagt   haben geschlafen   ist … aufgestanden   ist gekommen
> hat … geträumt   war   hat … getrunken   hat … aufgemacht   ist ausgestiegen

a) Der Mann ____ von einem Flugzeug _____.

b) Alle Passagiere ____ _____. Nur er ____ wach.

c) Eine Stewardess ____ _____, aber sie ____ nichts _____.

d) Der Mann ____ ein Glas Wasser _____.

e) Danach ____ er _____ und ____ die Tür _____.

f) Er ____ _____. Dann ____ er wie ein Vogel neben dem Flugzeug _____.

zu LB Ü 8 Schreiben Sie.

28

a) Er telefoniert im Büro. **_Er hat im Büro telefoniert._**

b) Er repariert den Fernseher. _____hat_____

c) Er rasiert drei Luftballons. _____hat_____

d) Sie buchstabiert den Nachnamen. _____hat_____

e) Sie notiert die Telefonnummer. _____hat_____

f) Er studiert in Berlin. _____hat_____

g) Was passiert hier? _____ist_____

h) Der Fernseher funktioniert nicht. _____ hat _____

i) Er trainiert immer morgens. _____ hat _____

zu LB Ü 8 Was ist richtig? ☒ (→ Lehrbuch S. 63, Nr. 8)

29

■ a) Britta und ihre Eltern frühstücken. Es gibt Eier, aber das Salz
steht nicht auf dem Tisch. Dann kommt Markus. Er war gestern
im Kino und hatte danach einen Unfall mit dem Auto. Deshalb
hat er eine Wunde am Auge. Seine Freundin Corinna ist auch
verletzt.

■ b) Markus hat das Frühstück gemacht und isst ein Ei. Er war gestern
in der Disco, aber er ist früh nach Hause gekommen. Der Abend
war langweilig, denn er hat seine Freundin Corinna nicht
getroffen. Deshalb hat er auch nicht getanzt. Seine Mutter findet
das traurig.

■ c) Markus kommt zu spät zum Frühstück. Er hat eine Wunde am
Auge. Das ist gestern Abend in der Disco passiert. Ein Typ hat
mit seiner Freundin getanzt und sie geküsst. Markus war
natürlich nicht einverstanden. Deshalb hat er „den Tarzan
gespielt". Und er hat gewonnen.

zu LB Ü 8 Was passt zusammen?

30

a) Willst du noch eine Tasse Tee? ■ 1. Tut mir leid, aber wir haben keins mehr.

b) Kann ich ein Ei haben? ■ 2. Ja, ich hatte noch keins.

c) Ist Markus zu Hause? ■ 3. Nein, er hat noch nichts gegessen.

d) Hat Markus gefrühstückt? ■ 4. Nein danke, ich möchte nichts mehr trinken.

e) Möchtest du ein Ei? ■ 5. Ich habe sie seit Tagen nicht mehr gesehen.

f) Wie geht es Corinna? ■ 6. Ich habe ihn noch nicht gesehen.

zu LB Ü 9 Ordnen Sie.

31

> klingeln   wandern   wecken   benutzen   aufwachen   frühstücken   lächeln   lachen
> feiern   beschmutzen   putzen   bügeln   machen   füttern   schicken   platzen   brau-
> chen   einpacken   dauern   segeln

*kling**eln***	*gekling**elt***		*wand**ern***	*gewand**ert***
_____	_____		_____	_____
_____	_____		_____	_____
_____	_____		_____	_____

*we**ck**en*	*ge**w**eckt*		*benu**tz**en*	*benu**tz**t*		*aufwa**ch**en*	*aufgewa**ch**t*
_____	_____		_____	_____		_____	_____
_____	_____		_____	_____		_____	_____
_____	_____		_____	_____		_____	_____

zu LB Ü 9 Ergänzen Sie.

32

hängen	***hängt*** ***gehangen***	hängen	_____ ***gehängt***
stehen	_____ _____	stellen	_____ _____
liegen	_____ _____	legen	_____ _____
sitzen	_____ _____	setzen	_____ _____

zu LB Ü 9 Ergänzen Sie.

33

a) ● Wo ***hängt*** denn das Bild? Hat es nicht immer über dem Sessel ***gehangen***?

■ Doch, aber gestern habe ich es über das Sofa ***gehängt***.

b) ● Wo _**steht**_ denn das Fahrrad? Hat es nicht immer an der Tür _**gestanden**_?

■ Stimmt, aber ich habe es gestern an die Wand _**gestellt.**_

c) ● Wo _**liegt**_ denn der Teppich? Hat er nicht immer vor dem Schreibtisch _**gelegen**_?

■ Richtig, aber ich habe ihn vor den Schrank _**gelegt.**_

d) ● Wo _**sitzt**_ denn dein Papagei? Hat er nicht immer vor dem Fenster _**gesessen**_?

■ Doch, aber heute Morgen habe ich ihn in den Käfig _**gesetzt.**_

e) ● Wo steht denn das Sofa? Hat es nicht immer im Wohnzimmer _____?

■ Stimmt, aber gestern habe ich es ins Kinderzimmer _____.

f) ● Wo steht denn der Herd? Hat er nicht immer in der Küche _____?

■ Doch, aber ich habe ihn in den Keller _____.

g) ● Wo hängen denn die Töpfe ? Haben sie nicht immer über dem Regal _____?

■ Richtig, aber ich habe sie über den Herd _____.

h) ● Wo liegt denn das Besteck? Hat es nicht immer im Küchenschrank _____?

■ Stimmt, aber ich habe es ins Regal _____.

i) ● Wo ist denn der Schreibtisch? Hat er nicht immer vor dem Fenster _____?

■ Richtig, aber ich habe ihn gestern an die Wand _____.

j) ● Wo hängen denn die Fotos? Haben sie nicht immer über dem Schreibtisch _____?

■ Du hast recht, aber ich habe sie gestern ins Schlafzimmer _____.

k) ● Wo steht denn der Mini–Fernseher? Hat er nicht immer im Schlafzimmer _____?

■ Richtig, aber gestern habe ich ihn in die Küche _____.

l) ● Wo stehen denn die Blumen? Haben sie nicht immer am Fenster _____?

■ Doch, aber ich habe sie auf den Balkon _____.

m) ● Wo sitzt denn deine Puppe? Hat sie nicht immer auf dem Sofa _____?

■ Stimmt, aber ich habe sie gerade auf die Bank _____.

<u>zu LB Ü 12</u> Ordnen Sie das Gespräch.

34

■ a) ● Gut, dann können wir jetzt abfahren.

■ b) ■ Schön, dann können wir ja jetzt wirklich abfahren.

1 c) ● Hast du die Taschen schon ins Auto gestellt?

■ d) ■ Nein, noch nicht. Ich muss noch die Garage abschließen.

■ e) ■ Ja, die stehen schon zwei Stunden im Auto.

■ f) ● Das brauchst du nicht. Die habe ich schon abgeschlossen.

35

■ a) ■ Nein, das braucht ihr nicht. Wir können ja
    später helfen.

1 b) ● Könnt ihr bitte mal in der Küche helfen?

■ c) ■ Und nach dem Film stellen wir es in den Schrank.

■ d) ■ Das geht gerade nicht so gut, denn wir sehen fern.

■ e) ● Gut, also spülen wir jetzt das Geschirr.

■ f) ● Ihr seht fern, aber wir sollen alleine spülen!

zu LB Ü 12 Ergänzen Sie.

36

a) Hast du den Flughafen angerufen? – Ja, den habe ich vorhin **_angerufen_.**

b) Hast du schon das Taxi bestellt? – Nein, das will ich gleich **_bestellen_.**

c) Soll ich das Licht im Schlafzimmer ausmachen? – Das brauchst du nicht; das habe ich schon _____.

d) Schaltest du den Fernseher aus oder soll ich den _____?

e) Hast du den Kühlschrank abgestellt? – Ja, den habe ich gerade _____.

f) Hast du auch die Kühlschranktür aufgemacht? – Nein, die muss ich noch _____.

g) Hast du die Fahrräder in den Keller gebracht? – Nein, die will ich später in den Keller _____.

h) Hast du schon die Kellerfenster zugemacht? – Nein, die muss ich noch _____.

i) Muss ich den Hund noch zu deiner Mutter bringen oder hast du ihn schon zu ihr _____?

j) Hast du die Balkontür schon abgeschlossen oder soll ich die _____?

k) Hast du die Kellertür abgeschlossen? – Natürlich habe ich die schon _____.

l) Hast du den Kellerschlüssel unter die Matratze gelegt? – Ja, den habe ich natürlich unter die

   Matratze _____.

m) Hast du den Rasierapparat in den Koffer getan oder muss ich den noch in den Koffer _____?

n) Packst du die Fahrkarten ein oder soll ich die _____?

zu LB Ü 12 Ergänzen Sie.

37

a) ● Gehst du bitte heute Nachmittag auf die Bank?

   ■ Kannst du nicht **_gehen_** ___? Ich bin schon heute Vormittag auf die Bank **_gegangen_.**

b) ● Schneidest du bitte die Kartoffeln?

   ■ Kannst du sie nicht _____? Ich habe schon die Karotten und die Wurst _____.

c) ● Schließt du bitte die Kellertür ab?

   ■ Kannst du sie nicht _____? Ich habe schon die Haustür _____.

d) ● Schreibst du bitte die Ansichtskarte?

   ■ Kannst du sie nicht _____? Ich habe schon sechs Ansichtskarten _____.

e) ● Liest du bitte den Brief?

   ■ Kannst du ihn nicht _____? Ich habe schon sieben Briefe _____.

f) ● Das Baby weint. Stehst du bitte auf?

■ Kannst du nicht _____? Ich bin schon so oft _____.

g) ● Bringst du bitte unseren Sohn ins Bett?

■ Kannst du ihn nicht ins Bett _____? Ich habe schon unsere Tochter ins Bett _____.

zu LB Ü 12 Bilden Sie Sätze.

38

a) Familie Schneider – im – samstags – feiern – Garten

**Familie Schneider feiert samstags im Garten.**

b) die Bauern – jeden – auf die – Tag – Felder – gehen

**Die Bauern gehen jeden Tag** _____.

c) die Eltern – oft – frühstücken – auf dem Balkon

**Die Eltern** _**oft**_ _____.

d) ein – Vogel – fliegt – ein Fenster – gegen – manchmal

**Ein Vogel** _**manchmal**_ _____.

e) er – oft – Küche – der – in – bügelt

_**Er**_ _**oft**_ _____.

f) eine – er – Stunde – liest – dem – Balkon – auf

_**Er**_ _**eine Stunde**_ _____.

g) die – schläft – immer – Katze – dem – vor – Fernseher

**Die Katze** _____ _**vor dem Fernseher.**_

h) die – Kinder – Wohnzimmer – spielen – wollen – jetzt – im

**Die Kinder** _**jetzt**_ _____.

i) die – Kinder – heute – auf – spielen – nicht – der – Nachmittag – Straße   sollen

**Die Kinder** _**auf der Straße**_ _____.

j) sie – will – unter – immer – Sternen – den – schlafen

**Sie will** _____.

k) tanzt – im – heute – Regen – sie

**Sie** _____.

l) sie – später – Segelboot – will – auf – einem – wohnen

**Sie will** _____ _**wohnen.**_

m) unter – oft – er – der – singt – Dusche

_**Er**_ _____.

n) er – abends – Stadt – fährt – in – die

_**Er**_ _____.

39

Er / sie hat …
Er / sie ist …

ab**ge** stellt	zu___hört	weg___fahren	be___malt	weiter___sprochen
be **–** stellt	an___fangen	ein___schlafen	an___strichen	weg___laufen
auf___standen	be___gonnen	weiter___fahren	ver___kauft	weg___rannt
ver___standen	an___macht	auf___wacht	ver___dient	weiter___laufen
an___kommen	aus___macht	auf___macht	ver___gessen	ab___bogen
be___kommen	ein___packt	zu___macht	auf___räumt	weg___flogen
auf___brochen	ent___schieden	ab___schlossen	fern___sehen	
zer___brochen	ein___stiegen	aus___stiegen	er___zählt	
auf___hört	ab___fahren	um___stiegen	nach___sprochen	

zu LB Ü 16 **Ein Traum. Schreiben Sie die Sätze im Perfekt.**

40

a) Sie wacht auf.   *Sie ist aufgewacht.* _____

b) Aber sie bleibt noch ein bisschen im Bett.   *Aber* _____

c) Dann steht sie auf.   _____

d) Ihr Taxi kommt.   _____

e) Sie steigt ins Taxi.   _____

f) Das Taxi fährt ab.   _____

g) Das Taxi biegt an der Ampel ab.   _____

h) Sie kommt am Bahnhof an.   _____

i) Sie steigt in den Zug.   _____

j) Er fährt nicht ab.   _____

k) Lange passiert nichts.   _____

l) Sie schläft ein.   _____

m) Der Zug fährt ab.   _____

n) Sie wacht auf.   _____

o) Sie steigt aus.   _____

p) Sie geht durch eine Stadt.   _____

q) Sie läuft zu einem Schwimmbad.   _____

r) Da schwimmt sie.   _____

s) Dann springt sie über einen Zaun.   _____

t) Danach rennt sie durch einen Wald.   _____

u) Später reitet sie zu einem Fluss.   _____

v) Dann segelt sie in einem Boot. _____

w) Zum Schluss kommt sie zu einem Flughafen. _____

x) Da steigt sie in ein Flugzeug. _____

y) Das Flugzeug fliegt weg. _____

z) Sie schläft ein. _____

zu LB Ü 16 Bilden Sie Sätze im Perfekt.

41

a) Schau mal. Jetzt ist es sieben und Herr Fritsch geht aus dem Haus.
   (am Montag – er – um acht – aus dem Haus gehen)

   __Am Montag ist er um acht aus dem Haus gegangen.__

b) Schau mal. Jetzt ist es halb acht und Herr Hackl steht auf.
   (am Samstag – er – um Viertel nach acht – aufstehen)

   Am _____

c) Schau mal. Jetzt ist es acht und Herr Becker bringt die Kinder zur Schule.
   (am Donnerstag – seine Frau – die Kinder – um Viertel vor acht – zur Schule bringen).

   Am _____

d) Schau mal. Jetzt ist es halb eins. Gerade stehen Herr Schmidt und Herr Pensler auf.
   (am Freitag – sie – erst um halb zwei – aufstehen)

   _____

e) Schau mal. Jetzt ist es eins und Frau Meyer schreibt auf der Schreibmaschine.
   (am Dienstag – sie – um sieben Uhr abends – auf der Schreibmaschine schreiben)

   _____

f) Schau mal. Jetzt ist es zwei und Frau Beckmann streicht eine Wand in der Küche an.
   (am Mittwoch – ihr Mann – um zwei – eine Wand im Wohnzimmer – anstreichen)

   _____

g) Schau mal, jetzt ist es halb fünf und Frau Sundermann macht die Fenster im Schlafzimmer zu.
   (am Samstag — ihr Mann – sie – um halb fünf – zumachen)

   _____

h) Schau mal. Jetzt ist es fünf und Herr Hansen bügelt gerade.
   (gestern – seine Frau – um fünf – bügeln)

   _____

i) Schau mal. Jetzt ist es halb sechs und Herr Humbold putzt seine Fenster.
   (am Montag – seine Freundin – um halb sechs – seine Fenster putzen)

   _____

j) Schau mal. Jetzt ist es sechs und Frau Rheinländer räumt die Garage auf.
   (am Donnerstag – ihr Mann – sie – um neun – aufräumen)

   _____

zu LB Ü 16 Ein Traum. Schreiben Sie den Text im Präsens.

42

Ich bin in ein Restaurant gegangen und habe einen Fisch bestellt. Aber der Kellner hat es falsch verstanden. Deshalb habe ich Würste und Kartoffeln bekommen. Ich habe zwei Würste gegessen. Dann habe ich keinen Hunger mehr gehabt. Eine Wurst ist auf dem Teller geblieben. Ich habe mein Geld in der Handtasche gesucht, aber ich habe es nicht gefunden. Da bin ich nach Hause gefahren und habe Geld geholt. Der Hund ist im Restaurant geblieben. Ich bin zurückgekommen und habe den Kellner gesucht. Aber der ist nicht mehr da gewesen. Mein Hund hat auf dem Stuhl vor dem Teller gesessen. Die Wurst war weg.

Ich gehe in ein Restaurant und bestelle einen Fisch. Aber _____

_____

_____

_____

_____

_____

_____

_____

_____

_____

zu LB Ü 16 Schreiben Sie einen Traum-Text.

43

Ich	bin	mit einem Motorrad	durch einen Wald	gefahren.
	habe	mit einem Segelboot	durch eine Wüste	geflogen.
		mit einem Flugzeug	über eine Wiese	gesegelt.
		…	über ein Feld	…
			auf einem Fluss	
			…	
Auf einmal	ist	ein Tiger	aus dem Wald	gekommen.
Plötzlich	sind	eine Schlange	aus dem Fluss	gesprungen.
		eine Polizistin	von einem Baum	…
		Krokodile	von einer Brücke	
		Vögel	…	
		…		
Aber	er	war	ganz freundlich.	
Doch	sie	waren	ganz lieb.	
	es		sehr nett.	
	sie		…	
Denn	er	hatte	keinen Hunger.	
	sie	hatten	keine Zähne.	
	es		keine Brille.	
	sie		kein Messer.	
			…	

Dann	haben sind	wir	zu einem Schwimmbad zu einem Kaufhaus in einen Garten …	gegangen. gelaufen. gefahren. …
Dort Da	haben	wir	zusammen	gesprochen. gespielt. gesungen. getanzt …
Plötzlich Auf einmal	war	das Schwimmbad das Kaufhaus der Garten …	ein Bahnhof. ein Hafen. ein Flughafen. …	
Und	der Tiger die Schlange die Polizistin die Krokodile die Vögel …	ist sind	mit meinem Flugzeug mit meinem Segelboot mit einem Zug …	abgefahren. weggeflogen. …
Dann Dabei	habe	ich	Musik eine Gitarre ein Klavier eine Sängerin …	gehört.
Da In meinem Zimmer Neben meinem Bett …	bin war	ich der Fernseher das Radio der Radio-Wecker …	aufgewacht. an.	

Wörter im Satz

	Ihre Muttersprache	**Schreiben Sie einen Satz aus Delfin, Lehrbuch.**
____ *Auge*		
____ *Bauer*		
____ *Ei*		
____ *Feld*		
____ *Flugzeug*		
____ *Fluss*		
____ *Fußball*		
____ *Geschirr*		
____ *Hunger*		
____ *Loch*		
____ *Salz*		
____ *Supermarkt*		
____ *Theater*		
____ *Urlaub*		
____ *Wecker*		
abfahren		
anfangen		
aufräumen		
beginnen		
dauern		
einschlafen		
einsteigen		
fressen		
frühstücken		
malen		
nähen		
sterben		

bestimmt	_____	_____
gerade	_____	_____
nichts	_____	_____
spät	_____	_____
vorhin	_____	_____

Grammatik

 Perfekt

45

a) Formenbildung

Infinitiv		haben/sein		Partizip II
spielen	Er	hat	Fußball	gespielt.
kommen	Er	ist	zu spät	gekommen.

b) Konjugation

	spielen	kommen	haben	sein
ich	habe gespielt	bin gekommen	habe gehabt	bin gewesen
du	hast gespielt	bist gekommen	hast gehabt	bist gewesen
er/sie/es/man	hat gespielt	ist gekommen	hat gehabt	ist gewesen
wir	haben gespielt	sind gekommen	haben gehabt	sind gewesen
ihr	habt gespielt	seid gekommen	habt gehabt	seid gewesen
sie/Sie	haben gespielt	sind gekommen	haben gehabt	sind gewesen

c) Partizip-II-Formen

„schwache" Verben
Perfekt mit haben ... t

			ge	...	t
			ge	...	t
verwenden	Er hat			verwend	et[1]
besuchen	Er hat			besuch	t[2]
reparieren	Er hat			reparier	t[3]
spielen	Er hat		ge	spiel	t[4]
arbeiten	Er hat		ge	arbeit	et[5]
kennen	Er hat		ge	kann	t
denken	Er hat		ge	dach	t
aufhören	Er hat	auf	ge	hör	t
einschalten	Er hat	ein	ge	schalt	et

Perfekt mit sein

wandern	Er ist		ge	wander	t
aufwachen	Er ist	auf	ge	wach	t

„starke" Verben
Perfekt mit haben ... en

			ge	...	en
			ge	...	en
bekommen	Er hat			bekomm	en[6]
vergessen	Er hat			vergess	en[7]
zerbrechen	Er hat			zerbroch	en
schlafen	Er hat		ge	schlaf	en
sehen	Er hat		ge	seh	en
essen	Er hat		ge	gess	en[8]
stehen	Er hat		ge	stand	en
anfangen	Er hat	an	ge	fang	en[9]
aufbrechen	Er hat	auf	ge	broch	en

Perfekt mit sein

kommen	Er ist		ge	komm	en[10]
einsteigen	Er ist	ein	ge	stieg	en[11]

ebenso:

1) bedeutet

2) benutzt, bestellt, bezahlt, ergänzt, erzählt, erkannt, gehört, untersucht, verdient, verkauft

3) buchstabiert, fotografiert, funktioniert, korrigiert, markiert, notiert, passiert, rasiert, repariert, studiert, telefoniert, trainiert

4) *(die meisten Verben)*

5) geantwortet, geatmet

ebenso:

6) begonnen, beschrieben, betreten, betrogen, entschieden, verst**an**den

7) gefunden, gefressen, gegeben, gehalten, gehangen, gehoben, geheißen, geholfen, gelesen, gelegen, gelogen, geno**mm**en, gerufen, geschoben, geschni**tt**en, geschrieben, geschwommen, gesungen, gesprochen, gesprungen, getragen, getrunken, gewaschen, geworfen, gewogen

8) gesessen

9) abgeschlossen, angerufen

10) geblieben, gefahren, geflogen, geg**an**gen, gelaufen, gesprungen, gestiegen, gestorben,

11) abgebogen, abgefahren, angekommen, aufgestanden, ausgestiegen, eingeschlafen, eingestiegen, mitgekommen, umgestiegen, weggelaufen, weitergefahren

§ 44, 45 d) Partizipformen nach Gruppen: starke und gemischte Verben

46

anfangen	fängt an	hat angefangen	abbiegen	biegt ab	ist abgebogen
fahren	fährt	ist gefahren	fliegen	fliegt	ist geflogen
abfahren	fährt ab	ist abgefahren	schieben	schiebt	hat geschoben
halten	hält	hat gehalten	wiegen	wiegt	hat gewogen
hängen	hängt	hat gehangen*	schießen	schießt	hat geschossen
schlafen	schläft	hat geschlafen	schließen	schließt	hat geschlossen
einschlafen	schläft ein	ist eingeschlafen	abschließen	schließt ab	hat abgeschlossen
tragen	trägt	hat getragen	kommen	kommt	ist gekommen
waschen	wäscht	hat gewaschen	ankommen	kommt an	ist angekommen
laufen	läuft	ist gelaufen	bekommen	bekommt	hat bekommen
			mitkommen	kommt mit	ist mitgekommen
geben	gibt	hat gegeben	beginnen	beginnt	hat begonnen
liegen	liegt	hat gelegen	schwimmen	schwimmt	ist geschwommen
lesen	liest	hat gelesen	heben	hebt	hat gehoben
sehen	sieht	hat gesehen	lügen	lügt	hat gelogen
fernsehen	sieht fern	hat ferngesehen	betrügen	betrügt	hat betrogen
essen	isst	hat gegessen	brechen	bricht	hat gebrochen
fressen	frisst	hat gefressen	aufbrechen	bricht auf	hat aufgebrochen
vergessen	vergisst	hat vergessen	zerbrechen	zerbricht	hat zerbrochen
sitzen	sitzt	hat gesessen	helfen	hilft	hat geholfen
			nehmen	nimmt	hat genommen
bleiben	bleibt	ist geblieben	sprechen	spricht	hat gesprochen
entscheiden	entscheidet	hat entschieden	sterben	stirbt	ist gestorben
schreiben	schreibt	hat geschrieben	werfen	wirft	hat geworfen
beschreiben	beschreibt	hat beschrieben			
steigen	steigt	ist gestiegen	rufen	ruft	hat gerufen
aussteigen	steigt aus	ist ausgestiegen	anrufen	ruft an	hat angerufen
einsteigen	steigt ein	ist eingestiegen	finden	findet	hat gefunden
umsteigen	steigt um	ist umgestiegen	singen	singt	hat gesungen

reißen	reißt	hat gerissen		springen	springt	ist gesprungen
schneiden	schneidet	hat geschnitten		trinken	trinkt	hat getrunken

gehen	geht	ist gegangen		bringen	bringt	hat gebracht
stehen	steht	hat gestanden		denken	denkt	hat gedacht
aufstehen	steht auf	ist aufgestanden		kennen	kennt	hat gekannt
verstehen	versteht	hat verstanden		erkennen	erkennt	hat erkannt
				nennen	nennt	hat genannt
tun	tut	hat getan		rennen	rennt	ist gerannt
				wissen	weiß	hat gewusst

* hängen, hängt, hat gehangen: Das Bild hat an der Wand gehangen.
hängen, hängt, hat gehängt: Er hat das Bild an die Wand gehängt.

§ 52, 55 Präsens und Perfekt im Satz

47

Vorfeld	Verb(1)		Mittelfeld			Verb(2)
		Subjekt	Zeitangabe	Ortsangabe	Ergänzung	
Sie	schläft		bis 7 Uhr.			
Sie	steht		um 7 Uhr			auf.
Sie	wäscht		um 8 Uhr		die Wäsche.	
Sie	macht		um 9 Uhr	in der Küche	das Frühstück.	
Um 10 Uhr	fährt	sie				ab.
Sie	hat		bis 7 Uhr			geschlafen.
Sie	ist		um 7 Uhr			aufgestanden.
Sie	hat		um 8 Uhr		die Wäsche	gewaschen.
Sie	hat		um 9 Uhr	in der Küche	das Frühstück	gemacht.
Um 10 Uhr	ist	sie				abgefahren.

§ 43 Präteritum von **sein** und **haben**

48

	sein	haben
ich	war	hatte
du	warst	hattest
er/sie/es/man	war	hatte
wir	waren	hatten
ihr	wart	hattet
sie/Sie	waren	hatten

§ 43 Konjugation **tun**

	tun
ich	tue
du	tust
er/sie/es/man	tut
wir	tun
ihr	tut
sie/Sie	tun
er/sie/es/man	hat getan

Uhrzeit

49

Wie spät ist es?
– Es ist Viertel nach acht.

Wann steht er auf?
Um wie viel Uhr steht er auf?
– **Um** Viertel nach acht.

Wortschatz

Nomen

s Abendbrot
r Alltag
e Arbeit, –en
r Arbeitstag, –e
s Auge, –n
r Bäcker, –
r Bauer, –n
s Brötchen, –
e Büroarbeit, –en
e Disco, –s
s Ei, –er
s Ende, –n
r Feierabend, –e
s Feld, –er
s Flugzeug, –e
r Fluss, ⁝e
s Frühstück, –e
r Fuchs, ⁝e
r Fußball, ⁝e
e Garage, –n
r Garten, ⁝
s Gas, –e
s Geschirr
s Glas, ⁝er
s Glück
r Gorilla, –s
e Hausarbeit, –en
e Haustür, –en
s Huhn, ⁝er
r Hühnerstall, ⁝e
r Hunger
s Interview, –s
e Journalistin, –nen
Jura
r Kakao
e Küche, –n
e Kuh, ⁝e
r Kuhstall, ⁝e
r Landwirt, –e
r Liebling, –e
s Loch, ⁝er
e Maschine, –n
e Melkmaschine, –n
r Mittag

s Mittagessen, –
r Mittagsschlaf
r Morgen
r Nachmittag, –e
e Nähe
e Ordnung, –en
r Passagier, –e
s Perfekt
s Präsens
s Präteritum
r Reifen, –
s Salz
r Schalter, –
r Schluss, ⁝e
e Schule, –n
s Schwein, –e
e Serie, –n
r Sessel, –
e Stallarbeit, –en
e Stewardess, –en
r Strom
e Stunde, –n
r Supermarkt, ⁝e
e Tasse, –n
s Theater, –
r Traum, ⁝e
r Typ, –en
e Uhrzeit, –en
r Urlaub, –e
s Viertel,–
r Vogel, ⁝
r Vokal, –e
r Vormittag, –e
e Wäsche
r Wecker, –
e Weide, –n
e Wiese, –n
s Wohnzimmer, –
e Wunde, –n
e Wüste, –n
r Zaun, ⁝e

Verben

ab·fahren
an·fangen
an·streichen
auf·hören
auf·räumen

beginnen
besuchen
bügeln
da sein
dauern
duschen
ein·packen
ein·schlafen
ein·steigen
erzählen
fern·sehen
fressen
frühstücken
füllen
füttern
gehören
graben
helfen
lächeln
malen
melken
mit·arbeiten
nähen
provozieren
reparieren
sauber machen
spülen
sterben
wandern
wecken
weg sein
weg·fliegen
weg·laufen

Adjektive

anstrengend
fertig
früh
halb
lang
langweilig
spät
unheimlich
verletzt
wach
wirklich

Adverbien

abends
alleine
anstrengend
auf einmal
bestimmt
bestimmt nicht
dabei
danach
extra
früher
frühmorgens
gar nicht
gestern
halb
immer noch
meistens
morgens
noch nicht
oft
samstags
sofort
sonst
vorher

vorhin
wenigstens
wirklich

Funktionswörter

dir
doch
etwas
ihm
noch ein
wie lange?
wie spät?
wie viele?

Ausdrücke

Um wie viel Uhr?
Wie spät ist es?
halb acht
Viertel nach vier
heute Morgen
heute Nachmittag
heute Vormittag

zum Schluss
zum Glück
wie gewöhnlich
in der Nähe von

etwas in Ordnung bringen
Mittagsschlaf halten
zu Mittag essen
auf „Aus" stehen

gerade etwas machen
gerade etwas gemacht
    haben

Das können wir ja auch
    morgen machen
Wer soll denn die Kühe
    melken?
Was soll das heißen?
Mal sehen
Schön!
Schau mal!

Miau!
Oh Gott!

In Deutschland sagt man:
das Brötchen
das Frühstück
der Reifen
Ich habe gerade die Betten gemacht.

In Österreich sagt man auch:
die Semmel

Ich habe eben die Betten gemacht.

In der Schweiz sagt man auch:

das Morgenessen
der Pneu

Lektion 7

zu LB Ü 1 Ergänzen Sie.

1

a) Wem gratuliert der Chef?

(die Sekretärin) *Er gratuliert der Sekretärin.*

(der Briefträger) *Er gratuliert dem Briefträger.*

(das Kind) *Er gratuliert dem Kind.*

(die Eltern) *Er gratuliert den Eltern.*

b) Wem hilft das Kind?

(der Vater) *Es hilft* _____

(die Mutter) _____

(das Baby) _____

(die Mädchen) _____

c) Wem folgt der Hund?

(die Katzen) *Er folgt* _____

(das Auto) _____

(die Großmutter) _____

(der Vogel) _____

d) Wem winkt der Tourist?

(das Brautpaar) *Er winkt* _____

(die Sängerin) _____

(der Verkäufer) _____

(die Polizisten) _____

zu LB Ü 1 Welches Wort passt? Ergänzen Sie.

2

a) Lisa bestellt *ihrer* Puppe eine Pizza. (~~ihrer~~ / ihrem / ihre)

b) Der Vater erzählt _____ Tochter einen Traum. (sein / seinem / seiner)

c) Die Mutter gibt _____ Kind die Puppe. (das / dem / den)

d) Sie schreibt _____ Freundin einen Brief. (ihrem / ihr / ihrer)

e) Er schenkt _____ Tochter ein Auto. (seiner / sein / seinem)

f) Sie kocht _____ Mann eine Suppe. (ihr / ihre / ihrem)

g) Ich spiele _____ Tochter ein Lied vor. (meinem / meine / meiner)

h) Bringst du _____ Eltern ein Geschenk mit? (deinen / deine / deinem)

i) Der Junge kauft _____ Hund eine Wurst. (seiner / seinem / seine)

j) Die Eltern zeigen _____ Kindern den Zoo. (ihrem / ihren / ihre)

zu LB Ü 1 Schreiben Sie.

3

a) einen Brief – seinem Freund – schickt – das Kind

Das Kind schickt seinem Freund einen Brief.

b) schenkt – der Mann – einen Blumenstrauß – seiner Frau

Der Mann _____

c) seiner Sekretärin – der Chef – einen Computer – kauft

Der Chef _____

d) gibt – ein Bonbon – ihrem Kind – die Mutter

Die Mutter _____

e) meinem Bruder – ein Telegramm – schicke – ich

Ich _____

f) eine Tasse Tee – bringt – seinem Vater – der Sohn

Der Sohn _____

g) gratulieren – zur Hochzeit – dem Brautpaar – die Gäste

Die Gäste _____

zu LB Ü 1 Was passt zusammen?

4

a) Man kann seinen Führerschein erst mit 18	■	1. schmücken
b) Unsere Tochter hat gerade ihr Examen	■	2. vorspielen
c) Die Kinder sollen den Großeltern ein Lied	■	3. mitgebracht
d) Der Student will seinen Eltern ein Telegramm	■	4. machen
e) Sie hat ihrem Freund zum Geburtstag	■	5. gefeiert
f) Das Kind darf mit dem Vater den Weihnachtsbaum	■	6. bestanden
g) Sie hat 30 Jahre in der Firma	■	7. besuchen
h) Er möchte mit seiner Freundin ein Volksfest	■	8. schicken
i) Meine Eltern haben am Sonntag Silberhochzeit	■	9. gearbeitet
j) Er hat seiner Mutter einen Blumenstrauß	■	10. gratulicrt

zu LB Ü 2 Ergänzen Sie.

5

a) Die Lehrerin schenkt dem Pfarrcr den Hut.

Sie schenkt *ihm* den Hut.

b) Der Pfarrer gibt dem Kind den Apfel.

_____ gibt _____ den Apfel.

c) Das Mädchen bringt der Lchrerin einen Handschuh.

_____ bringt _____ einen Handschuh.

d) Die Clowns schenken der Polizistin eine Bluse.

_____ schenken _____ eine Bluse.

e) Der Feuerwehrmann bringt den Sängern eine Tafel Schokolade.

_____ bringt _____ eine Tafel Schokulade.

f) Das Kind gibt dcm Hund ein Eis.

_____ gibt _____ ein Eis.

zu LB Ü 2 Was passt zusammen?

6

a) Das Schwein bekommt ein Eis.	■	1. Sie gefallen ihr nicht.
b) Die Krawatte gefällt dem Bürgermeister nicht.	■	2. Sie gefallen ihnen nicht.
c) Die Clowns haben ein Bild gewonnen.	■	3. Es schenkt sie dem Briefträger.
d) Die Lehrerin hat Handschuhe bekommen.	■	4. Es schmeckt ihm.
e) Der Hut gefällt dem Pfarrer nicht.	■	5. Er passt ihr leider nicht.
f) Das Kind isst keine Schokolade.	■	6. Es gefällt ihnen nicht.
g) Die Bäuerin hat einen Bikini bekommen.	■	7. Er gibt ihn dem Bürgermeister.
h) Die Sänger haben Krawatten gewonnen.	■	8. Er schenkt sie dem Pfarrer.

zu LB Ü 2 Wie heißen die Wörter?

7

a) LADE – KO – SCHO   die _____

b) TRÄ – BRIEF – GER   der _____

c) TÄR – SE – KRE – IN   die _____

d) GER – BÜR – TER – MEIS   der _____

e) WAT – TE – KRA   die _____

f) SEL – SCHLÜS – TO – AU   der _____

g) SCHEIN – RER – FÜH   der _____

h) SE – HER – FERN   der _____

i) SE – BLU   die _____

j) KI – BI – NI   der _____

zu LB Ü 3 Was steht im Text? (→ Lehrbuch S. 70/71) Richtig oder falsch? (r/f)

8

a) ■ Carola liebt das Weihnachtsfest.

b) ■ Als Kind hatte sie keine Angst vor dem Nikolaus.

c) ■ Carola und ihr Bruder sind immer ganz brav gewesen.

d) ■ Der Nikolaus hat den Kindern Spielsachen und Süßigkeiten geschenkt.

e) ■ Bei Carola hat der Adventskranz früher immer im Kinderzimmer gestanden.

f) ■ Der Vater hat abends die Kerzen am Adventskranz angemacht.

g) ■ Am Heiligabend ist die Familie immer zu den Großeltern gefahren.

h) ■ Sie haben Weihnachten mit etwa zehn Personen gefeiert.

i) ■ Die Großmutter hat immer den Weihnachtsbaum geschmückt.

j) ■ Die Kinder haben am Weihnachtsbaum ein Gedicht aufgesagt.

k) ■ In der Nacht haben alle Gans mit Klößen und Rotkohl gegessen.

l) ■ Carola hat für ihre Kinder schon die Weihnachtsgeschenke gekauft und gut versteckt.

m) ■ Gerade backt sie Plätzchen.

n) ■ Carola hat an Weihnachten gerne Gäste.

zu LB Ü 3 Ergänzen Sie.

9

| mich   dich   uns   euch   mir   dir   uns   euch |

a) Ich möchte ***dir*** ein Weihnachtsgeschenk machen.   (*du*)

b) Schickst du _____ zu Weihnachten eine Karte?   (*ich*)

c) Schenkst du _____ etwas zu Weihnachten?   (*wir*)

d) Der Nikolaus hat _____ immer sehr streng angeschaut.   (*ich*)

e) Was hat _____ der Nikolaus gefragt?   (*du*)

f) Die Großeltern haben _____ ein Spiel geschenkt.   (*wir*)

g) Wir möchten _____ nach Weihnachten besuchen.   (*ihr*)

h) Was hat _____ der Großvater vorgelesen? *(ihr)*

i) Meine Großmutter hat _____ oft Nüsse geschenkt. *(ich)*

j) An Weihnachten haben _____ meine Eltern immer früh geweckt. *(ich)*

k) Meine Eltern haben _____ vor dem Weihnachtsbaum fotografiert. *(wir)*

l) Ich möchte _____ von Weihnachten erzählen. *(sie [pl.])*

zu LB Ü 3   Ergänzen Sie.

10

a) Wir schicken euch einen Brief. Schickt ***ihr*** ___***uns***___ auch einen Brief?

b) Ich schicke dir ein Päckchen. Schickst _____ _____ auch _____ _____ ?

c) Ich liebe dich. Liebst _____ _____ auch?

d) Wir sehen euch. Seht _____ _____ auch?

e) Ich verzeihe dir. Verzeihst _____ _____ auch?

f) Das Essen schmeckt mir gut. Schmeckt _____ _____ _____ auch _____?

g) Wir helfen euch. Helft _____ _____ auch?

h) Die Bluse passt mir. Passt _____ _____ _____ auch?

i) Ich spiele dir ein Lied vor. Spielst _____ _____ auch _____ _____ _____ ?

j) Ich möchte dich fotografieren. Möchtest _____ _____ auch _____ ?

zu LB Ü 3   Was passt zusammen?

11

a) Hast du einen Brief von Farida bekommen? ▪ 1. Die habe ich schon vor vier Wochen ausgesucht.

b) Ist der Brief gestern gekommen? ▪ 2. Sie ist seit drei Tagen bei uns.

c) Besuchst du mich vor Weihnachten? ▪ 3. Nein, die besuche ich erst nach Weihnachten.

d) Backst du schon im Oktober Weihnachts-plätzchen? ▪ 4. Nein, ich warte schon seit drei Wochen.

e) Wann hast du die Weihnachtsgeschenke gekauft? ▪ 5. Nein, ich habe erst nach Weihnachten Zeit

f) Wie lange ist deine Schwester schon bei euch? ▪ 6. Nein, den habe ich schon vor zwei Wochen bekommen.

g) Bist du an Weihnachten bei deinen Eltern? ▪ 7. Nein, immer erst ab November.

zu LB Ü 3   Ergänzen Sie: **bei** oder **zu**.

12

a) Wir sind an Weihnachten _____ den Großeltern gefahren.

b) Der Nikolaus ist _____ uns gekommen.

c) Wir haben _____ den Großeltern gefeiert.

d) Ich bin an Weihnachten _____ meinen Eltern gewesen.

e) Der Adventskranz hat _____ uns immer auf dem Küchentisch gestanden.

f) An Weihnachten kommt meine Schwester _____ uns.

g) Wir gehen morgen _____ meiner Schwester.

h) Mein Bruder wohnt bis Silvester _____ mir.

i) Ich fahre an Weihnachten immer _____ meinen Eltern.

zu LB Ü 3 Ergänzen Sie.

13

a) _Jedes_ Kind hat Spielsachen bekommen.

b) _Alle_ Kinder haben Spielsachen bekommen.

alle	allen	jeder	jede
jedes	jedem	jeden	

c) Der Nikolaus hat _____ Kind Spielsachen geschenkt.

d) Der Nikolaus hat _____ Kindern Spielsachen geschenkt.

e) _____ Kerze hat gebrannt.

f) _____ Kerzen haben gebrannt.

g) Der Großvater hat _____ Kind gerufen.

h) Der Großvater hat _____ Kinder gerufen.

i) _____ Gast hat ein Geschenk bekommen.

j) _____ Gäste haben ein Geschenk bekommen.

k) Farida liest _____ Brief von Carola.

l) Farida liest _____ Briefe von Carola.

m) _____ Plätzchen hat gut geschmeckt.

n) _____ Plätzchen haben gut geschmeckt.

o) Wir haben _____ Gast ein Päckchen geschenkt.

p) Wir haben _____ Gästen ein Päckchen geschenkt.

zu LB Ü 3 Was passt? Ergänzen Sie.

14

singen	~~anzünden~~	füllen	hängen	warten	aufmachen	schieben	vorlesen	feiern
beginnen	gratulieren	verstecken	schreiben					

a) die Kerzen am Baum _anzünden_

b) die Plätzchen in den Backofen _____

c) die Geschenke im Schrank _____

d) den Mantel in den Schrank _____

e) der Freundin einen Brief _____

f) auf eine Antwort _____

g) mit den Vorbereitungen _____

h) Weihnachtslieder _____

i) eine Geschichte _____

j) Päckchen _____

k) die Gans mit Äpfeln _____

l) dem Vater zum Geburtstag _____

m) mit der Familie Weihnachten _____

zu LB Ü 4 Ergänzen Sie.

15

der 1.1.	am 1.1.	vom 1.1. bis zum 2.1.
der erste Januar	*am ersten Januar*	*vom ersten bis zum zweiten Januar*
_____	_____	
der 2.2.	am 2.2.	vom 2.2. bis zum 3.2.
_____	_____	_____
der 3.3.	am 3.3.	vom 3.3. bis zum 4.3.
_____	_____	_____
der 4.4.	am 4.4.	vom 4.4. bis zum 5.4.
_____	_____	_____
der 5.5.	am 5.5.	vom 5.5. bis zum 6.5.
_____	_____	_____
der 6.6.	am 6.6.	vom 6.6. bis zum 7.6.
_____	_____	_____
der 7.7.	am 7.7.	vom 7.7. bis zum 8.7.
_____	_____	_____

zu LB Ü 4 Ergänzen Sie.

16

a) ● Jochen Pensler möchte uns am (28.2.) *achtundzwanzigsten Februar* besuchen. Geht das?

b) ■ Oh! Also der (28.) _____ ist nicht so gut, denn da kommt Karin.

c) Am (1.3.) _____ _____ sind die Nolls bei uns.

d) Vom (2.) _____ bis zum (12. 3.) _____ _____ besucht uns Klaus.

e) Am (13.3.) _____ _____ bekommen wir auch Besuch. Deine Schwestern bleiben bis zum

(30.) _____ .

f) ● Also kann Jochen erst am (1.4.) _____ _____ kommen.

g) ■ Nein, das geht auch nicht. Da kommen meine Eltern und bleiben bis zum (21.) _____ _____ .

h) Also geht es vor dem (21.) ___ ___ gar nicht, erst wieder aber ab dem (22.4.) _____ _____ .

zu LB Ü 4 Ergänzen Sie.

17

a) ● Ich möchte gern mal wieder mit dir essen gehen. Kannst du am (23.) *dreiundzwanzigsten* Februar?

b) ■ Also, der (23.) _____ ist nicht so gut. Da kann ich nicht.

c) Am (24.) _____ habe ich einen Termin beim Friseur.

d) Der (25.) _____ passt mir auch nicht so gut, denn da muss ich meinen Hund zum

Friseur bringen.

e) Und am (26.) _____ ist eine Freundin bei mir.

f) Vom (27.) _____ bis zum (28.) _____bin ich in Paris.

g) Aber am (29.) _____ kann ich bestimmt.

h) ● Aber gibt es denn dieses Jahr eigentlich den (29.) _____ Februar?

zu LB Ü 5 Ordnen Sie das Gespräch.

18

■ ● Und dann wollen Sie dort feiern?

■ ● Meine erste Frage: Gefällt Ihnen der Weihnachtsmarkt?

1 ● Guten Tag. Wir machen Interviews zu Weihnachten.
Darf ich Sie etwas fragen?

■ ● Dann wünsche ich Ihnen eine gute Reise.

■ ● Wo sind Sie denn an Weihnachten? Darf ich das fragen?

■ ● Haben Sie etwas gekauft?

■ ● Ach so. Dann haben Sie bestimmt auch keinen Weihnachtsbaum?

■ ■ Ja, er gefällt mir gut. Es ist mir ein bisschen zu voll hier,
aber es ist schön.

■ ■ Nein, eigentlich nicht. Wissen Sie, wir haben keine Kinder;
deshalb feiern wir Weihnachten gar nicht.

■ ■ Vielen Dank!

■ ■ Ja, bitte, gern.

■ ■ Wir fliegen am 20. Dezember nach Australien.

■ ■ Nein, wir haben nichts gekauft. Mein Mann und ich, wir sind an Weihnachten gar nicht zu Hause. Wir
haben nur einen Glühwein getrunken und eine Bratwurst gegessen. Das machen wir immer.

■ ■ Ein Weihnachtsbaum? Nein, der fehlt mir nicht. Und das ist mir auch zu viel Arbeit. Wir machen ganz
einfach Urlaub.

zu LB Ü 5 Ergänzen Sie.

19

| trotzdem | Atmosphäre | gekauft | Platz | wichtig | Freundin |
| nett | Spaß | Uhr | Weihnachten | klein | Kerzen |

Er meint, der Weihnachtsmarkt ist ganz _____und die

_____ findet er schön. Er ist mit seiner

_____ da. Die kauft gerade _____. Für einen

Weihnachtsbaum haben sie keinen _____, denn ihre Wohnung

ist sehr _____.

Ihm ist Weihnachten nicht so _____, aber es gibt _____ Geschenke: Er hat eine _____

für seine Freundin _____. An _____ kochen sie zusammen. Kochen macht ihnen _____.

zu LB Ü 5 Ergänzen Sie.

20

a) Trinkt ihr den Kaffee nicht? Nein, **der** ist **uns** zu schwach.

b) Schmeckt Ihnen der Apfel nicht? Nein, **den** finde ich ein bisschen zu alt.

c) Isst du die Pizza nicht? Nein, _____ ist _____ zu groß.

d) Möchten Sie den Wagen kaufen, Herr Fischer ? Nein, _____ finde ich zu langsam.

e) Gefällt den Leuten Ihr Buch? Nein, _____ ist _____ zu kompliziert.

f) Gefallen deinem Sohn die Computerspiele? Nein, _____ findet er zu langweilig.

g) Geht deine Schwester nicht ins Wasser? Nein, _____ ist _____ wohl zu nass.

h) Geht ihr auch heute Nacht im Fluss schwimmen? Nein, _____ ist _____ in der Nacht zu unheimlich.

i) Kaufen Jochen und Karin die Wohnung? Nein, _____ finden sie zu teuer.

j) Passt dir die Jacke nicht? Doch, aber _____ ist mir zu bunt.

zu LB Ü 5 Ordnen Sie.

21

a) Sie findet ihn **furchtbar** aufgeregt.

b) Sie findet ihn _____ aufgeregt.

c) Sie findet ihn _____ aufgeregt.

d) Sie findet ihn _____ aufgeregt.

e) Sie findet ihn _____ aufgeregt.

f) Sie findet ihn _____ aufgeregt.

g) Sie findet ihn _____ aufgeregt.

h) Sie findet ihn **gar nicht** aufgeregt.

| ~~furchtbar~~ | nicht | ziemlich | viel zu |
| ein bisschen | sehr | ~~gar nicht~~ | nicht so |

zu LB Ü 5 Was passt nicht?

22

a) dem Kind ein Eis, der Fotografin eine Kamera, dem Feuerwehrmann ein Feuerzeug, ~~der Polizistin Platz~~ **schenken**

b) dem Freund ein Telegramm, der Freundin einen Brief, dem Briefträger die Freiheit, dem Pfarrer ein Päckchen **schicken**

c) der Frau einen Blumenstrauß, den Kindern Schokolade, dem Hund eine Wurst, dem Mann viel Glück **mitbringen**

d) dem Onkel eine Geschichte, dem Vater einen Brief, der Großmutter Luxus, den Kindern ein Buch **vorlesen**

e) der Familie ein Lied, der Frau eine Kassette, den Kindern Musik, der Katze eine Maus **vorspielen**

f) dem Großvater das Haus, den Kindern das Radio, der Mutter die Garage, den Gästen die Tür **aufschließen**

g) der Sekretärin den Koffer, dem Vater den Mantel, der Mutter die Jacke, der Schwester den Hut **aufhängen**

h) der Großmutter das Licht, dem Großvater den Fernseher, dem Bruder ein Foto, dem Onkel den Computer **anmachen**

i) dem Gast die Zigarette, den Kindern die Kerzen, der Touristin das Fest, dem Kind den Adventskranz **anzünden**

j) den Kindern das Kinderzimmer, der Mutter die Küche, dem Weihnachtsmann den Bart, dem Chef den Schreibtisch **aufräumen**

k) dem Hund eine Brille, den Eltern ein Geschenk, dem Vater eine Krawatte, der Freundin eine Halskette **aussuchen**

zu LB Ü 7 Ergänzen Sie.

23

Im Januar und F_____ ,

da fährt Maria nach Dakar.

Im März, _____ und _____

besucht sie gerne Kai.

Im Juni, _____ und _____

hat sie zu Reisen keine Lust.

Im September und _____

fährt sie immer zu Frau Ober.

Im _____

bleibt sie zu Haus

Im _____

ist sie bei Klaus.

zu LB Ü 8 Was passt? (X) Jeweils 2 Lösungen sind richtig.

24

a) Welcher Tag ist heute?
  - ■ Der erste April.
  - ■ Den ersten April.
  - ■ Mein Geburtstag.

b) Welches Datum haben wir heute?
  - ■ Der erste April.
  - ■ Den ersten April.
  - ■ Den ersten.

c) Wie spät ist es?
  - ■ Drei Stunden.
  - ■ Fünfzehn Uhr.
  - ■ Drei Uhr.

d) Wann musst du wieder arbeiten?
  - ■ schon am ersten April
  - ■ noch der erste April
  - ■ erst am ersten April

e) Wann besucht uns Carola?
  - ■ Morgen Nachmittag.
  - ■ Morgen Vormittag.
  - ■ Zwei Monate.

f) Wie lange waren deine Eltern bei uns?
  - ■ Von Samstagvormittag bis Sonntagabend.
  - ■ Von Samstagvormittag bis morgen.
  - ■ Vom Samstag bis zum Sonntag.

g) Wann warst du in Paris?
  - ■ Am Wochenende.
  - ■ Gestern.
  - ■ Einen Monat.

h) Wie lange bist du in Paris geblieben?
  - ■ Von morgen früh bis Montag.
  - ■ Einen Abend.
  - ■ Zwei Wochen.

i) Wann gehst du schlafen?
  - ■ Abends um 10 Uhr.
  - ■ Nachts um 1 Uhr.
  - ■ Letzte Woche um 4 Uhr.

j) Wie lange bleibst du?
  - ■ Bis morgen.
  - ■ Über Weihnachten.
  - ■ Täglich.

zu LB Ü 10 Was passt nicht?

25

a) Der Film ist ihm ...   zu langweilig, zu unheimlich, zu kompliziert, zu alt, ~~zu groß~~

b) Die Frau ist ihm ...   zu groß, zu laut, zu brav, zu spät, zu aufgeregt

c) Der Mann ist ihr ...   zu jung, zu traurig, zu kurz, zu ruhig, zu fleißig

d) Das Café ist uns ...   zu leer, zu voll, zu laut, zu groß, zu richtig

e) Das Mobiltelefon ist ihnen ...   zu groß, zu fleißig, zu teuer, zu kompliziert, zu alt

f) Der Wagen fährt ihm ...   zu schnell, zu langsam, zu zufrieden, zu leise

g) Der Tischler arbeitet ihr ...   zu langsam, zu genau, zu alt, zu ruhig, zu bequem

h) Die Polizistin spricht ihm ...   zu schnell, zu langsam, zu leise, zu streng, zu voll

i) Weihnachten ist ihm ...   zu kommerziell, zu lang, zu teuer, zu richtig, zu schön

j) Möbel sind ihnen ...   nicht wichtig, sehr wichtig, ganz falsch, ziemlich egal, gar nicht wichtig

26

schon   erst   noch nicht   nicht mehr

a) Unser Sohn ist gestern sechzehn geworden und fährt **_schon_** _____ Mofa.

b) Sein Fahrrad findet er jetzt ganz langweilig; er will _____ Fahrrad fahren.

c) Unsere Tochter ist fünf und kommt _____ nächstes Jahr in die Schule, aber sie kann _____ gut schreiben.

d) Sie findet Fahrräder jetzt auch langweilig und möchte auch _____ Mofa fahren.

e) Aber das darf sie natürlich _____.

f) Das kann sie _____ mit sechzehn.

g) Unsere Zwillinge sind erst dreizehn Monate alt: Max lernt schnell und kann _____ alleine essen.

h) Klaus ist ein bisschen langsam und kann das leider _____ allein.

i) Früher ist er dauernd in der Nacht aufgewacht, doch jetzt schläft er abends ruhig ein und wacht auch _____ in der Nacht auf.

j) Mein Mann und ich stehen meistens _____ um sechs Uhr morgens auf.

k) Da schlafen die Kinder noch; so früh sind sie _____ wach.

zu LB Ü 11 Ergänzen Sie: **nur** oder **erst.**

27

a) Herbert spielt Tennis. Gestern war er müde und hat vor einem Spiel **_erst_** zwanzig Minuten Pause gemacht. Heute hat er Glück: Er muss _____ zwei Stunden spielen.

b) Oft schläft Helga sonntags sehr lange und steht _____ um zwei Uhr nachmittags auf. _____ manchmal steht sie sonntags schon um elf oder zwölf auf.

c) Fahrkarten können Sie _____ an den Fahrkartenautomaten bekommen. Aber die sind leider kaputt und wir müssen sie _____ reparieren.

d) Das Geschäft macht _____ um 10 Uhr vormittags auf, aber es macht _____ eine halbe Stunde Pause am Mittag.

e) Der Brief ist gleich fertig. Es dauert ____ noch einen Moment.

f) Er fotografiert keine Männer und keine Kinder, _____ Frauen.

g) Das Theater ist fast voll, es gibt _____ noch drei Plätze.

h) Wann ist heute Feierabend? Das weiß _____ der Chef.

i) Die Sekretärin kann noch nicht Feierabend machen. Sie muss _____ die Briefe zu Ende schreiben.

zu LB Ü 11 Was passt zusammen?

28

a) Er hat sein Examen nicht geschafft.

b) In meiner Suppe ist eine Mücke.

c) Wir sind Donnerstag zu einer Hochzeit eingeladen.

d) Samstag und Sonntag gehen wir wandern.

e) Im Juni haben die Kinder Ferien. Dann fliegen wir nach Mallorca.

f) Morgen hat er sein Examen.

g) Morgen hat meine Freundin Geburtstag.

h) Mittwochnachmittag habe ich frei.

i) Wir gehen jetzt schlafen.

j) Wann kommt mein Taxi denn?

k) Heute Abend gehen wir tanzen.

■ 1. Oh, Verzeihung! Entschuldigen Sie bitte.

■ 2. Ich weiß. Ich habe ihm schon viel Glück und viel Erfolg gewünscht.

■ 3. Ich wünsche Ihnen ein schönes Wochenende.

■ 4. Wir wünschen euch und den Kindern einen schönen Urlaub.

■ 5. Das tut mir leid für ihn.

■ 6. Dann wünsche ich euch viel Spaß auf dem Fest.

■ 7. Dann wünsche ich dir einen schönen Mittwochnachmittag.

■ 8. Viele Grüße von uns. Wir wünschen ihr alles Gute.

■ 9. Wir wünschen euch einen schönen Abend in der Disco.

10. Ich wünsche euch eine gute Nacht.

11. Es ist schon da. Wir wünschen Ihnen eine gute Fahrt.

zu LB Ü 11 Ordnen und ergänzen Sie.

29

Gestern Morgen	bin ich einkaufen gegangen.
_____	bin ich schwimmen gegangen.
_____	bin ich mit Karin essen gegangen.
_____	bin ich Tennis spielen gegangen.
_____	gehe ich segeln.
_____	gehe ich tanzen.
_____	gehe ich wieder einkaufen.
_____	gehe ich wieder tanzen.
_____	gehe ich wieder Tennis spielen.
_____	gehe ich wandern.
Nächste Woche Montag	muss ich wieder arbeiten.

> heute Nachmittag gestern Nachmittag morgen Abend heute Abend ~~gestern Morgen~~ heute Vormittag morgen früh ~~nächste Woche Montag~~ übermorgen am Wochenende gestern Abend

zu LB Ü 11 Ordnen Sie das Gespräch.

30

■ a) ■ So um fünf.

■ b) ● Schade, aber vielleicht darf ich Sie nach dem Spiel einladen?

1 c) ● Möchten Sie gern ein Eis? Ich lade Sie ein.

■ d) ■ Danke schön.

■ e) ● Natürlich. So viel Zeit habe ich. Wann sind Sie denn fertig?

■ f) ■ Die Einladung ist sehr nett von Ihnen, aber mein Spiel beginnt gleich.

■ g) ● Gut, also bis fünf. Ich wünsche Ihnen viel Spaß beim Spiel.

■ h) ■ Ja, danach gern. Können Sie so lange warten?

zu LB Ü 11 Ordnen Sie das Gespräch.

31

■ a) ● Dann bis morgen. Und viel Spaß beim Spiel!

■ b) ■ Bestimmt. Um drei sind wir meistens hier.

■ c) ● Dann geht es heute Nachmittag leider nicht mehr. Um fünf haben wir unsere Führerscheinprüfung. Sehen wir euch morgen?

■ d) ■ Vielen Dank für die Einladung, aber unser Spiel fängt gleich an.

■ e) ■ Ja, nach dem Spiel passt es gut. Aber meistens dauern unsere Spiele ziemlich lange.

1 f) ● Dürfen wir euch zu einem Eis einladen?

■ g) ■ So um fünf vielleicht.

■ h) ● Dann vielleicht nach dem Spiel ?

■ i) ■ Danke. Und euch viel Glück bei der Führerschein- prüfung!

■ j) ● Wann seid ihr denn wohl fertig?

zu LB Ü 14 Schreiben Sie.

32

a) wirwünscheneuchfröhlicheostern

   Wir wünschen euch fröhliche Ostern.

b) herzlichenglückwunschzudeinemexamen

   _____

c) diebestenwünschezueurerhochzeit

   _____

d) wirwünscheneucheinschönesweihnachtsfest

   _____

e) herzlichenglückwunschzuihremgeburtstag

   _____

zu LB Ü 14 Was passt zusammen?

33

a) Herzliche Glückwünsche zur Hochzeit ■   1. und immer gute Fahrt.

b) Alles Gute zum Geburtstag ■   2. und eine gute Reise.

c) Fröhliche Weihnachten ■   3. und viel Glück im neuen Lebensjahr.

d) Wir danken dir herzlich ■   4. und ein glückliches neues Jahr.

e) Herzlichen Glückwunsch zum Führerschein ■   5. wünschen wir dir viel Glück.

f) Ich wünsche Ihnen nachträglich alles Gute ■   6. und alles Gute für das Leben zu zweit.

g) Wir wünschen Euch viel Spaß im Urlaub ■   7. für deine Einladung.

h) Zu deinem achtzehnten Geburtstag ■   8. zu Ihrem fünfzigsten Geburtstag.

34

meine herzlichen Glückwünsche zu Ihrem Geburtstag.

ich wünsche Euch ein schönes Weihnachtsfest mit Eurer Familie.

herzlichen Glückwunsch zu Eurer Hochzeit.

Bleiben Sie immer so fröhlich und zufrieden.

Gibt es bei Euch wieder Gans mit Klößen und Rotkohl?

Wir wünschen Euch alles Gute für das Leben zu zweit.

Mit allen guten Wünschen für Euch beide

Fröhliche Feiertage und ein glückliches neues Jahr.

Ich wünsche Ihnen alles Gute für das neue Lebensjahr.

Liebes Brautpaar,

herzlichen _____

_____

_____

_____

_____

Eure Sabine und Euer Hans

Lieber Herr Becker,

meine _____

_____

_____

_____

_____

Ihre Monika Schneider

Liebe Inge, lieber Georg,

_____

_____

_____

_____

Eure Ursula

zu LB Ü 14 Ergänzen Sie.

35

a) Ich wünsche *dir* alles Gute zum Geburtstag.

Ich wünsche *euch* alles Gute zum Geburtstag.

Ich wünsche *Ihnen* alles Gute zum Geburtstag.

b) Herzlichen Glückwunsch zu deinem Geburtstag.

Herzlichen Glückwunsch zu *eurem* _____.

Herzlichen _____.

c) Vielen Dank für _____.

Vielen Dank für eure Einladung.

Vielen _____.

d) Leider _____.

Leider _____.

Leider kann ich nicht zu Ihrer Feier kommen.

e) Ich komme gerne zu deinem Fest.

Ich _____.

Ich _____.

f) Ich _____.

Ich möchte euch herzlich zu meinem Geburtstag einladen.

Ich _____.

zu LB Ü 14 Schreiben Sie.

36

a) Wir fahren nach Spanien und bleiben drei Wochen dort.

Wir fahren für drei Wochen nach Spanien. _____

b) Es dauert noch drei Wochen, dann fahren wir nach Spanien.

Wir fahren in drei Wochen nach Spanien. _____

c) Wir sind vor drei Wochen in Spanien angekommen und immer noch da.

Wir sind seit drei Wochen in Spanien. _____

d) Wir fliegen nach Kanada und bleiben einen Monat dort.

_____

e) Es dauert noch vierzehn Tage, dann fliegen wir nach London.

_____

f) Wir sind vor fünf Tagen in Berlin angekommen und immer noch da.

_____

g) Es dauert noch dreißig Minuten, dann gehen wir nach Hause.

_____

h) Wir besuchen unsere Freunde und bleiben eine Woche bei ihnen.

_____

37

a) Die Gäste folgen dem Brautpaar.

   Die Gäste sind dem Brautpaar gefolgt.

b) Er erledigt die Einkäufe für Weihnachten.

   Er hat _____

c) Meine Mutter backt einen Kuchen.

   _____

d) Mein Mann versteckt die Geschenke für die Kinder.

   _____

e) Der Nikolaus gibt den Kindern Spielsachen.

   _____

f) Die Familie schaut den Weihnachtsbaum an.

   _____

g) Ich schenke ihnen zur Hochzeit ein Radio.

   _____

h) Das Festessen schmeckt sehr gut.

   _____

i) Mein Bruder besorgt den Wein für Silvester.

   _____

j) Ich wünsche dem Brautpaar viel Glück.

   _____

Wörter im Satz

	Ihre Muttersprache	Schreiben Sie einen Satz aus Delfin, Lehrbuch.
____ *Atmosphäre*	_____	_____
____ *Bluse*	_____	_____
____ *Eile*	_____	_____
____ *Erfolg*	_____	_____
____ *Firma*	_____	_____
____ *Geschenk*	_____	_____
____ *Lied*	_____	_____
____ *Onkel*	_____	_____
____ *Päckchen*	_____	_____
____ *Rücken*	_____	_____
anschauen	_____	_____
anzünden	_____	_____
backen	_____	_____
bestehen	_____	_____
einladen	_____	_____
erledigen	_____	_____
fehlen	_____	_____
folgen	_____	_____
gratulieren	_____	_____
heiraten	_____	_____
schenken	_____	_____
schmecken	_____	_____
verzeihen	_____	_____
wünschen	_____	_____
außerdem	_____	_____
egal	_____	_____
einmal	_____	_____

gemütlich	_____	_____
kaum	_____	_____
ruhig	_____	_____
seit	_____	_____
voll	_____	_____

Grammatik

§ 1, 2, 3, 5 Nomen im Dativ

39

	Nominativ	Dativ	
Maskulinum	**der** Vater	**dem** Vater	**Der** Sohn hilft **dem** Vater.
Femininum	**die** Sekretärin	**der** Sekretärin	**Die** Ärztin hilft **der** Sekretärin.
Neutrum	**das** Brautpaar	**dem** Brautpaar	**Das** Mädchen gratuliert **dem** Brautpaar.
Plural	**die** Kinder	**den** Kindern	**Die** Eltern folgen **den** Kindern.

§ 23 Personalpronomen im Akkusativ und Dativ

40

Nominativ	Akkusativ	Dativ		
ich	**mich**	**mir**	Er sieht **mich**.	Er hilft **mir**.
du	**dich**	**dir**	Sie kennt **dich**.	Sie folgt **dir**.
er	**ihn**	**ihm**	Wir sehen **ihn**.	Wir helfen **ihm**.
sie		**ihr**	Wir sehen **sie**.	Wir helfen **ihr**.
es		**ihm**	Wir sehen **es**.	Wir helfen **ihm**.
wir	**uns**		Ihr kennt **uns**.	Ihr folgt **uns**.
ihr	**euch**		Wir kennen **euch**.	Wir folgen **euch**.
sie	**ihnen**		Wir kennen **sie**.	Wir helfen **ihnen**.
Sie	**Ihnen**		Ich kenne **Sie**.	Ich helfe **Ihnen**.

§ 51 c) Verben mit Dativergänzung

41

helfen	Der Sohn hilft **dem** Vater.	Er hilft **ihm**.
folgen	Das Kind folgt **der** Mutter.	Es folgt **ihr**.
gefallen	Das Geschenk gefällt **dem** Kind.	Es gefällt **ihm**.
gratulieren	Der Chef gratuliert **der** Sekretärin.	Er gratuliert **ihr**.
passen	Die Handschuhe passen **dem** Chef.	Sie passen **ihm**.
schmecken	Die Schokolade schmeckt **dem** Kind.	Sie schmeckt **ihm**.
...		

§ 51d), 55c) Verben mit Dativ- und Akkusativergänzung

42

geben	Der Vater gibt **dem** Sohn **den** Schlüssel.	Er gibt **ihm den** Schlüssel.
		Er gibt **ihn dem** Sohn.
schenken	Die Mutter schenkt **der** Tochter **die** Bluse.	Sie schenkt **ihr die** Bluse.
		Sie schenkt **sie der** Tochter.
schicken	Das Mädchen schickt **dem** Brautpaar **das** Telegramm.	Es schickt **ihm das** Telegramm.
		Es schickt **es dem** Brautpaar.
mitbringen	Die Kinder bringen **den** Eltern **die** Blumen mit.	Sie bringen **ihnen die** Blumen mit.
		Sie bringen **sie den** Eltern mit.
...		

§ 22 Das Datum

43

| Heute ist **der erste** Januar. | Er kommt **am ersten** Januar. |
| Morgen ist **der einundzwanzigste** August. | Er kommt **am einundzwanzigsten** August. |

Adjektiv mit Dativ und zu

44

Die Frau findet den Weihnachtsmarkt zu voll.	Der Weihnachtsmarkt **ist der Frau zu voll.**
	Der Weihnachtsmarkt **ist ihr zu voll.**
Der Mann findet die Krippe zu teuer.	Die Krippen **sind dem Mann zu teuer.**
	Die Krippen **sind ihm zu teuer.**

§ 44, 45 Starke und gemischte Verben

45

Infinitiv	*3. P. Sg. Präsens*	*Perfekt*
aufhalten	hält auf	hat aufgehalten
backen	bäckt	hat gebacken
bestehen	besteht	hat bestanden
einladen	lädt ein	hat eingeladen
erfahren	erfährt	hat erfahren
gefallen	gefällt	hat gefallen
gewinnen	gewinnt	hat gewonnen
unterstreichen	unterstreicht	hat unterstrichen
verzeihen	verzeiht	hat verziehen
vorlesen	liest vor	hat vorgelesen
brennen	brennt	hat gebrannt

Wortschatz

Nomen

r Advent
r Adventskranz, ⸚e
r Anlass, –Anlässe
r April
e Atmosphäre, –n
e Aufregung, –en
r Backofen, ⸚
e Bäuerin, –nen
r Bikini, –s
r Blumenstrauß, ⸚e
e Bluse, –n
e Bratwurst, ⸚e
s Brautpaar, –e
s Bücherregal, –e
r Bürgermeister, –
e CD-ROM, –s
r Chef, –s
e Christbaumkugel, –n
r Clown, –s
s Computerspiel, –e
s Datum, Daten
e Datumsangabe, –n
r Dezember
e Eile
s Eis
r Erfolg, –e
e Erinnerung, –en
s Essen, –
s Examen, –
e Farbe, –n
r Februar
Ferien (pl)
s Fest, –e
s Festessen
e Firma, Firmen
r Flug, ⸚e
r Führerschein, –e
e Führerscheinprüfung, –en
e Gans, ⸚e
s Gedicht, –e
s Geschenk, –e
r Glückwunsch, ⸚e
r Glühwein, –e

e Grußkarte, –n
e Halskette, –n
r Handschuh, –e
s Herz, –en
e Hochzeit, –en
e Hochzeitsfeier, –n
r Januar
r Japaner, –
e Japanerin, –nen
s Jubiläum, Jubiläen
r Juli
r Juni
e Kindheit
r Kitsch
e Klausur, –en
r Kloß, ⸚e
e Krippe, –n
s Lebensjahr, –e
e Lehrerin, –nen
s Lied, –er
r Mai
r März
e Mitternacht
e Mitternachtsmesse, –n
r Monatsname, –n
e Nacht, ⸚e
r Nikolaustag, –e
r November
e Nuss, ⸚e
r Oktober
e Oma, –s
r Onkel, –
r Opa, –s
s Paar, –e
s Päckchen, –
e Party, –s
s Plätzchen, –
s Pronomen, –
e Rakete, –n
e Rente, –n
e Rose, –n
r Rotkohl
r Rücken
e Rute, –n
r Sack, ⸚e
r Sänger, –
r Schatz, ⸚e
e Schokolade, –n

r Sekt
r September
e Silberhochzeit, –en
r Spaß, ⸚e
e Spielsache, –n
e Süßigkeit, –en
e Tafel, –n
s Telegramm, –e
e Torte, –n
r Urlaubstag, –e
r Valentinstag, –e
s Volksfest, –e
e Vorbereitung, –en
e Watte
r Weihnachtsbaum, ⸚e
s Weihnachtsfest, –e
e Weihnachtsgans, ⸚e
e Weihnachtsgeschichte
s Weihnachtslied, –er
r Weihnachtsmann, ⸚er
r Weihnachtsmarkt, ⸚e
r Weihnachtsschmuck
e Woche, –n
r Wunsch, ⸚e
r Wunschzettel, –
e Zahnarztpraxis,
　　Zahnarztpraxen

Verben

an·haben
an·schauen
an·zünden
auf·halten
auf·sagen
aus·suchen
backen
basteln
besorgen
bestehen
brennen
ein·laden
erfahren
erledigen
fehlen
folgen
funkeln
gefallen

gewinnen
gratulieren
grüßen
heiraten
mit·bringen
schenken
schmecken
schmücken
stören
unterstreichen
verreisen
verstecken
verzeihen
vor·lesen
vor·spielen
wünschen

streng
voll
wunderschön
wundervoll

Adverbien

außerdem
ein bisschen
deutlich
einmal
endlich
kaum
mindestens
nachträglich
weiter
ziemlich

Funktionswörter

damit
davon
seit

seit wann?
was für ein?

ihnen
Ihnen

mich
dich
mir

dir
ihm
ihr
uns
euch
ihnen
Ihnen

Ausdrücke

Grüß' dich.
Herzlichen Glückwunsch!
Fröhliche Weihnachten!
Prost Neujahr!
Ein glückliches neues Jahr!
Viel Glück!
Alles Gute!
Viel Erfolg!
Gute Fahrt!
morgen früh
morgen Nachmittag
so um vier
schon lange
wieder mal
mal wieder
und so weiter
zu zweit
so weit sein
in Eile sein
es (sehr) eilig haben
Das ist mir egal.

Adjektive

aufgeregt
beste
böse
brav
egal
eilig
eingeladen
fröhlich
furchtbar
gemütlich
geschlossen
kommerziell
kompliziert
ruhig

In Deutschland und Österreich sagt man:
r Bürgermeister, –
r Führerschein,–e
r Glückwunsch, ¨-e

In der Schweiz sagt man auch:
r Stadtpräsident, –en / r Amman, ¨-er
r Führerausweis, –e
e Gratulation, –en

Quellenverzeichnis

Lehrbuch

Seite 23 Mitte: M. Schindlbeck, Antenne Bayern
© Werner Bönzli, Reichertshausen

Seite 30: Segelboot © Bavaria Yachtbau GmbH,
Giebelstadt

Seite 53: VPI Verkehrsunfallaufnahme München
(Auto am Baum); Gerhard Neumeier,
Hallbergmoos (Reiter)

Seite 60: Wolfgang Korall, Berlin

Seite 63: Hartmut Aufderstraße

Seite 73: Katharina Biehler, Saarbrücken
(Silvesterfeier)

Heribert Mühldorfer: Seite 12, 13, 20 (links
unten), 26, 27 rechts, 30, 32, 33, 41, 42 (oben),
43 (2 x oben), 50, 52 (oben), 53, 63 (oben),
82 (1 + 3 + unten), 83, 93, 102, 103 (oben), 110

Roland Koch: Seite 13 (oben), 20, 22, 23, 27, 30
(Mitte oben), 42, 43 (2 x unten), 52, 62, 72, 73,
82 (2 + 4), 92 (oben)

Das Krokodil auf Seite 30 wurde uns
freundlicherweise vom Institut für Zoologie
in München zur Verfügung gestellt.

Arbeitsbuch

Seite 37: MHV-Archiv (Dieter Reichler)
Seite 120: Hartmut Aufderstraße
Seite 143: Roland Koch

CD – Lektionen 1 – 7

Track Lektion   Übung

Track	Lektion	Übung	
2	**Lektion 1**	Übung 10	
3		Übung 11	Teil a
4			Teil b
5			Teil c
6		Übung 12	
7		Übung 13	Teil a
8			Teil b
9			Teil c
10		Übung 14	Teil a
11			Teil b
12		Übung 15	Gespräch a
13			Gespräch b
14	**Lektion 2**	Übung 14	Teil a
15			Teil b
16		Übung 15	Teil a
17			Teil b
18		Übung 16	Gespräch a
19			Gespräch b
20	**Lektion 3**	Übung 10	
21		Übung 11	
22		Übung 12	
23		Übung 13	
24		Übung 14	
25		Übung 15	
26		Übung 16	
27		Übung 17	
28	**Lektion 4**	Übung 12	
29		Übung 13	
30		Übung 14	
31		Übung 15	Gespräch a
32			Gespräch b
33	**Lektion 5**	Übung 12	
34		Übung 13	
35		Übung 14	
36	**Lektion 6**	Übung 9	
37		Übung 10	Teil a
38			Teil b
39		Übung 11	Text a
40			Text b
41			Text c
42			Text d
43			Text e
44		Übung 12	Gespräch 1
45			Gespräch 2

Track	Lektion	Übung	
46	**Lektion 7**	Übung 7	
47		Übung 8	
48		Übung 9	
49		Übung 10	
50		Gespräch	

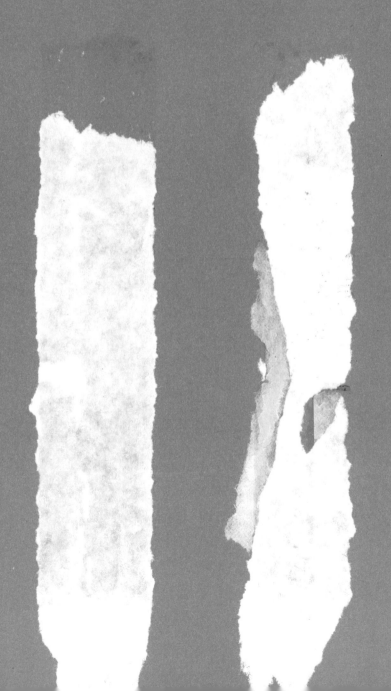

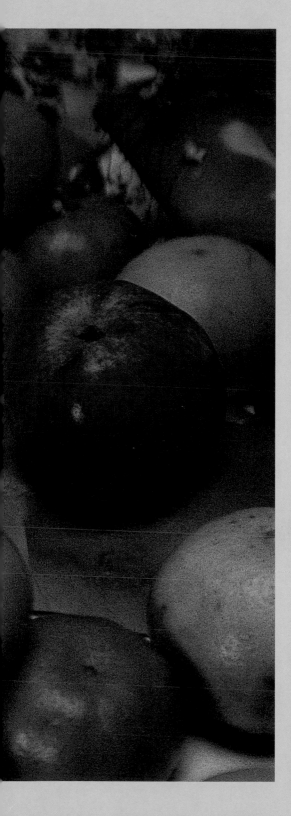

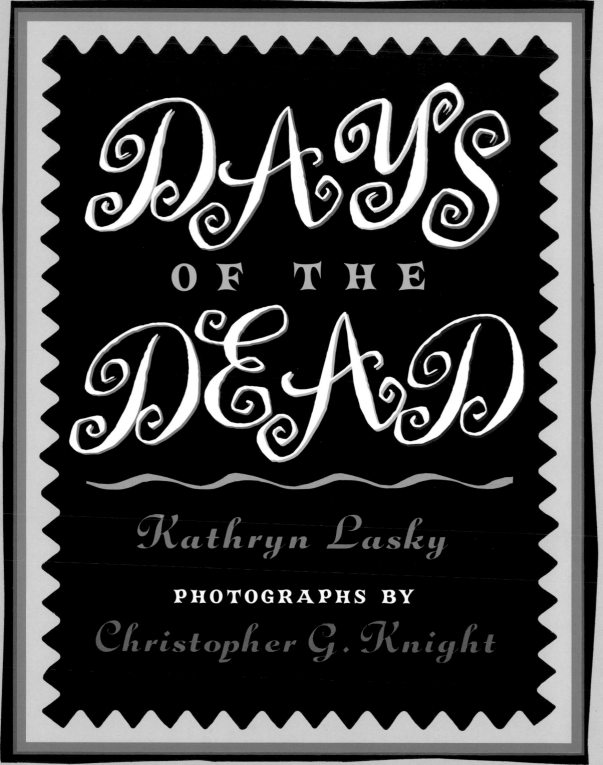

DAYS OF THE DEAD

Kathryn Lasky

PHOTOGRAPHS BY

Christopher G. Knight

HYPERION BOOKS FOR CHILDREN • NEW YORK

Text © 1994 by Kathryn Lasky.
Photographs © 1994 by Christopher G. Knight.
All rights reserved.
Printed in Singapore.
For information address
Hyperion Books for Children,
114 Fifth Avenue, New York, New York 10011.

FIRST EDITION
1 3 5 7 9 10 8 6 4 2

Lasky, Kathryn.
Days of the Dead/Kathryn Lasky;
photographs by Christopher G. Knight–1st ed.
p. cm.
ISBN 0-7868-0022-4 (trade)–ISBN 0-7868-2018-7 (lib. bdg.)
1. All Souls' Day–Mexico–Juvenile literature.
2. All Saints' Day–Mexico–Juvenile literature.
3. Mexico–Social life and customs–Juvenile literature.
I. Knight, Christopher G. II. Title.
GT4995.A4L37 1994
394.2'64–dc20 93-47957 CIP AC

This book is set in 14-point Barcelona Book.

6

*I*nto a valley deep in the heart of Mexico, nearly half a century ago, came a young man named Juan de Jesús and his wife, Domatilla. They walked, the man leading a burro and the woman carrying a small infant wrapped in her *rebozo,* a shawl. They came to search for land to farm and a good place to raise their family. They liked the valley. The soil seemed rich, and they hoped the winters would not be too harsh or the summers too dry. So they settled there, first building a small one-room log house, then another cabin just for cooking and a few stalls for animals. They raised sheep and chickens and turkeys, and grew vegetables. They would have five more children.

Even after Domatilla and Juan died, some of their children and grandchildren continued to live on the small farm in the valley. Others moved higher into the hills, and some moved to Mexico City. But on the second to last day in the month of October, many of them are coming back to the valley and to the home that Juan and Domatilla built. For it is *los Dias de Muertos,* the Days of the Dead, and the children and grandchildren have returned to welcome their grandparents' spirits home.

*L*os Días de Muertos is a traditional holiday in Mexico that honors the dead. Throughout the country Mexicans are preparing to welcome the spirits of their departed ancestors and friends. People stream into the cemeteries with flowers, wash buckets, scrub brushes, and hoes to begin cleaning up the graves, *las tumbas.* When the graves are scrubbed and the flowers arranged, candles will be lit for the returning spirits of the autumn night.

8

These days are not sad. The crying is over, and now is the time for remembering and rejoicing and even for mocking death. In the towns boisterous high school students are dressed as ghouls and mummies and monsters. They shout, *"¡Calaveras! ¡Calaveras!"* (Skulls! Skulls!) as they make their raucous way through the narrow streets of a hill town. It is almost as if they were saying trick or treat because they are asking for sweets and fruit and money.

They carry a coffin and in it is a smiling "corpse" who especially likes oranges and gives a cheer every time a market vendor throws one into the casket. A lucky corpse can catch bunches of flowers, fruits, and candy.

Shop windows display *calacas,* the handmade figurines that show a lively afterlife where skeleton musicians continue to play in jazz bands, writers tap their bony fingers on typewriters, and even brides in dresses as white as their bones march down the aisle with skeleton grooms.

Bakers' trays are filled with chocolate and sugar skulls, marzipan coffins, and white chocolate skeletons. There are special loaves of bread, *pan de muertos,* with "bones" decorating the crust. There are candles for sale, and the markets are crammed with flowers.

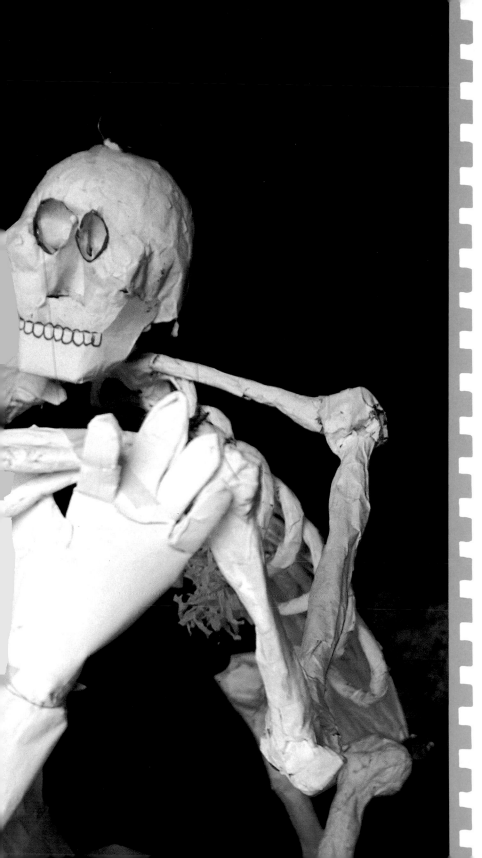

At a roadside, in a small fenced enclosure, a woman is busy arranging flowers in vases. This is the spot where her brother and his friend died in a car crash. At night she will place a candle there to beckon the spirits, and then, beyond the highway, near the doorway to her house in the village, she will lay a path of marigold petals to guide the spirits to her kitchen. There she has spread a table with beautiful flowers and set out their favorite foods.

13

utumn is a time of dying, of preparing for winter's sleep, and celebrations of death come at this time of year in many cultures and religions. Halloween grew out of the Celtic festival Samhain, celebrating the passing of summer and the arrival of winter. The Celts believed that during this festival the souls of the dead were allowed to return to their earthly homes for the evening. The ancient Egyptians also celebrated death. Osiris, god of vegetation and thought to be the ruler who granted life from the underworld as well as immortality, was remembered every year in November, the time when the Nile was annually sinking and when it was believed he had drowned. Ancient Egyptians believed that life did not end with death and that at this time of year the dead returned to visit their homes, so lamps were lit to show the way.

The Aztec people of Mexico did not fear death. Though life on earth was harsh, they envisioned an afterlife where warriors and children became hummingbirds and butterflies, where infants who had died at birth suckled at a heavenly nursing tree, where the dead were never judged but lived in eternal happiness, and where life was seen only as a brief dream on the way to death, the only reality.

But in Mexico, autumn also brings signs of rebirth. Between the wet and the dry seasons, the countryside bursts with blooming flowers: great waves of golden-eyed sunflowers, white daisies, red poinsettias, and purple salvias. The monarch butterflies that have summered in the north return south to winter in the protection of the *oyamel* fir forests.

It is always around the Days of the Dead that the butterflies' silhouettes are first spotted. They have flown thousands of miles, some from as far as Canada. The rivulets of butterflies streaming in from the northeast will become thicker and thicker until they are like sparkling streams in the skies. The monarchs embroider the air with their orange-and-black finery as they glide on gossamer-thin wings to their roosting places in the trees. There they cluster on branches in immense bunches looking like tissue-paper shingles. In one forest near the de Jesús family's house it has been estimated that there are over thirty million butterflies.

Evidence that butterflies have been linked with the spirits of the dead since ancient times is found in the monarch images carved in stone on many Aztec monuments. Throughout the centuries the inhabitants of Mexico have believed that the returning butterflies bear the spirits of the departed.

S he does not need the marigold path. *Abuela,* my grandmother, knows the way. She took the sheep very far, and she could always find a lost one even behind the mountain. She will find our *ofrenda* and so will *Abuelo.*"

Gamaliel is twelve years old. He remembers his grandparents well, especially his grandmother Domatilla, for together they herded the sheep. They would leave early in the morning, when the frost silvered the meadow, to take sheep far into the back country, where they could gather kindling and wood for their fire.

Gamaliel's little sister Noemi always begs to go with her big brother. But she is not much help. She is not big enough to pick up a stubborn sheep and carry it back to where it is supposed to be grazing, and she doesn't run fast enough to head off the herd if it decides to graze in a neighbor's garden on the way to the meadow.

17

Gamaliel and his brothers and sisters and cousins must haul water from a spring almost half a mile away. They feed the chickens and guard the turkeys, for coyotes love turkey as well as lamb. Gamaliel checks up on the baby burro in the lower pasture. Much of this must be done before breakfast. There is a lot of work for him to do on the farm because his father and older brother work most of the time in Mexico City, where the pay is better, and Gamaliel is the oldest child at home.

On the farm, work and play get mixed up together. But there is no time or money for school. Gamaliel had to quit after sixth grade. The school that he would go to for seventh grade was twelve miles away, and his parents could not afford the cost of the bus ride.

There is no electricity in Gamaliel's house. In the cooking house, which is separate from the cabin where they sleep, an oil drum has been made into a stove. Gamaliel's aunt Amelia works the dough, or *masa,* on a stone slab called a *metate.* The dough is a mixture of cornmeal that has been soaked in lye to make the paste for the *tortillas.* The paste must be smooth, without lumps. When Aunt Amelia finishes working the mixture, Gamaliel's mother, Rosa María, takes a small handful and puts it into a press that squeezes it flatter than a very thin pancake. She then puts the tortilla on the metal top of the oil drum to cook. Noemi "cooks" on her own little metate. Slap, slap, pat, pat—her little hands push and mash the masa.

For breakfast the children eat their tortillas and drink coffee from thick mugs. Rosa María begins to simmer a pot of mutton stew for their other meal of the day. Amelia stands with her baby in the doorway waiting for her husband, Evodio, to come from Mexico City. Evodio is the oldest son of Juan and Domatilla. He is Gamaliel's uncle. Like Gamaliel's father he must work in Mexico City, where the pay is better and his older children can attend school. When Gamaliel is a teenager he, too, will go to Mexico City to work with his father and uncle and maybe go back to school.

24

This morning Evodio has finally arrived. He and Amelia and their niece Belon go to the market to buy things for the ofrenda, or offering, they will make for the grandparents. The offering consists of an altar laden with flowers and food and familiar and favorite possessions from the person's life on earth.

Their first stop in the market is the flower vendors. Colorful flowers explode from buckets and are heaped on tables. Amelia buys some *cempasúchil* and then some frothy red blossoms called fer-de-lance, after a type of snake.

25

Next they stop for fruit and then for several loaves of pan de muerto. At a dry goods store they choose special candles that will burn all night. And for the children they buy chocolate skulls and a chocolate coffin with a sugar skeleton inside.

When they return from the market everyone helps set up the ofrenda in the log house that Juan and Domatilla built. It is in this one-room house that Gamaliel and his mother, sisters, and brothers now sleep. But it is not just a room for sleeping: it is also a room for gathering. Gamaliel's aunt from down the valley comes with her children. Another aunt brings a picture of the parents whose spirits they welcome back.

The late afternoon light slants in through the small windows and narrow door. The air in the room seems spun with gold light. The women speak softly as they arrange the flowers and bread on the table. The children watch from the bed. It is Evodio's honor as the oldest son of Juan and Domatilla to pour some of the tequila his father loved and put it on the table. The women light the candles. Rosa María places the picture of herself with Domatilla on the table.

All is ready now. In the small room, the women wrapped in their rebozos speak softly. Everyone remembers the old ones, their parents and grandparents. As the light outside grows dim, umber shadows slide across the floor and the candles cast small halos of honey-colored light over the table.

The next morning everyone prepares to go to the cemetery. The children put on fresh clothes and have their hair brushed. While they are waiting they sit on the front steps eating their chocolate and sugar skulls. They eat them slowly and carefully. Some eat the jaws first and then the sunken cheeks. Others start at the top of the skulls. The older children warn the little ones not to eat the sequins that decorate the eye sockets.

One of Gamaliel's cousins looks into the sky and cries out, *"¡Mariposa! ¡Mariposa!"* He has just spotted the first monarch butterflies from the north. These butterflies ride the warm thermal updrafts over the ridge beyond the far meadows where the sheep graze.

34

When everyone is ready the family goes to the cemetery. Outside the walls of the cemetery there are ice-cream and flower and fruit vendors. There is a tortilla stand, and soft drinks are sold, too. People arrive with blankets and picnic baskets. But first they go to work on the tumbas.

The grandchildren and children of Juan and Domatilla have brought their hoes and picks and shovels for weeding, and more flowers. It looks as if flowers have suddenly sprouted legs, as small children laden with immense bouquets make their way to the graves.

The graves of Juan and Domatilla are simple dirt mounds with wooden crosses. There are no fancy statues or gravestones. The children and their parents begin pulling up the weeds that have grown up over the past year. They rake and smooth the soil, and in old tin cans sunken into the ground at the corners of the graves they create beautiful flower arrangements.

"*¡Aquí está Abuela! ¡Y aquí está Abuelo!*" (Here is Grandmother! And here is Grandfather!) Evodio says to one of his small nephews as he takes a few single stems of flowers and sticks them directly into the dirt. After they have tended the graves of Juan and Domatilla, the family goes to a corner of the cemetery where the graves are much smaller. This is where the children and babies are buried. There is a grave for the baby of Evodio and Amelia who died before his first birthday.

The grave is small, and it does not take long to rake and weed and to put the flowers around it. They do not cry while they do this but talk of the flowers and of the picnic they will have when they leave the cemetery. Amelia pats the dirt gently. As she works she whispers to the baby she carries in her shawl to quiet him.

Throughout the cemetery families are busy cleaning up the graves of their loved ones. Some weed dirt mounds like the ones of the de Jesús family. Others scrub and sweep out small stone buildings or crypts. In addition to bringing flowers and candles, people bring fruit and bread to place on the graves. Some bring guitars to play or radios to listen to, for they will spend the entire night in the cemetery.

That evening in the village, children dressed as mummies, ghosts, and ghouls run through the streets shouting, "¡Calaveras! ¡Calaveras!" and hold out boxes or bowls for coins and candies.

As the evening light descends, the candles burn on the tombs and benevolent shadows slide across the night. The darkness drinks the purples and pinks of the flowers, but the bright orange beaks of the bird-of-paradise blossoms stab the night, and the white-throated calla lilies stretching toward the moon catch its light.

44

Gamaliel recalls the day shortly after his abuela died, when his older brother Israel thought he saw her ghost in the market. Israel ran all the way back from the village to their house in the valley to ask his mother if it was true. Had Domatilla really died? And Rosa María said, "What do you mean, 'really'?" She told him not to be scared. The dead only die if they die in our hearts.

Gamaliel thinks his mother is right. He feels his heart pumping. He can remember so clearly tending the sheep with Abuela. He can remember then as if it were now. But perhaps those days were just a dream? Were they more real than now, on this eve of los Días de Muertos, when he feels his abuela's spirit? It seems as if she has never left.

The darkness deepens. The stems of flowers dissolve in the shadows of midnight. The candles flicker in the autumn breeze. A prayer is murmured, a lily trembles in the wind, a few soft chuckles lace the dark as the invisible spirits press closer. Abuela needs no marigold path, Gamaliel thinks. Domatilla is like a butterfly, the monarch: she can always find her way. And then he smiles softly to himself in the darkness.

45

MORE ABOUT THE DAYS OF THE DEAD CELEBRATION

The Days of the Dead, which span the evenings of October 31 through November 2, are not the only holidays that celebrate the spirits of departed ancestors. They are part of a larger tradition in which rites commemorating harvest and death are mixed.

All Saints' Day and All Souls' Day are two Christian holidays that grew out of mourning practices such as those celebrated in ancient Egypt and Rome that commemorated the dead. The origin of All Saints' Day, November 1, which was dedicated as a time to pray to all saints, is obscure. It was first celebrated in May, but by the year 800, November 1 was the date observed in honor of both saints as well as martyrs.

In the eleventh century, Odilo, the abbot of the Cluny monastery, dedicated November 2 as the day to remember the souls of baptized Christians who were believed to be in purgatory because they had died with the guilt of sin on their souls. By the thirteenth century All Souls' Day was being celebrated regularly throughout the Christian world.

In medieval England, All Hallows' Eve was celebrated on the night of October 31, the night before All Saints' Day. In ancient England, the Celtic festival of Samhain, which noted the passing of summer and the return of herds from the pastures, was also observed on this date. It was thought that this was when the souls of the dead revisited their homes. Stories of ghosts, witches, hobgoblins, and cats roaming the countryside were told. People often built huge bonfires on hilltops to frighten evil spirits away. In England there was a custom similar to trick-or-treating called "souling" or "soul-caking." On All Souls' Eve poor people would go about begging currant buns. There was indeed a blending of pagan and Christian beliefs, and gradually Halloween became a secular holiday.

Osiris was the Egyptian god of the dead and also the god of life, vegetation, and fertility. According to an ancient myth, Osiris had been slain by the Egyptian god Seth, who drowned him and then tore his body into fourteen pieces and cast them across the earth. Osiris's wife, Isis, found the pieces and buried them, thus giving new life to the god. Osiris therefore became associated with growth and the promise of new life as much as with death. Osiris festivals in November, at the time of the Nile's annual sinking, became popular throughout Egypt. People would reenact the god's murder by Seth. "Osiris gardens" were constructed. These gardens consisted of a mold in the shape of Osiris that would be filled with soil, then moistened with the water of the Nile and sown with grain. The sprouting grain symbolized the strength and power of the god.

The **Aztecs** were the native people of central Mexico. They are known for their highly developed civilization. Many of their buildings and monuments, including pyramids, still stand. They were conquered in 1521 by Hernán Cortés, an explorer from Spain.

Mictlantecuhtli was the Aztec god of death. He was not feared but rather looked upon as a kind deity who released people from the burdens and harshness of life. There were many Aztec rituals and celebrations surrounding Mictlantecuhtli and the underworld of **Mictlan**, which he ruled. With the Spanish conquest new rituals were introduced, many of which were similar to the Aztec ones. All Saints' Day and All Souls' Day began to blend in seamlessly with the harvest and death rites of Mictlantecuhtli.

Monarch butterflies, whose annual arrival in Mexico coincides with the Days of the Dead celebration, are also known as *Danaus plexippus,* or milkweed butterflies, because their larvae feed on milkweed. Within a year four generations of monarchs are born. Most have life spans of only a few weeks. But the fourth generation, known as the autumn migrant, lives for several months. Those autumn migrants born east of the Rocky Mountains migrate to the oyamel fir forests of central Mexico, which are in a range of transvolcanic mountains. The monarchs west of the Rockies migrate to various sites in California, especially around Monterey.

GLOSSARY

abuela: grandmother

abuelo: grandfather

calacas: handmade Days of the Dead figurines showing skeletons working and playing

calavera: skull

mariposa: butterfly

masa: dough, or the cornmeal mixture used to make tortillas

metate: a flat stone platform used for grinding and pulverizing grains

ofrenda: offering

oyamel: a species of fir tree that grows in the mountain ranges of Mexico and in which monarch butterflies roost during the winter months

pan: bread

rebozo: a woven shawl worn by many Mexican women; they sometimes wrap their babies in a rebozo and carry them by tying the shawl around their shoulders

tortillas: very thin pancakes made from cornmeal; a staple of the Mexican diet, they are used much like bread

tumbas: graves